BONNIE

CŒUR ATOUT, SIMPLE COMME TOUT

ÉDITONS DU TRÉCARRÉ

L'édition originale de cet ouvrage a paru en anglais sous le titre :
Simply HeartSmart Cooking.

Éditeur original : Random House of Canada

Traduction : Raymond Roy, Lucie Legault et Ginette Hubert

Photographie : Robert Wigington

Illustrations : Wayne Terry

Conception : Andrew Smith

Composition et mise en pages : Ateliers de typographie Collette inc.

ISBN 2-89249-524-5

Dépôt légal, 1994
Bibliothèque nationale du Québec
Imprimé au Canada

Éditions du Trécarré
Saint-Laurent (Québec) Canada

1 2 3 4 5 98 97 96 95 94

Photo de la couverture : Pâtes avec saumon grillé et légumes sautés (page 110)

TABLE DES MATIÈRES

Je dédie ce livre à ma grande amie Maureen Lollar
qui travaille avec moi depuis quinze ans.
Son professionnalisme, sa compréhension et sa compassion
envers ceux qui ont besoin d'aide, son sens de l'humour
éclectique et ses papilles gustatives incroyablement sensibles
sont pour moi une source d'émerveillement constant.

REMERCIEMENTS

La Fondation des maladies du cœur tient à remercier les personnes suivantes.

Membres du comité consultatif national sur la nutrition :
Gail Leadlay, R.D. ; Suzanne Mahaffy, P.Dt. ; Bretta Maloff, M.Ed., R.D. ; Rena Mendelson, M.S., D.Sc., R.D. ; Laura Sevenhuysen, M. Ed., R.D.

Groupe de travail du sous-comité sur l'élaboration et la révision des programmes :
Johanne Carrier, APR ; Gwen Dubois-Wing, inf., M.A. ; Gerald Gray, Ph.D. ; James C. Welsh, Ph.D.

Membres du comité de révision de l'Association canadienne des diététistes :
Barbara Anderson, P.Dt., Kathryn Camelon, B.A.Sc., R.D., Doris Gillis, M.Sc., M.Ad.Ed., P.Dt., Donna J. Nadolny, M.Sc., R.D.

Elaine Chan Fabiano, B.Sc., R.D., Carol Dombrow, B.Sc., R.D., Susan Fyshe, M.H.Sc., R.D., Richard Lauzon, Ph.D., M.B.A., Doug MacQuarrie, M.Ed., Bonnie Stern, Lysanne Trudeau, M.Sc., Dt. P.

Ces personnes ont participé à la révision du chapitre d'introduction de *Cœur atout, simple comme tout*; grâce à leur compétence, nous pouvons vous présenter l'information la plus récente et la plus pertinente sur la saine alimentation.

Des remerciements particuliers à :

- l'équipe du comité des livres de recettes dont l'énorme contribution a permis de faire de cet ouvrage le livre de recettes le plus étoffé qui soit : Bonnie Stern, Shelley Tanaka, Richard Lauzon, Ron Bradley, Lilianne Bertrand, Beverly Tobin, Kasia Czarski, Elissa Freeman, Niki Guner, Doug Pepper, Pat Cairns, Alan Terakawa, Carol Dombrow, Rick Gallop, Denise Beatty, R.D., qui a rédigé la magnifique introduction de l'ouvrage et a été en tout temps disponible pour répondre à nos questions ;
- Barbara Selley, R.D., associée-conseil chez Info Access (1988) Inc., qui a fait l'analyse nutritionnelle des recettes et gardé tout le monde sur la bonne voie ;
- Elaine Chan Fabiano, R.D., qui nous a prodigué ses savants conseils lors de la structuration des divers éléments de cet ouvrage ; merci à Susan Finkelstein et Lynn McAuliffe pour leur aide lors de la rédaction finale.

Les fabricants de la margarine Becel se sont engagés à encourager les consommateurs canadiens à adopter un style de vie sain. L'appui aux campagnes d'éducation de la Fondation des maladies du cœur fait partie intégrante de cet engagement.

La Fondation des maladies du cœur manifeste sa gratitude à l'endroit de Becel pour le généreux soutien qui a rendu possible ce livre de recettes. Le soutien financier de ce commanditaire ne signifie d'aucune façon que la Fondation des maladies du cœur recommande les produits de celui-ci.

L'Association canadienne des diététistes a révisé *Cœur atout, simple comme tout* et elle reconnaît qu'il contribue à promouvoir le mieux-être nutritionnel des Canadiennes et des Canadiens.

REMERCIEMENTS DE L'AUTEURE

Mon père dit toujours que plus on travaille fort, plus on a de la chance. Quant à moi, je sais que je suis à la fois une personne qui travaille très fort et une personne très chanceuse. L'amour et le soutien des membres de ma famille ajoutent énormément à ma bonne fortune. C'est dans leur compréhension que je puise l'élan pour entreprendre des projets. Mes affectueux remerciements à mon mari, Raymond Rupert, ainsi qu'à Anna, Mark et Fara ; à Meredith, Charles, Jane et Wayne Krangle ; à Max et Ruth Stern ; à Bruce et Hedy Felstein ; à Jack Rupert et Shawn Duckman. Ma famille élargie inclut également Daphne Smith, Tina Lastima et Dely Balagtas.

Un projet de cette envergure est une entreprise gigantesque. Celui-ci a été en gestation pendant seize ans. Bien des gens en ont influencé la matière première et je leur suis très reconnaissante de leur contribution et de leur appui.

Grâce aux membres du personnel de mon école de cuisine, chaque jour de travail est un réel plaisir. Ils abordent les nouveaux projets avec enthousiasme et supportent avec bonne humeur les modifications que j'apporte aux recettes à la dernière minute. Mes chaleureux remerciements à Anne Apps, Lorraine Butler, Robert Butler, Rhonda Caplan, Sadie Darby, Letty Lastima, Julie Lewis, Maureen Lollar, Sandra Madour, Jacques Marie, Francine Menard, Melissa Mertl et Linda Stephen. Je tiens de plus à remercier Brian Campbell et Wendy Craig pour leur compétence en informatique car, sans leur aide, j'aurais dû rédiger mon manuscrit à la main !

J'ai aussi eu la chance extraordinaire de pouvoir travailler à ce projet en collaboration avec la Fondation des maladies du cœur du Canada. Ce fut non seulement une merveilleuse occasion d'apprendre, mais aussi de contribuer à une très noble cause. Je désire remercier toutes les personnes de cet organisme qui ont travaillé à ce projet, en particulier Denise Beatty, Lilianne Bertrand, Kasia Czarski, Carol Dombrow, Elaine Chan Fabiano, Elissa Freeman, Rick Gallop, Niki Guner, Richard Lauzon, Ruth LeBar, Lynn McAuliffe, Barbara Selley et Beverly Tobin.

Mes remerciements tout particuliers à Marian Hebb sans qui ce projet n'aurait jamais été conçu. Merci également à Shelley Tanaka, ma méticuleuse rédactrice, sans qui je ne l'aurais peut-être jamais mené à terme. Il faut bien que toutes ces réunions, tôt le matin, tard en soirée et le dimanche, aient servi à quelque chose !

J'ai aussi « subi » la délicieuse influence de nombreux chefs, professeurs et amis talentueux qui ont partagé avec moi leurs idées, leurs techniques et leurs recettes : Elizabeth Andoh, Fran Berkoff, Gwen Berkowitz, Giuliano Bugialli, Hugh Carpenter, Jim Dodge, Bernie Glazman, Barbara Glickman, Simone Goldberg, Marcella et Victor Hazan, Andrea Iceruk, Madhur Jaffrey, Madeleine Kamman, Diana Kennedy, Susur Lee, Patti et Earl Linzon, Nick Malgieri, Lydie Marshall, Bob Masching, Christopher McDonald, Mark McEwan, Alice Medrich, John Moscowitz, Jacques Pépin, Joel et Linda Rose, Nancy Lerner et Richard Rotman, Lynn Saunders, Nina Simonds, Irene Tam, Susan Weaver, Edward Weil, Lynn et Barrie Wexler, Carol et Jim White ainsi que Cynthia Wine.

Je tiens également à exprimer toute ma gratitude à mes collègues et aux gens de la presse qui m'ont donné l'occasion de faire la promotion de la saine cuisine et de rejoindre un auditoire beaucoup plus vaste par la radio, les journaux, les magazines et la télévision que je n'aurais pu le faire par mon école : Elizabeth Baird, Debbie Bassett, Vyvyn Campbell, Ed Carson, Wei Chen, Bonnie Baker Cowan, Anita Draycott, Lin Eleoff, Carol Ferguson, Margaret Fraser, Ruth Fremes, Alison Fryer, Randy Gulliver, Peter Gzowski, Gerald Haddon, Deby Holbik, Mildred Istona, Adele Ilott, Mary Ito, Patricia Jamieson, Marion Kane, Loni Khun, Bob Lawlor, Anne Lindsay, Samantha Linton, Dan Matheson, Keith Morrison, Peter et Margie Pacini, Norm Perry, Dini Petty, Valerie Pringle, Daphna Rabinovitch, Mary Risley, Monda Rosenberg, Paula Salvadore, Liz Stocks, Pamela Wallin, Robin Ward et Judy Webb.

Et merci également au *Toronto Star*, à la revue *Canadian Living*, aux émissions *Eye on Toronto* de CFTO et *Canada AM* de CTV où certaines des recettes de cet ouvrage ont peut-être déjà été présentées.

Et derniers mais non les moindres, je veux rendre hommage à mes merveilleux, curieux et fidèles élèves qui, d'office, forment mon panel de goûteurs. De toutes les différentes choses que je fais, l'enseignement est celle que je préfère car c'est pour moi une occasion de communiquer personnellement avec d'autres cuisiniers. Par leur interaction constante, mes élèves me permettent de demeurer dans le peloton de tête. Je sais toujours, grâce à eux, ce que les gens doivent absolument savoir, ce qu'ils veulent apprendre et le degré de compétence qu'ils souhaitent atteindre. Leurs questions me permettent d'inclure les réponses dans mes recettes. Ainsi, je peux vous aider à convertir le temps et les efforts que vous consacrez à la cuisine en de merveilleux résultats. Merci, merci, merci.

BONNIE STERN
TORONTO, 1994

PRÉFACE

Cela semble si simple : consommer des aliments faibles en matières grasses et riches en fibres ! Cependant, vous vous demandez : « Comment faire ? » Pour répondre à cette question, la Fondation des maladies du cœur du Canada a publié, au cours des six dernières années, trois livres de recettes :

- *Bonne table et bon cœur*
- *Recettes de tous les jours au goût du cœur*
- *Bien manger à bon prix*

Chacun de ces ouvrages a abordé l'alimentation saine dans une perspective différente. L'incessante demande du public pour ces livres de recettes nous a confirmé que nous répondions au besoin de millions de Canadiennes et de Canadiens qui désirent cuisiner des repas sains et contribuer à l'amélioration de leur santé cardiaque.

L'objectif de *Cœur atout, simple comme tout* est de simplifier la cuisine saine. Une auteure renommée, Bonnie Stern, a relevé le défi avec succès. Nous sommes persuadés que cet ouvrage se taillera une place de choix dans votre cuisine, ne serait-ce que par ses trucs sur la préparation des repas !

Dans l'introduction, la Fondation présente certaines des dernières découvertes en matière de prévention et de contrôle des maladies du cœur. Pour sa part, la journaliste et diététiste Denise Beatty couvre habilement une variété de sujets : une mise à jour sur les facteurs de risque des maladies cardiovasculaires, la saine alimentation, le nouveau *Guide alimentaire canadien pour manger sainement*, les antioxydants et la vie active. Elle se penche également sur la consommation de matières grasses par les enfants. Vous trouverez aussi des renseignements surprenants sur les femmes et les maladies cardiaques.

Le format de ce livre de recettes vise à rendre la cuisine saine encore plus simple. L'utilisation de la couleur et des notes explicatives en marge vous permet de repérer facilement les choses essentielles. La planification des menus complète les recettes. Pour conclure, je suis certaine que vous apprécierez à la fois les messages et les plats de *Cœur atout, simple comme tout.*

LA PRÉSIDENTE DE LA FONDATION DES MALADIES DU CŒUR DU CANADA,
FRANCES M. GREGOR, inf., M.Sc.inf.

Introduction

Manger sainement pour un cœur en santé

Personne ne serait surpris si, après avoir jeté un bref coup d'œil à ces pages d'introduction, vous passiez sans plus attendre aux recettes.

Dans ce livre, la Fondation des maladies du cœur du Canada a fait équipe avec la cuisinière bien connue Bonnie Stern. Celle-ci a créé deux cents recettes qui, si elles sont bonnes pour le cœur, n'en ont pas moins la saveur et la richesse des recettes qui lui ont valu sa réputation.

Et en prime, vous avez droit à un chapitre d'introduction qui vous explique ce qu'il est important de savoir quand on veut manger sainement.

Maintenant, c'est à vous de décider : poursuivre votre lecture et apprendre les secrets d'une saine alimentation ou faire le saut, si l'on peut dire, et préparer l'une des recettes à la fois saines et savoureuses de Bonnie Stern.

Tout comme je suis persuadée que vous reviendrez jour après jour aux recettes de madame Stern, je sais que vous relirez parfois ces pages d'introduction pour vous rafraîchir la mémoire sur les principes de la saine alimentation.

À QUI S'ADRESSE CE LIVRE DE RECETTES ?
Ce livre s'adresse principalement aux personnes en santé qui veulent manger mieux.

Que ce soit pour un repas du lundi soir ou pour une grande réception, vous y trouverez des recettes à la fois saines et délicieuses ainsi que des idées de menus qui sauront satisfaire tous les amoureux de la bonne chère.

Ce livre sera également utile aux personnes diabétiques qui trouveront facile d'en intégrer les recettes à leur régime personnel à l'aide du système d'équivalents de l'Association canadienne du diabète (voir l'annexe de la page 291).

Les personnes qui présentent des problèmes cardiaques apprécieront également cet ouvrage ; toutefois, elles devront peut-être réduire encore plus la teneur en sel, en matières grasses et en cholestérol alimentaire de certaines recettes. Les trucs de l'annexe débutant à la page 285 les y aideront.

La saine alimentation – à quoi ça sert ?

Vous êtes toujours fatigué ? Vous avez de la difficulté à finir vos journées ? Il est très probable que de mauvais choix d'aliments, des habitudes alimentaires irrégulières et le manque d'activité physique soient le problème.

Vous vous sentirez mieux, paraîtrez mieux et apprécierez le surplus d'énergie dès que vous mangerez sainement et serez plus actif.

Les avantages sont nombreux :

- vous obtiendrez un apport suffisant de tous les nutriments essentiels ;
- vous éviterez les hausses et les baisses d'énergie liées à une alimentation désordonnée car vous prendrez des collations et des repas normaux ;
- vous maintiendrez votre système immunitaire à son meilleur, prêt au combat et capable de résister aux virus courants du rhume, aux bactéries et aux autres envahisseurs ;
- vous atteindrez votre poids santé et le maintiendrez ;
- vous courrez moins de risques de développer des problèmes de santé liés à l'alimentation comme les maladies cardiovasculaires, le cancer et l'obésité.

Une conversation à cœur ouvert avec les femmes

Dans l'ensemble, la société canadienne a tendance à associer maladies cardiaques et hommes d'âge moyen. Toutefois, ces maladies ne sont pas uniquement l'apanage des hommes. Il est temps que les femmes écoutent elles aussi les messages de leur cœur.

Les maladies cardiaques sont la principale cause de mortalité chez les femmes. 41 % de tous les décès de Canadiennes en 1992 leur sont imputables. Les femmes doivent reconnaître les facteurs de risque et prendre des mesures concrètes pour les contrôler.

LES FACTEURS DE RISQUE

Tout comme les hommes, les femmes sont plus exposées aux maladies cardiaques si elles :

- fument ;
- font de l'hypertension ;
- ont des taux de cholestérol sanguin et de triglycérides élevés ;
- ne font pas d'exercice physique ;
- font de l'embonpoint ;
- souffrent de diabète.

En plus des risques additionnels que représentent la prise de contraceptifs oraux et le début de la ménopause, les femmes semblent plus exposées aux maladies cardiaques que les hommes si elles font de l'hypertension, ont un taux élevé de triglycérides sanguins et souffrent de diabète.

TRUCS « SANTÉ DU CŒUR » POUR LA FEMME

Elles doivent, comme les hommes, prendre conscience des facteurs de risque présents dans leur mode de vie et faire les changements qui s'imposent.

Voici cinq moyens pour avoir un cœur en meilleure santé :

- si vous fumez, songez à arrêter. La cigarette fait doubler les risques de subir une attaque cardiaque ; de plus, si vous fumez et prenez des contraceptifs oraux, les risques doublent encore ;
- faites plus d'activité physique chaque jour ;
- surveillez votre tension artérielle. Si elle est trop élevée, consultez votre médecin. Une tension normale devrait se situer entre 100 et 120 de tension systolique (chiffre du haut) sur 80 de tension diastolique (chiffre du bas) ;
- si vous souffrez de stress excessif, d'anxiété ou de dépression, demandez de l'aide. Certaines modifications apportées à votre style de vie, comme manger plus sainement, être plus active, suivre une thérapie de relaxation ou des cours de gestion du stress, sont des moyens sains qui peuvent vous aider à vous en sortir ;
- adoptez des habitudes alimentaires plus saines en consommant des aliments moins riches en matières grasses et plus riches en glucides complexes et en fibres (produits céréaliers à grains entiers, légumes, fruits et légumineuses).

QU'EST-CE QUE MANGER SAINEMENT ?

Fondamentalement, manger sainement, c'est se nourrir de façon à obtenir un apport suffisant de tous les nutriments essentiels et à réduire au minimum les risques de développer des maladies liées à l'alimentation comme les maladies cardiovasculaires, le cancer et l'excès de poids. C'est aussi beaucoup plus que cela.

FAITES DE L'ACTIVITÉ PHYSIQUE

Être actif chaque jour et manger sainement vont de pair.

Peu importe le type d'activité choisi l'important, c'est de faire de l'exercice !

Les meilleures activités physiques sont celles que vous avez du plaisir à faire et qui s'intègrent facilement à votre routine quotidienne.

La marche et le jardinage sont deux moyens simples et très agréables d'être actif. Bien sûr, les sports plus organisés* comme le baseball, le basketball, les séances d'aérobie ainsi que les loisirs comme la bicyclette, le ski, la randonnée, le tennis, la natation, le patin et le golf font aussi l'affaire.

* *Certains types d'activité physique peuvent ne pas convenir à tout le monde.*

Avant d'entreprendre de nouvelles activités exigeant un effort physique considérable, consultez votre médecin.

Q. Que suggérez-vous comme moyen sûr et sain pour perdre du poids ?
R. Perdre du poids est une question de santé très complexe pour laquelle il n'y a pas de réponse simple. Il a été abondamment prouvé que les régimes faibles en calories, les régimes de « crève-faim », n'aident pas la plupart des gens qui veulent maigrir à atteindre et à maintenir un poids santé de façon durable. De plus, maigrir et engraisser à répétition n'est pas sain non plus, que ce soit sur les plans physique, émotif ou psychologique.

Les théories actuelles sur la perte de poids favorisent une approche modérée qui implique de manger sainement, sans suivre un régime amaigrissant, et surtout d'être plus actif. Les renseignements et les recettes du présent ouvrage peuvent vous aider à acquérir un mode d'alimentation sensé et faible en matières grasses qui peut vous aider à atteindre graduellement votre poids santé.

Manger sainement implique également une relation saine avec la nourriture et l'alimentation. Les personnes qui mangent sainement utilisent les aliments d'une façon sensée : elles ne mangent pas à l'excès et ne se sentent pas non plus obligées d'éliminer complètement de leur alimentation les choses qu'elles aiment. Elles répondent aux signaux internes de leur corps qui leur disent de manger quand elles ont faim et de cesser quand elles ont assez mangé.

Le fait d'adopter de saines habitudes alimentaires vous libère et vous permet d'apprécier les aliments et les repas et d'en tirer du plaisir.

VOTRE FAÇON BIEN À VOUS DE MANGER SAINEMENT

Il y a plus d'une façon de manger sainement. Que vous mangiez de la viande, soyez végétarien ou suiviez un régime alimentaire particulier, il existe certains principes de base communs à tous les modes d'alimentation sains.

Au Canada, nous avons un outil qui aide les gens à acquérir de saines habitudes alimentaires : le *Guide alimentaire canadien pour manger sainement*, reproduit à la page 12. Même si certains détails de ce guide sont exclusifs au Canada, les principes de base d'une saine alimentation qu'il prône sont sensiblement les mêmes que ceux de la Food Pyramid utilisée aux États-Unis et des guides alimentaires qu'on trouve dans d'autres pays occidentaux.

LA CLÉ DU GUIDE ALIMENTAIRE

Si vous n'êtes pas encore familier avec le *Guide alimentaire*, prenez quelques minutes pour y jeter un coup d'œil aux pages 12 et 13.

Le *Guide alimentaire* est exactement ce qu'il dit être... un guide pour une saine alimentation. Il indique les groupes d'aliments importants et recommande pour chacun un éventail de portions. Manger de façon nutritive n'est plus une devinette.

Au lieu de répéter les renseignements contenus dans le *Guide alimentaire*, la présente section utilise l'information qu'il renferme pour approfondir les principes de base d'une saine alimentation qui ont trait à la bonne santé cardiaque.

POUR MIEUX COMPRENDRE LE GUIDE ALIMENTAIRE

QUE DEVRIEZ-VOUS MANGER ?

L'objectif d'une saine alimentation est de modifier votre façon de manger, de passer d'une alimentation canadienne traditionnelle basée sur des aliments riches en protéines et en matières grasses à une alimentation qui inclut davantage de glucides complexes, de fibres, de vitamines et de minéraux essentiels.

Dans le *Guide alimentaire*, cette modification des habitudes alimentaires est visuellement représentée par l'arc-en-ciel. Les arcs les plus longs vous invitent à consommer davantage de produits céréaliers, de légumes et de fruits ; les arcs plus courts représentent les quantités moindre de lait et de viande dont vous avez besoin.

LE GUIDE ALIMENTAIRE CANADIEN POUR MANGER SAINEMENT

Le guide alimentaire

CANADIEN

POUR MANGER SAINEMENT

Des quantités différentes pour des personnes différentes

La quantité que vous devez choisir chaque jour dans les quatre groupes alimentaires et parmi les autres aliments varie selon l'âge, la taille, le sexe, le niveau d'activité ; elle augmente durant la grossesse et l'allaitement. Le guide alimentaire propose un nombre plus ou moins grand de portions pour chaque groupe d'aliments. Ainsi, les enfants peuvent choisir les quantités les plus petites et les adolescents, les plus grandes. La plupart des gens peuvent choisir entre les deux.

Produits céréaliers

5 à 12

PORTIONS PAR JOUR

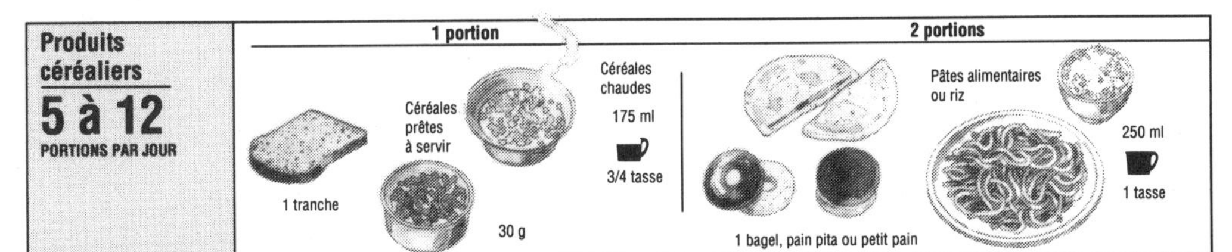

Légumes et fruits

5 à 10

PORTIONS PAR JOUR

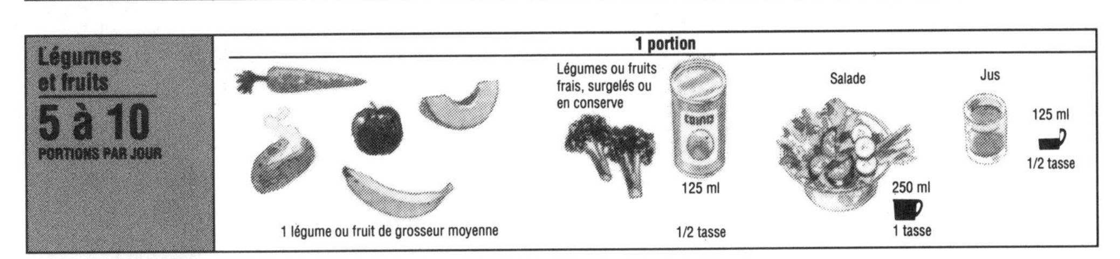

Produits laitiers

PORTIONS PAR JOUR

Enfants (4 à 9 ans) : 2 à 3
Jeunes (10 à 16 ans) : 3 à 4
Adultes : 2 à 4
Femmes enceintes ou qui allaitent : 3 à 4

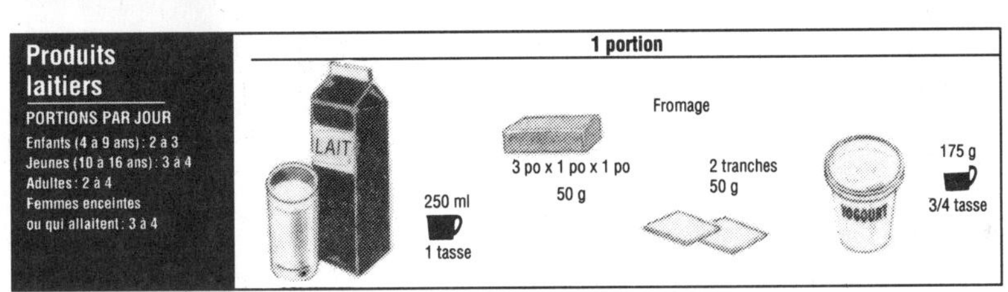

Viandes et substituts

2 à 3

PORTIONS PAR JOUR

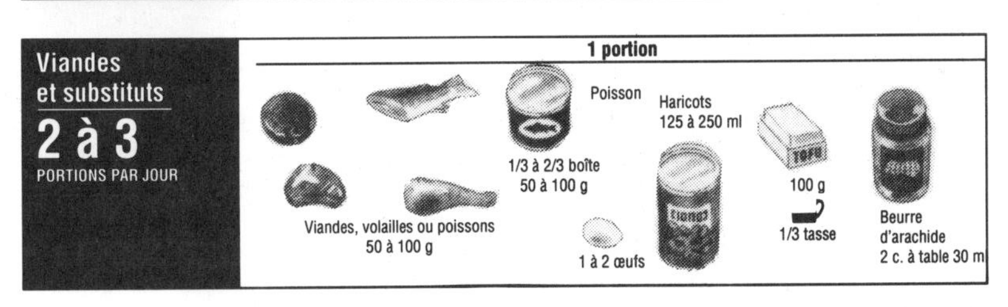

Autres aliments

D'autres aliments et boissons qui ne font pas partie des quatre groupes peuvent aussi apporter saveur et plaisir. Certains de ces aliments ont une teneur plus élevée en gras ou en énergie. Consommez-les avec modération.

ISBN 0-662-97564-2

QUELLE QUANTITÉ D'ALIMENTS DEVRIEZ-VOUS MANGER ?

Comme celle de bien des gens, votre première réaction au *Guide alimentaire* sera probablement de trouver qu'on y recommande beaucoup de portions de produits céréaliers, de légumes et de fruits.

Vous découvrirez qu'en mangeant moins d'aliments riches en matières grasses, vous devrez manger davantage de produits céréaliers, de légumes et de fruits pour satisfaire votre appétit.

Par ailleurs, le nombre de portions dont vous avez besoin chaque jour dépend de votre âge, de votre sexe et de votre niveau d'activité. Par exemple, sept portions de produits céréaliers et six portions de légumes et de fruits peuvent être suffisantes pour les enfants et les femmes. Toutefois, les sportifs, les adolescents toujours affamés ou les adultes dont l'emploi exige une grande dépense d'énergie peuvent avoir besoin de plus grandes quantités de ces aliments pour combler leurs besoins quotidiens en énergie.

La grosseur des portions peut vous tromper également. Votre sandwich représente deux portions de produits céréaliers au lieu d'une ; un grand verre de jus représente non pas une mais bien deux portions de fruits ; une pleine assiettée de pâtes peut contenir deux ou trois portions de produits céréaliers.

ET SI VOUS ÊTES VÉGÉTARIEN ?

Le *Guide alimentaire canadien pour manger sainement* peut être utile aux végétariens qui consomment des œufs ou des produits laitiers, ou les deux.

La principale différence sera qu'au lieu de la viande vous choisirez des aliments de remplacement comme les légumineuses et les œufs. Il n'est pas nécessaire de faire des combinaisons de légumineuses, de légumes, de produits céréaliers, de noix et de graines pour obtenir suffisamment de protéines. Du moment que vous consommez la quantité recommandée de produits laitiers, votre régime comprendra suffisamment de protéines tant pour les enfants en croissance que pour les adultes.

Ce livre contient des recettes qui vous apprendront à préparer des repas équilibrés sans viande.

LES PRINCIPES DE BASE DE LA SAINE ALIMENTATION SELON LE GUIDE ALIMENTAIRE

Maintenant que vous connaissez mieux le *Guide alimentaire canadien pour manger sainement*, voyons les principes clés d'une saine alimentation sur lesquels il est basé :

- adoptez une alimentation variée ;
- optez plus souvent pour les produits céréaliers, les légumes, les fruits et les légumineuses ;
- consommez moins de produits riches en matières grasses ;
- limitez votre consommation de sel, d'alcool et de caféine.

Q. Devrais-je éliminer de mon alimentation les aliments riches en cholestérol comme les œufs ?

R. Les gens en santé n'ont pas besoin d'éliminer complètement de leur alimentation les aliments riches en cholestérol comme les œufs et le foie. Selon le *Guide alimentaire canadien pour manger sainement*, on peut consommer ces aliments avec modération. Vous pouvez donc les mettre à votre menu quelques fois par mois ou par semaine mais certainement pas tous les jours.

Ce conseil ne s'applique toutefois pas aux personnes qui ont un taux de cholestérol sanguin élevé. Même si le cholestérol contenu dans les aliments n'influence pas autant le taux de cholestérol sanguin que les matières grasses (en particulier les gras saturés et les acides gras polyinsaturés de forme trans), il a tout de même un effet chez certaines personnes.

Pour maintenir votre taux de cholestérol à l'intérieur des limites adéquates, une des stratégies alimentaire qui s'impose est de réduire votre consommation de matières grasses, particulièrement de gras saturés et d'acides gras polyinsaturés de forme trans. De plus, lorsque vous agissez ainsi, vous réduisez automatiquement votre consommation de cholestérol alimentaire car les sources de gras saturés et de cholestérol alimentaire sont habituellement les mêmes.

Ayez une alimentation variée

Comme l'aliment parfait n'existe pas, il est crucial d'avoir une alimentation variée. La teneur en nutriments des aliments varie – riches en certains éléments nutritifs, pauvres en d'autres, riches en matières grasses ou pauvres en fibres alimentaires. En consommant des aliments différents, vous combinez les aspects positifs et négatifs des aliments pour atteindre un sain équilibre.

Comment avoir un régime alimentaire varié ? C'est simple.

Consommez chaque jour des aliments des quatre groupes, comme le recommande le *Guide alimentaire.* Il est également important de varier vos choix dans chacun de ces groupes.

Mangez davantage de produits céréaliers, de légumes, de fruits et de légumineuses

Les produits céréaliers, les légumes, les fruits et les légumineuses forment à l'heure actuelle les pierres angulaires d'une saine alimentation car ce sont des sources de glucides complexes, de fibres ainsi que de vitamines et de minéraux essentiels.

Dans les pays où il va de soi de consommer des aliments riches en glucides complexes et en fibres, l'incidence de certaines maladies, comme les maladies cardiaques et les cancers, est moins élevée. On ne sait pas exactement si cet état de fait est attribuable à l'alimentation à haute teneur en glucides et en fibres ou au fait que leurs régimes alimentaires sont naturellement pauvres en matières grasses. Le point important est que ces aliments sont manifestement bénéfiques et c'est pourquoi le *Guide alimentaire canadien* insiste pour que les Canadiens en consomment davantage.

De plus, les produits céréaliers, les légumes et les fruits sont les principales sources alimentaires des vitamines antioxydantes C et E et du bêta-carotène. (Les sources alimentaires de ces éléments figurent à l'annexe, page 290.)

MISE AU POINT SUR LES FIBRES

On sait depuis longtemps déjà que les fibres alimentaires sont bonnes pour la santé. Elles aident vos intestins à bien fonctionner, elles peuvent réduire vos risques de développer certains cancers et elles jouent un rôle dans la régulation du taux de sucre dans le sang et dans l'abaissement du taux de cholestérol sanguin. Seuls les aliments d'origine végétale contiennent des fibres – aliments à grains entiers, son (blé, avoine, riz), légumes, fruits et légumineuses. Les adultes devraient consommer chaque jour entre 25 et 35 grammes de fibres. Cette quantité est facile à atteindre si vous suivez les conseils du *Guide alimentaire* et mangez beaucoup de produits céréaliers à grains entiers, de légumes, de fruits et de légumineuses.

VITAMINES ANTIOXYDANTES ET MALADIES DU CŒUR

On s'intéresse de plus en plus au rôle que peuvent jouer certaines vitamines antioxydantes, en particulier la vitamine E, sur le plan de la réduction des risques d'athérosclérose.

L'athérosclérose, c'est l'accumulation de cholestérol sanguin LDL sur les parois internes des artères qui s'obstruent graduellement. Avec le temps, le sang ne peut plus circuler normalement, ce qui provoque une angine de poitrine ou une crise cardiaque.

Les recherches récentes laissent croire que le cholestérol sanguin LDL est plus susceptible de se loger sur les parois internes des artères quand il entre en contact avec une forme instable d'oxygène et qu'il devient du « cholestérol LDL oxydé ».

Selon cette nouvelle théorie, les vitamines antioxydantes (contre l'oxydation) par exemple, la bêta-carotène, le vitamines C et E sont importantes parce qu'elles neutralisent l'oxygène hautement réactif avant qu'il n'oxyde le cholestérol LDL. Ce faisant, elles contribuent à prévenir l'athérosclérose.

Bien que ces révélations soient prometteuses, le message global à retenir est qu'il faut adopter un régime alimentaire conforme au *Guide alimentaire canadien pour manger sainement.* En effet, une alimentation équilibrée fournit déjà ces types de vitamines.

APPORT QUOTIDIEN RECOMMANDÉ EN FIBRES

Voici en trois étapes une façon sûre d'obtenir facilement la quantité de fibres nécessaire chaque jour. Mangez au moins :

- une portion de céréales riches en fibres* ou 125 ml (1/2 tasse) de légumineuses ;
- six portions de légumes et de fruits frais en conserve ou congelés ;
- quatre tranches de pain à grains entiers ou 2 tranches de pain à grains entiers plus 2 portions d'un autre aliment à grains entiers (riz brun, pâtes de farine à grains entiers).

* *suggestions :* mélangez à vos céréales préférées 50 ml (1/4 tasse) de céréales à très haute teneur en fibres ; ajoutez 30 ml (2 c. à table) de son de blé ou 50 ml (1/4 tasse) de fruits secs à du son d'avoine ou à des flocons d'avoine cuits.

Consommez moins de matières grasses

Le gras alimentaire est l'élément nutritif le plus souvent associé aux problèmes de santé. L'adulte canadien moyen consomme trop de matières grasses, ce qui explique pourquoi les maladies du cœur, le cancer et l'obésité sont si courants dans notre pays.

QUELLE STRATÉGIE ADOPTER ?

Le principal objectif de la saine alimentation consiste à faire diminuer la consommation de tous les types de gras. Même si certaines matières grasses sont meilleures que d'autres pour la santé du cœur, le leitmotiv qui revient continuellement est le suivant : réduisez votre consommation totale de matières grasses.

Pour plus de renseignements sur les divers types de matières grasses contenues dans les aliments et sur leurs conséquences pour la santé, voir l'annexe, pages 287 et 288.

COMMENT RÉDUIRE SA CONSOMMATION DE MATIÈRES GRASSES ?

Une fois que vous aurez déterminé quelles sont les principales sources de matières grasses dans votre alimentation, il ne vous restera plus qu'à modifier vos choix et votre façon de préparer ou de faire cuire les aliments. Vous apprendrez, grâce aux recettes de Bonnie Stern, qu'il est facile de consommer moins de matières grasses tout en continuant de manger des choses très savoureuses.

UN OUTIL POUR « COUPER DANS LE GRAS »

Selon les Recommandations sur la nutrition, au maximum 30 % (contre 38 % à l'heure actuelle) de l'énergie consommée quotidiennement devraient provenir des matières grasses. C'est un bon conseil, mais qu'est-ce que ça veut dire ? La plupart des gens, avec raison d'ailleurs, n'y comprennent pas grand-chose. Sur les étiquettes des produits alimentaires, dans les brochures, les magazines sur l'alimentation et les livres de recettes, l'apport en matières grasses est indiqué en grammes et non en pourcentage. Il faut donc savoir ce que ce 30 % représente en grammes de matières grasses.

J'ai calculé en grammes ce que représente 30 % des calories provenant du gras. Gardez ces deux chiffres en mémoire car vous y reviendrez souvent pour faire de meilleurs choix alimentaires pour votre santé.

LES GLUCIDES COMPLEXES VOUS LAISSENT-ILS PERPLEXE ?

Les glucides complexes et l'amidon, c'est la même chose. Tout ce qui est fait avec de la farine (blanche, de seigle, de blé entier) ou avec des produits céréaliers (riz, orge, blé concassé ou semoule de maïs) est riche en glucides complexes. Les légumineuses et quelques légumes comme le maïs, les petits pois et les pommes de terre sont également de bonnes sources de glucides complexes.

Contrairement aux croyances bien enracinées, ces féculents ne font pas engraisser. En réalité, ce serait plutôt le contraire car ils sont naturellement pauvres en matières grasses et en énergie. C'est ce que vous mangez avec les féculents – le beurre avec le pain, la sauce au fromage à la crème sur les pâtes, la saucisse ou le saucisson qui accompagne le petit pain – qui constitue des sources importantes de matières grasses et de calories.

QUELLE DOIT ÊTRE LA QUANTITÉ DE MATIÈRES GRASSES DANS UN REPAS ?

Il n'y a pas de règle unique. Et bien sûr, il n'y a pas deux journées pareilles. Les quantités approximatives que voici peuvent vous aider à planifier la teneur en matières grasses de vos repas.

- déjeuner et collation de la matinée : 10 à 15 grammes.
- Dîner et collation d'après-midi : 25 à 35 grammes.
- Souper et collation en soirée : 25 à 40 grammes.

LES PRINCIPALES SOURCES DE MATIÈRES GRASSES DANS VOTRE ALIMENTATION

- Les gras utilisés pour la préparation et la cuisson des aliments : beurre, margarine, shortening, lard, huiles végétales, vinaigrettes, sauces à salade régulières, mayonnaise
- Les aliments faits avec du gras ou frits dans du gras servant à la préparation et à la cuisson : biscuits, gâteaux, craquelins, divers aliments préparés, collations et grignotines comme les croustilles, de nombreux produits de restauration rapide
- Les produits laitiers, à moins qu'il ne s'agisse de produits écrémés*
- La viande, la volaille, le poisson et les œufs

* *Les recettes contenues dans ce livre ont été analysées avec du lait à 2 % de matières grasses. Vous pouvez cependant en réduire davantage la teneur en matières grasses en y substituant du lait écrémé ou du lait à 1 %.*

Q. Je viens de découvrir que les margarines contiennent soit de l'huile hydrogénée soit de l'huile de palme. Ces ingrédients ne sont-ils pas aussi nocifs pour moi que le beurre ?

R. À cet égard, la quantité fait toute la différence. Bien que les prétendues margarines santé contiennent effectivement des gras saturés (huile de palme ou huile de palmiste) ou des acides gras polyinsaturés de forme trans qui proviennent de l'huile végétale hydrogénée, elles contiennent beaucoup moins de gras saturés que le beurre. Utilisez-en la plus petite quantité possible.

CONSOMMATION QUOTIDIENNE DE MATIÈRES GRASSES

(en grammes)

Pour un homme moyen âgé de 19 à 74 ans qui a besoin de 2300 à 3000 calories par jour	90 grammes ou moins
Pour une femme moyenne âgée de 19 à 74 ans qui a besoin de 1800 à 2100 calories par jour	65 grammes ou moins

CONSIDÉREZ CES CHIFFRES DANS L'OPTIQUE D'UNE SAINE ALIMENTATION

Ces chiffres sont simplement un outil pour vous aider à choisir des aliments à teneur réduite en matières grasses. Comme l'apport en gras est lié à l'apport en calories, les gens plus actifs dont les besoins en calories sont plus élevés peuvent consommer un peu plus de matières grasses que les personnes moins actives.

COMMENT DEUX CHIFFRES PEUVENT FAIRE TOUTE LA DIFFÉRENCE

Ces deux chiffres peuvent vous servir de points de référence pour évaluer la teneur en matières grasses des aliments, comme l'illustrent les situations qui suivent.

À l'épicerie

• Vous êtes à l'épicerie devant le comptoir du poisson congelé.

Deux morceaux (environ 100 g) d'un produit pané contiennent 16 g de gras ; la même quantité de filets nature, congelés, contient moins de 1 gramme de gras. Si vous choisissez le produit pané, vous savez que c'est beaucoup de matières grasses pour une seule partie du repas.

• Vous voulez une entrée à cuire aux micro-ondes pour un dîner vite fait.

Bien que la grosseur des portions varie quelque peu, il est probable que vous mangerez une portion complète. En comparant les diverses entrées, vous constatez un écart assez important pour ce qui est de la teneur en matières grasses. Votre choix dépendra probablement des autres services de votre repas et de ce que vous avez déjà mangé dans la journée.

Produit	Portion (en g)	Matières grasses (en g)
Chili végétarien	(350 g)	4,9
Lasagne	(286 g)	12,0
Pâté chinois	(270 g)	18,0
Macaroni au fromage	(340 g)	26,0
Soufflé aux épinards	(335 g)	30,0

Au restaurant

Dans les casse-croûte où l'on sert des sandwiches, vous pouvez choisir la sorte de pain ou de petit pain que vous désirez. Vous savez, après avoir lu les étiquettes à l'épicerie, qu'un petit croissant contient au moins 12 grammes de gras tandis que 2 tranches de pain ou un petit pain de blé entier ne contiennent que des traces de matières grasses.

VOS ENFANTS ET LES MATIÈRES GRASSES

Sur le plan nutritionnel, il ne faut pas considérer les enfants comme des adultes en format réduit! Leurs besoins nutritionnels sont différents, particulièrement en ce qui a trait aux matières grasses. Les enfants, surtout ceux d'âge préscolaire ou du premier cycle du primaire, ne peuvent manger de grandes quantités de nourriture. Pour grandir et se développer normalement, ils auront probablement besoin d'énergie concentrée contenue dans les aliments riches en matières grasses.

Santé Canada, après avoir consulté la Société canadienne de pédiatrie, concluait récemment qu'il ne fallait pas appliquer trop rigoureusement aux enfants les objectifs destinés aux adultes sur le plan de la consommation de matières grasses.

On devrait considérer l'enfance comme une période au cours de laquelle s'effectue la transition entre le régime alimentaire de la petite enfance, à haute teneur en matières grasses (50 % de l'énergie provient du gras), et le régime alimentaire à teneur réduite en matières grasses préconisé pour les adultes. Durant ces années de croissance, on peut apprendre aux enfants à apprécier les aliments et les repas à faible teneur en matières grasses préparés pour les autres membres de la famille, et dont les recettes du présent ouvrage sont de bons exemples. Parallèlement toutefois, les enfants peuvent consommer davantage d'aliments à plus haute teneur en matières grasses (fromage, beurre d'arachide, noix, graines et crème glacée), aliments que leurs grands frères et grandes sœurs et leurs parents devraient, pour leur part, consommer moins souvent.

Au fur et à mesure que les enfants approchent de la fin de leur croissance, soit vers 14 ou 15 ans pour les filles et 17 ou 18 ans pour les garçons, ils devraient graduellement réduire leur consommation de matières grasses jusqu'au niveau recommandé pour les adultes.

Consommez moins de sel, d'alcool et de caféine

La question de la consommation de sel, d'alcool et de caféine est une source fréquente de confusion. Disons tout de suite que toutes ces substances peuvent être consommées sans danger mais avec modération.

Toutefois, un régime spécial prescrit par votre médecin ou votre diététiste peut vous obliger à réduire votre consommation de l'une ou l'autre de ces substances ou même des trois.

LE SEL

Le sel est si largement utilisé dans la préparation des aliments que, chez la plupart des gens, l'apport en sodium dépasse de beaucoup les besoins. Et comme le sodium est l'une des causes de l'hypertension chez certaines personnes, on recommande de consommer moins de sel.

Q. Quelles sont les meilleures margarines ?

R. Les meilleures sont :

- les margarines à faible teneur en acides gras saturés et en acides gras polyinsaturés de forme trans. Cependant, la loi ne prévoit pas encore l'inscription de la quantité des gras trans sur l'étiquette ;
- les margarines à haute teneur en acides gras insaturés. Cette information apparaît sur l'étiquette et peut servir, comme c'est indiqué ci-dessous, à choisir une bonne margarine ;
- les margarines vendues en contenants de plastique – et non celles qui sont vendues sous forme de briques ou de bâtons enrobés de papier d'aluminium ;
- les margarines dont l'étiquette mentionne toujours l'information nutritionnelle.

Pour choisir une margarine de bonne qualité, servez-vous des renseignements nutritionnels inscrits sur l'étiquette. Additionnez seulement les quantités d'acides gras polyinsaturés et mono-insaturés. La meilleure margarine régulière contiendra 6 grammes ou plus d'acides gras insaturés par portion de 10 grammes (2 c. à thé) et une margarine légère de bonne qualité en contiendra 3 grammes ou plus.

Q. J'ai entendu dire que l'huile d'olive était la meilleure huile à utiliser. Est-ce vrai ?

R. Des cuisinières aiment le goût que l'huile d'olive donne aux aliments. Toutefois, le goût mis à part, c'est une bonne huile car elle contient beaucoup de gras mono-insaturé ; de plus, elle contient naturellement de la vitamine E antioxydante. Cependant, bonne ou pas, il convient toujours d'utiliser le moins d'huile et de matières grasses possible.

LES PRINCIPALES SOURCES DE CAFÉINE

- café : 108 à 180 mg par tasse de café filtre de 200 ml (6 oz)
- thé : 78 à 108 mg par tasse de thé fort de 200 ml (6 oz)
- boissons gazeuses de type cola : 28 à 64 mg par canette de 355 ml (12 oz)
- chocolat, en particulier le chocolat noir : 40 à 50 mg par tablette de chocolat noir de 56 g (2 oz)
- médicaments contre le rhume et contre les maux de tête : 15 à 30 mg par comprimé

POUR FAIRE DES ACHATS SENSÉS, LISEZ LES ÉTIQUETTES*

Les étiquettes des aliments peuvent vous aider à faire des choix bons pour la santé. Une liste d'ingrédients peut figurer sur les aliments emballés. Utilisez ces renseignements pour savoir si le produit est préparé avec des ingrédients à grains entiers, quel type de matières grasses il contient et quelles en sont les sources de sel ou de sodium.

De plus, l'emballage de certains produits donne une liste plus complète de renseignements nutritionnels comme la teneur en énergie, en matières grasses et en fibres des aliments. Comme vous avez pu le constater dans les exemples d'achats de la page 17, ces renseignements vous permettent de comparer les produits et de faire des choix plus sains.

* *Si vous voulez obtenir plus de renseignements afin de mieux comprendre l'étiquetage des aliments, communiquez avec votre bureau local de la Fondation des maladies du cœur.*

L'ALCOOL

Même si certaines études ont démontré que boire du vin peut faire baisser le taux de cholestérol, sa consommation comporte trop de risques pour la santé pour que l'on en prône l'utilisation à cet effet (certaines maladies du foie et certains types de cancer ont en effet été associés à une consommation excessive d'alcool). Si vous consommez de l'alcool, faites-le avec modération, c'est-à-dire pas plus d'une consommation par jour ou sept par semaine. Une consommation équivaut à 1 bouteille de bière (5 % d'alcool), à 150 ml ou 5 oz de vin (10 à 14 % d'alcool) ou à 50 ml ou 1/2 oz de spiritueux (40 % d'alcool).

LA CAFÉINE

Les auteurs des *Recommandations sur la nutrition* sont d'avis que, pour la plupart des gens en santé, une consommation modérée de caféine ne fait pas augmenter les risques de maladies cardiaques ni d'hypertension, ne modifie pas l'humeur outre mesure et n'a pas de conséquences néfastes sur la grossesse. Une consommation modérée représente entre 400 et 450 milligrammes par jour, soit quatre tasses de 200 ml (6 oz) de café filtre ou de thé fort.

TRUCS D'ACHAT, DE PRÉPARATION DES ALIMENTS ET DE PLANIFICATION DES REPAS

Vous avez peut-être décidé, de manger sainement. Toutefois, votre désir se réalisera ou s'envolera en fumée selon les choix que vous ferez à l'épicerie et dans votre cuisine.

Pour vous aider à mettre en application les principes de base d'une saine alimentation, voici quelques trucs relatifs à la planification des repas, aux emplettes et à la préparation des aliments.

COMMENT AVOIR UNE ALIMENTATION VARIÉE

Trucs d'achat :

- achetez des aliments des quatre groupes alimentaires ;
- essayez de nouveaux aliments, de nouveaux produits.

Trucs pour la préparation des aliments et la planification des repas :

- essayez de nouvelles recettes ;
- adoptez de nouvelles façons de préparer et de cuisiner les aliments : faites braiser dans du bouillon ou du jus de tomate au lieu de faire frire ; au lieu de mettre du beurre sur le pain, tartinez-les de beurre de pomme (page 231) ou de fromage au yogourt (page 228) ; utilisez du fromage cottage pressé à faible teneur en matières grasses au lieu du fromage à la crème dans vos gâteaux au fromage ; mélangez des lentilles au riz.

COMMENT CONSOMMER DAVANTAGE DE PRODUITS CÉRÉALIERS, DE LÉGUMES, DE FRUITS ET DE LÉGUMINEUSES

Trucs d'achat :

- achetez ces aliments en quantités suffisantes pour le nombre de portions recommandées ;
- optez pour le pain de grains entiers, le riz brun, les céréales à haute teneur en fibres pour le petit déjeuner, les mélanges à muffins à faible teneur en matières grasses, la farine de blé entier pour vos pâtisseries, les biscuits et les craquelins à faible teneur en matières grasses ;
- achetez des légumes et des fruits frais, congelés, en conserve ou séchés ;
- sélectionnez beaucoup de légumes vert foncé et orange et des fruits orange qui sont d'importantes sources d'acide folique, de bêta-carotène, et de vitamine C. En général, les légumes sont plus riches en nutriments que les fruits ;
- les légumineuses en conserve sont plus pratiques que les légumineuses séchées mais elles contiennent plus de sel ; cherchez les soupes à base de légumineuses ainsi que les mélanges secs et les mélanges à ragoût contenant du riz et des nouilles.

Trucs pour la préparation des aliments et la planification des repas :

- si vous voulez préparer un repas copieux uniquement avec ces aliments, vous pouvez les servir avec des pâtes accompagnées de pain et de riz ;
- essayez de servir de 2 à 3 légumes ou fruits à chaque repas ;
- pour augmenter la proportion de légumineuses dans votre alimentation, mélangez des petits pois au riz, faites des salades de pois chiches, ajoutez une boîte de lentilles ou de haricots rouges à une soupe en conserve ;
- préservez la qualité première de ces aliments – ils sont naturellement pauvres en matières grasses – en mettant peu ou pas de beurre ou de margarine sur votre pain, en n'ajoutant pas d'huile à l'eau de cuisson du riz et des pâtes, en choisissant des recettes à faible teneur en m.g. ;
- lorsque c'est possible, rincez les légumes et les légumineuses en conserve avant de les utiliser pour éliminer une partie du sel qu'ils contiennent.

COMMENT CONSOMMER MOINS DE GRAS

Trucs d'achat :

- lisez l'information nutritionnelle sur les étiquettes ;
- achetez moins de croustilles, de bâtonnets au fromage et de desserts riches ;
- achetez des produits laitiers faibles en matières grasses comme :
  - du lait, du yogourt et du fromage cottage écrémés ou à 1 % ou 2 % de matières grasses ;
  - du fromage ferme ou à tartiner contenant 20 % ou moins de matières grasses (m.g.) ;
- choisissez des desserts congelés à teneur réduite en m.g. :
  - des sorbets (qui ne sont pas à base de produits laitiers) ;
  - du yogourt congelé contenant 2 % de matières grasses ou moins ;
  - du lait glacé contenant 5 % de matières grasses ou moins ;
  - de la crème glacée légère contenant 7,5 % de m.g. ou moins.

QU'EST-CE QU'UNE LÉGUMINEUSE ?

Les légumineuses sont les graines matures et comestibles des pois et doliques, des haricots et des lentilles. On les apprécie particulièrement parce qu'elles sont des sources de glucides complexes et de fibres alimentaires et parce qu'elles sont naturellement faibles en matières grasses. Ce sont également d'importantes sources de protéines, de calcium et de fer.

CHOIX DE VIANDES, DE VOLAILLES ET DE POISSONS MAIGRES

Bœuf : œil de ronde, haut et bas de ronde ; rôtis et biftecks de surlonge et de pointe de surlonge ; biftecks de faux filet ; bœuf à ragoût ; filet ; biftecks de flanc

Porc : jambon ; rôtis et côtelettes provenant de la cuisse ; filet ; rôtis et côtelettes provenant du milieu de longe ; bas d'épaule ; bout d'épaule

Agneau : rôti de gigot ; côtes de longe

Veau : toutes les coupes

Volaille : toutes les coupes, sans la peau

Poisson : la plupart des poissons*

* **Charcuterie :** roulé ou pastrami de jambon ou de dinde ; pastrami de bœuf

* *Même si certains poissons comme le saumon ou la truite ont une teneur plus élevée en matières grasses, on les utilise dans les recettes parce que la majeure partie des gras qu'ils contiennent sont des gras polyinsaturés oméga-3, un type de gras qui est bon pour le cœur.* *Voir l'annexe, page 228,* *pour plus de renseignements sur les divers types de gras alimentaires.*

- comme les portions de viande recommandées sont plus petites qu'auparavant, achetez de plus petites quantités de viande ;
- achetez les viandes les plus maigres ; planifiez également une plus grande consommation de produits à faible teneur en protéines provenant des matières grasses comme le poisson.

Trucs pour la préparation des aliments et la planification des repas :

- c'est lors de la préparation qu'on ajoute beaucoup de gras aux aliments. Faites une utilisation parcimonieuse des matières grasses et des huiles, et ce, à toutes les étapes de la préparation des aliments, qu'il s'agisse de beurrer le pain ou de faire des biscuits ;
- consommez avec modération les produits laitiers les plus gras comme le fromage ;
- préparez de plus petites portions individuelles de viande ;
- remplacez plus souvent la viande par des légumineuses : haricots au four pour souper, sandwich aux tomates et soupe aux pois cassés ou aux haricots noirs pour dîner ; remplacez le jambon ou le poulet dans une salade par des pois chiches ou des haricots rouges ; essayez les recettes des chapitres sur les plats de résistance sans viande (p. 115) et les pâtes (p. 97) ;
- encore faim ? Optez pour des portions supplémentaires de produits céréaliers, de légumes, de fruits et de légumineuses au lieu de prendre une deuxième portion de viande ou d'une entrée à base de fromage.

Q. Nous menons des vies actives et ne prenons pas toujours des repas équilibrés. Vaudrait-il mieux prendre un supplément de vitamines et de minéraux ?
R. C'est un choix personnel. Même si ces suppléments peuvent améliorer votre alimentation, ils ne pourront jamais remplacer de saines habitudes alimentaires. Rappelez-vous que, de nos jours, les principaux problèmes de santé liés à l'alimentation résultent davantage d'une consommation excessive de certains éléments nutritifs, comme les matières grasses et le sodium, que d'une carence en vitamines et en minéraux.

Même si l'on s'intéresse de plus en plus aux vitamines antioxydantes, la plupart des recherches à ce jour laissent supposer que ce qui est le plus bénéfique pour la santé, ce sont les aliments riches en vitamines, et non les vitamines en tant que telles.

Si vous mangez déjà sainement et prenez tout de même des suppléments, utilisez un produit multivitaminique pour réduire les risques d'absorber une trop grande quantité d'un seul nutriment.

COMMENT RÉDUIRE SA CONSOMMATION DE SEL, D'ALCOOL ET DE CAFÉINE

Trucs d'achat :

- lorsque c'est possible, achetez des produits à teneur réduite en sel ;
- évitez de consommer régulièrement des aliments à haute teneur en sel comme la plupart des soupes en conserve ou en sachet, les mélanges à base de riz ou de nouilles et les préparations à ragoût, les aliments à base de fromage fondu, les condiments comme la sauce soja ;
- buvez du décaféiné ou léger (partiellement décaféiné) ou du thé faible.

Trucs pour la préparation des aliments et la planification de repas à teneur réduite en sel

- comme pour le gras, c'est à cette étape que la plus grande partie du sel que vous consommez est ajoutée aux aliments ;
- ne salez pas l'eau de cuisson des pâtes et des légumes et salez juste un peu, ou pas du tout, l'eau de cuisson du riz ;
- ne salez pas la viande lors de la cuisson ; ajoutez plutôt de l'ail, de l'oignon, du poivre ou une autre épice que vous aimez ;
- réduisez la quantité de sel demandée dans la recette ;
- ne mettez pas la salière sur la table ; utilisez du poivre citronné, des assaisonnements thaïlandais ou à base d'épices et de fines herbes. Évitez ceux à base de sel ;
- soyez créatif quand vous utilisez les épices et les fines herbes ; Pour d'autres trucs qui vous permettront de réduire votre consommation de sel, voir l'annexe, p. 285.

DES FÉLICITATIONS S'IMPOSENT !

Si ce que vous venez de lire vous a déconcerté, c'est tout à fait compréhensible. J'ai condensé une quantité incroyable d'informations dans ce seul chapitre du livre.

Le conseil que je vous donne maintenant, c'est d'oublier pendant un certain temps la théorie de la saine alimentation et de passer à la partie amusante : cuisiner et déguster !

Au fur et à mesure que vous vous familiariserez avec les recettes de Bonnie Stern, vous verrez de quelle manière elle y a intégré les principes de base de la saine alimentation. Elle s'est servi d'une grande variété d'ingrédients pour créer des plats nouveaux et différents ; elle montre comment augmenter la quantité de produits céréaliers, de légumes, de fruits et de légumineuses dans votre alimentation ; elle donne des trucs pour utiliser moins de matières grasses dans la préparation et la cuisson des repas ; elle sale le moins possible et fait une judicieuse utilisation des fines herbes et des épices sans sel pour créer des repas savoureux.

Avec le temps, vous en viendrez à faire vos emplettes, à cuisiner et à planifier vos repas en vous basant sur les principes de la saine alimentation sans même y penser. Une fois que vous aurez acquis ces saines habitudes alimentaires, comme vous avez appris à attacher vos souliers et à faire de la bicyclette, vous ne les oublierez jamais. Elles feront partie de vous pour toujours !

DENISE BEATTY, R.D.
NUTRITIONNISTE-CONSEIL

À PROPOS DE L'ANALYSE NUTRITIONNELLE

L'analyse nutritionnelle des recettes et des menus a été menée par Info Access (1988) Inc., de Don Mills (Ontario), selon le système CBORD de gestion des menus. L'analyse n'a pas porté sur les recettes données dans les marges.

- Le Fichier canadien sur les éléments nutritifs (1991) a servi de base de données, complétées à l'occasion par des données bien documentées provenant de sources fiables.
- L'analyse est basée sur :
  - les mesures impériales ;
  - le plus petit nombre de portions (c'est-à-dire la plus grosse portion) quand un nombre variable de portions est suggéré) ;
  - le premier ingrédient de la liste quand un choix d'ingrédients est donné.
- On a utilisé de l'huile de canola, du lait à 2 % de matières grasses et des bouillons maison non salés pour toutes les recettes.
- L'analyse a tenu compte des mesures de sel indiquées, mais non de la mention « sel au goût ». Dans les recettes, utilisez la plus petite quantité de sel que vous jugez acceptable.
- Lorsque la recette demandait des légumineuses sèches, des pâtes ou du riz préparés à l'avance, on a considéré qu'ils avaient été préparés sans sel.
- L'analyse n'a pas tenu compte des ingrédients facultatifs ni des garnitures dont la quantité n'était pas précisée.

INFORMATION NUTRITIONNELLE SUR LES RECETTES

- Les valeurs ont été arrondies au nombre entier le plus rapproché. Les valeurs inférieures à 0,5 sont indiquées en tant que « trace ».
- Les sources bonnes et excellentes de vitamines (A, C, E, B_6 et B_{12}, thiamine, niacine, riboflavine et acide folique) et de minéraux (calcium et fer) sont indiquées selon les critères établis pour l'étiquetage nutritionnel (*Guide des fabricants et annonceurs*, édition révisée, 1988).
- Une portion qui fournit 15 % de l'apport quotidien recommandé (AQR) d'une vitamine ou d'un sel minéral (30 % pour la vitamine C) est une bonne source de ce nutriment. Une excellente source doit fournir 25 % de l'apport quotidien recommandé (50 % pour la vitamine C).
- Une portion contenant au moins 2 grammes de fibres alimentaires est considérée comme une source modérée de ce nutriment. Les portions qui en fournissent 4 et 6 grammes sont considérées comme des bonnes et très bonnes sources respectivement (*Guide des fabricants et annonceurs*, 1988).

POTASSIUM

On pense que le potassium a un effet positif sur l'hypertension et qu'il minimise le risque d'accident cardiovasculaire. On recommande une alimentation favorisant la consommation d'aliments riches en potassium axée sur les fruits et les légumes.

APPORT QUOTIDIEN TOTAL EN PROTÉINES, EN MATIÈRES GRASSES ET EN GLUCIDES

Basé sur les proportions suivantes : 15 % de l'énergie provenant des protéines, 30 % de l'énergie provenant des matières grasses et 55 % de l'énergie provenant des glucides. Selon les *Recommandations sur la nutrition*, Santé et Bien-être social Canada, 1990.

calories (consommation)	protéines (g) par jour	matières grasses (g) par jour	glucides (g) par jour
1200	45	40	165
1500	56	50	206
1800	68	60	248
2100	79	70	289
2300	86	77	316
2600	98	87	357
2900	109	97	399
3200	120	107	440

LA PLANIFICATION DES MENUS

MANGER SAINEMENT
De nos jours, manger sainement signifie qu'une femme modérément active devrait consommer entre 1800 et 2100 calories par jour ; un homme devrait en consommer entre 2300 et 3000. Parallèlement, une femme ne devrait pas consommer plus de 65 grammes de matières grasses par jour et un homme, au maximum 90 grammes (consulter le tableau de la page 24 pour les apports quotidiens totaux en protéines, en matières grasses et en glucides).

Si vous voulez connaître le pourcentage de matières grasses contenu dans une portion, rappelez-vous que chaque gramme de gras contient 9 calories. Multipliez donc par 9 le nombre de grammes de matières grasses par portion, divisez par le nombre de calories par portion et multipliez par 100. Plus simplement, si une recette contient 3 grammes de matières grasses ou moins et 100 calories par portion, vous savez que c'est un bon choix.

Avec les années, les gens ont découvert que la cuisine faite à partir d'ingrédients à faible teneur en matières grasses pouvait être à la fois bonne pour la santé et délicieuse au goût. Au lieu de noyer la nourriture dans des sauces riches, les gens se préoccupent maintenant davantage d'acheter des ingrédients de meilleure qualité et de les cuisiner de façon à en faire ressortir toute la saveur. De leur côté, les cuisiniers ont remplacé la saveur des matières grasses et du sel par celle des herbes fraîches, des épices odorantes, des poivres relevés, des liquides acidulés et des agrumes rafraîchissants.

Pour moi, manger n'est pas un test de mathématiques ; au lieu de compter les calories et les grammes de matières grasses, je préfère faire de l'exercice et manger sainement, c'est-à-dire éviter les aliments préparés, consommer moins de sodium et de matières grasses et plus de fruits, de légumes et de produits céréaliers à grains entiers.

Le principe de base à respecter est que seulement 30 % de votre énergie quotidienne devraient provenir des matières grasses. C'est facile d'y arriver en planifiant soigneusement vos menus. Par exemple, un petit steak nature peut contenir plus de 30 % de matières grasses, mais, si vous le servez avec des aliments faibles en matières grassses comme un produit céréalier à grains entiers et des légumes, vous faites diminuer le pourcentage total de gras pour votre repas.

Vous pouvez également envisager les menus de la journée ou de la semaine de cette façon. Si vous savez que vous soupez à l'extérieur et que vous mangerez plus que d'habitude, mangez tout simplement moins au dîner de ce jour-là ou du lendemain. Parce que les matières grasses contiennent plus du double des calories contenues dans les protéines ou les glucides, vous pouvez, si vous maintenez à leur plus bas niveau les calories provenant des matières grasses, manger beaucoup plus et respecter l'apport recommandé en énergie. En outre, comme votre organisme a besoin d'une plus grande quantité d'énergie pour métaboliser les protéines et les glucides, vous devriez pouvoir gérer mieux votre poids en suivant un régime à faible teneur en matières grasses (même si vous consommez le même nombre de calories qu'une personne qui suit un régime à haute teneur en matières grasses).

Pour faciliter un peu la planification des menus, j'ai essayé de faire en sorte que le pourcentage total de matières grasses de la plupart des recettes de ce livre soit inférieur à 30 % ou dépasse ce chiffre de très peu. De cette façon, vous pouvez composer des menus sans trop vous préoccuper de compter les grammes de matières grasses.

PRINCIPES DE PLANIFICATION DES MENUS

Bien des gens savent qu'il est important de planifier le repas quand ils reçoivent. Ils prennent le temps nécessaire et tirent même plaisir de ce processus. Toutefois, ces mêmes personnes trouvent souvent ennuyeux de planifier les repas de tous les jours. Cependant, si vous y appliquez les mêmes principes et prenez ne serait-ce qu'un peu de temps pour vous organiser, cela deviendra bientôt une seconde nature.

DES GOÛTS ET DES INGRÉDIENTS

Essayez de ne pas répéter les mêmes ingrédients. Manifestement, vous ne serviriez pas un pâté chinois avec des pommes de terre comme plat d'accompagnement. Cependant, il serait tout aussi répétitif de servir un potage parmentier juste avant un pâté chinois. Une soupe aux légumes légère ou une salade qui ne reprend pas l'un des principaux ingrédients du plat principal et compense pour sa lourdeur ferait une entrée plus appropriée.

Essayez aussi d'éviter les répétitions quand vous utilisez des herbes aromatiques et des épices. Chaque plat doit avoir son propre goût bien à lui.

LA PRÉSENTATION

Visualisez la recette terminée dans votre esprit. Si vous tenez compte de la couleur, des formes et de la texture de chaque plat, vous n'aurez pas besoin d'ajouter de garniture ni d'utiliser des plats de service de fantaisie. Imaginez, par exemple, une poitrine de poulet servie avec des pommes de terre en purée et du chou-fleur sur une assiette toute blanche ; imaginez le même poulet servi sur un lit de ragoût de maïs, accompagné de brocoli avec des pignons et des raisins. Une combinaison d'aliments très colorée est également synonyme d'une grande variété de vitamines et de minéraux.

Essayez aussi de varier les textures dans l'assiette. Quand les robots culinaires sont devenus populaires, les gens disaient à la blague qu'on mettait en purée des repas complets ! En général, il ne devrait y avoir qu'un seul plat en purée par repas. Une autre façon de rendre un repas plus attrayant est de faire varier tant les formes que les textures ; vous ne serviriez pas, par exemple, des croquettes de pomme de terre avec des petits pâtés au saumon.

LES GARNITURES

Si vous désirez ajouter de la garniture à vos plats, elle doit être comestible et se rapporter aux plats que vous servez. Si vous saupoudrez le potage aux poireaux et aux pommes de terre de ciboulette ou d'oignons verts hachés par exemple, vos convives auront une idée du contenu du plat et vous ferez ressortir la saveur de votre potage.

MÉTHODES DE CUISSON

Comme professeure de cuisine, l'une des questions que l'on me pose le plus souvent c'est : « Comment faire en sorte que mes plats soient tous prêts au même moment ? » Voici un exemple qui illustre pourquoi il est si important non seulement de bien cuisiner, mais aussi de bien planifier ses menus. Si vous servez trois plats sautés qui doivent tous être préparés à la dernière minute, il est presque impossible que tout soit prêt en même temps. Toutefois, si votre repas se compose d'un plat cuit au four, d'un autre qui est préparé à l'avance et d'un dernier qui doit être sauté à la poêle, vous avez beaucoup plus de chances d'atteindre votre objectif.

Varier les méthodes de cuisson rend également vos menus plus intéressants. Le four sert à rôtir, griller ou braiser. On utilise les éléments de surface pour braiser, mijoter, sauter, cuire à l'étuvée, griller et faire bouillir. En faisant varier les méthodes de cuisson, vous risquez moins de manquer de casseroles ou d'éléments de cuisson et il est à peu près certain que le four sera libre quand vous en aurez besoin. Vous pouvez également prévoir des plats cuisinés à l'avance ; vous aurez ainsi moins de choses à faire à la dernière minute. Il est également important de rédiger un plan de travail, même bref, pour savoir quoi faire cuire, à quel moment et dans quel ordre. Ainsi, vous n'aurez pas à attendre entre les diverses préparations.

LA TEMPÉRATURE DES ALIMENTS ET COMMENT SERVIR DES REPAS BIEN CHAUDS

Faire varier la température des aliments est aussi une autre bonne façon de rendre un repas plus intéressant. Essayez de servir une entrée froide avant une soupe chaude. Les salades tièdes, les soupes froides, les desserts chauds, etc., peuvent tous rendre un menu plus attrayant.

Bien des élèves me demandent comment faire pour servir la nourriture aussi chaude que dans les restaurants. Je leur réponds qu'ils ne devraient jamais essayer de faire comme dans les restaurants... que dans les restaurants il y a peut-être huit personnes qui préparent un repas, alors qu'à la maison il y a généralement une personne qui en prépare huit. D'ailleurs, ce n'est pas tout le monde qui aime la nourriture servie très chaude ; à vrai dire, les aliments sont plus savoureux à des températures moins élevées.

À mon avis, le principal attrait d'être invité à manger chez des gens, c'est justement le fait que ce ne soit pas au restaurant. Aussi, quand je reçois, je prépare une cuisine familiale que je sers dans de grands plats. De cette façon, je n'ai qu'à m'asseoir et à profiter de la compagnie de ma famille et de mes invités. Cependant, si vous voulez que tout soit bien chaud à table, voici quelques petits trucs qui peuvent vous aider :

- réchauffez les assiettes individuellement ;
- réchauffez votre plat de service (on peut placer celui des pâtes sur le dessus de la casserole où elles cuisent) ;
- quand vous cuisinez un plat de pâtes utilisez une très grande poêle pour préparer la sauce ; quand les pâtes sont prêtes mélangez-les à la sauce dans la poêle, à feu doux ;
- apportez la nourriture à la table aussitôt qu'elle est dans l'assiette ;
- dites à vos convives de commencer à manger dès qu'ils sont servis.

COMMENT SUIVRE UNE RECETTE

Si vous débutez en cuisine, voici quelques points fondamentaux sur l'utilisation des recettes :

- lisez la recette du début à la fin et notez tout renvoi avant de commencer à cuisiner ;
- cherchez tout terme de cuisine ou nom d'ingrédient qui ne vous est pas familier ;
- faites une liste d'achat des aliments que vous n'avez pas sous la main ou bien décidez de remplacer un ingrédient par autre chose que vous avez déjà à la maison ;
- si vous faites plus d'une recette à la fois, préparez un plan de travail ; ainsi vous n'aurez pas à attendre qu'une recette soit terminée avant d'en commencer une autre ;
- gardez votre coin de travail propre ;
- rassemblez tous les ingrédients et tout le matériel dont vous aurez besoin ; cela s'appelle faire une « mise en place » dans une cuisine professionnelle ;
- souriez, relaxez et allez-y !

PROFITEZ DES ALIMENTS SAISONNIERS ET ÉCONOMISEZ

Consommer les aliments en saison vous gardera en harmonie avec votre environnement et vous fera économiser. Bien sûr, trouver des produits saisonniers au creux de l'hiver canadien ne va pas nécessairement de soi ; cependant, si vous êtes assez souple dans la planification de vos menus, vous profiterez des prix réduits du marché. Par contre, prenez garde de stocker de trop grandes quantités d'ingrédients sous prétexte de profiter des bas prix. Les épices et les fines herbes, par exemple, perdent leurs propriétés rapidement ; n'en achetez donc que de toutes petites quantités à la fois. Une fois ouverte, l'huile finit par rancir ; il ne faut donc pas la conserver trop longtemps. À certains moments, il convient d'utiliser votre supermarché comme garde-manger.

CUISINER AVEC LES RESTES

Utiliser les restes peut vous faire gagner du temps, économiser de l'argent et ajouter de la variété à vos menus. Les bons cuisiniers ne gaspillent jamais de nourriture ; ils inventent plutôt de nouveaux plats avec les restes. Souvenez-vous qu'une dinde rôtie ne peut pas être servie comme telle deux fois. Vous aurez beaucoup plus de succès en utilisant les restes dans un plat en casserole ou dans une salade qu'en essayant de la resservir comme dinde rôtie.

Voici quelques suggestions pour utiliser vos restes :

- les restes de pain peuvent servir à faire des bruschettas (page 42), des croûtons (page 60), une salade de pain grillé (page 81) ou une ribollita (page 134) ;
- un reste de soupe peut devenir une sauce pour pâtes ou même une sauce à salade si on y ajoute un peu de vinaigre ;
- les restes de pâtes peuvent être servis en salade ou en frittata ;
- les restes de pommes de terre en purée peuvent servir de garniture à un pâté de viande ou à un plat en casserole ;
- les restes de frittata peuvent être découpés en petits carrés et servis comme amuse-gueule ou servir de croûtons dans une salade ;
- les restes de salade peuvent être réduits en purée et ajoutés à une soupe ou hachés et utilisés comme garniture à sandwiches ;
- les restes de riz et de produits céréaliers peuvent être ajoutés aux salades, aux soupes, aux frittatas et à la pâte à pain et à crêpes ;
- les restes de légumes peuvent être réduits en purée et transformés en soupes ou en sauces ; ils peuvent être utilisés dans des plats en casserole, des sandwiches ou des salades ;
- les restes de viande, de poisson ou de volaille peuvent servir à faire des salades, des sandwiches, des plats en casserole, des fajitas, des quesadillas, des soupes ou des sauces pour pâtes ; ils peuvent aussi être sautés à la poêle ;
- les restes de viande hachée, de pain de viande ou de ragoût peuvent être utilisés dans un pâté en croûte ou être hachés pour faire un pâté chinois ;
- les restes de gâteau ou de biscuits peuvent être ajoutés aux diplomates ; ils peuvent aussi être émiettés et utilisés comme garniture sur un croquant aux fruits ;
- les restes de desserts aux fruits cuits peuvent être réduits en purée et devenir des sorbets ou des sauces à dessert ;
- les restes de desserts aux fruits frais peuvent être cuits pour faire des croquants ou des tourtes aux fruits.

ET QUAND VOUS RECEVEZ...

Au moment de décider du nombre de services de votre repas ou du genre de recettes que vous allez cuisiner, pensez au temps dont vous disposez, à votre expérience en cuisine et à ce que vous pouvez préparer à l'avance.

Pour une occasion spéciale, vous voudrez peut-être un repas à plusieurs services. Si vous avez le temps de tout cuisiner, il pourrait être amusant de servir des petites portions de toutes sortes de plats différents. Toutefois, si le temps vous manque, tenez-vous-en à la simplicité.

Pour bien planifier vos menus, il faut faire preuve de gros bon sens. Si vous tenez compte de la saveur, de la couleur, de la température et des méthodes de cuisson et si vous cherchez à réduire la quantité de sel et de matières grasses dans vos repas, vous servirez des plats qui sont jolis à regarder, rapides et faciles à préparer, délicieux et nutritifs à manger.

Vous trouverez ci-après quelques exemples qui vous aideront à planifier des menus aussi simples à préparer que bons pour la santé.

TRUCS POUR MIEUX RECEVOIR

- Dressez la table d'avance. Une table mise est un spectacle accueillant (et si vos invités arrivent en avance ou avant que vous ayez fini de cuisiner, au moins ils sauront qu'ils sont au bon endroit !)
- Cherchez à savoir au moment des invitations, et non lorsque vos invités arrivent, si l'un ou l'autre de vos convives souffre d'allergies.
- Servez de la nourriture qui convient à l'occasion. Ce n'est pas le moment de faire étalage de vos recettes préférées. N'oubliez pas que lorsqu'on reçoit, l'objectif est que les gens soient à l'aise. Tenez compte des goûts des jeunes enfants, des parents, des gens qui souffrent d'allergies et des convives difficiles !

MENUS

Note : à moins d'indication contraire, les menus qui suivent sont basés sur les proportions suivantes : une portion d'une recette ; un morceau d'un produit cuit au four ou un amuse-gueule ; 25 ml (2 c. à table) de trempette ; 50 ml (1/4 tasse) de croustilles de pitas ou de tortillas ; une seule portion d'éléments de menu complémentaire.

BRUNCH PRINTANIER

J'aime recevoir pour le petit déjeuner ou pour le brunch. Les gens sont plus alertes et plus dynamiques. C'est une façon très décontractée et relativement peu coûteuse de recevoir, le vin est facultatif et vous n'avez pas à passer toute la journée à cuisiner ou à vous faire du souci pour votre réception.

Ce menu convient parfaitement à un brunch printanier. Dressez la table et planifiez votre horaire de préparation la veille au soir.

Caponata (page 40) servie avec des croustilles de pitas (page 37)
Soufflé de chèvre aux fines herbes avec sauce aux poivrons rouges rôtis (page 236)
Asperges à l'étuvée
Pain multigrain au yogourt (page 250)
Meringues aux fraises (page 280)

565 calories ; 12 g de matières grasses total ; 18 % des calories provenant du gras ; 9 g de fibres alimentaires

PIQUE-NIQUE

Apportez des choses qui se gardent bien, des salades faites avec de la laitue qui ne fane pas trop vite et des aliments qui se mangent sans trop d'ustensiles (fourchettes seulement).

Salade de pain grillé et de tomates cerises (page 81) [demi-portion]
Poulet à la marocaine (page 162) préalablement tranché
Taboulé (page 72) [demi-portion]
Muffins aux canneberges (page 239)
Fruits frais

636 calories ; 14 g de matières grasses ; 19 % des calories provenant du gras ; de 8 g de fibres alimentaires

DÎNER AU CHALET

Les week-ends d'ouverture et de fermeture du chalet, je suis toujours trop occupée pour cuisiner. En ces occasions, j'aime me débrouiller avec des choses que j'ai déjà sous la main.

Spaghettini aux palourdes (page 109)
Carrés épicés à l'avoine et aux raisins secs (page 284) [2 carrés par portion]
Fruits frais

614 calories ; 12 g de matières grasses ; 17 % des calories provenant du gras ; 8 g de fibres alimentaires

BARBECUE

Les barbecues sont la façon la plus populaire de recevoir en été. Si vous n'êtes pas certain que tout le monde aime le bœuf, ajoutez au menu des bâtonnets de poulet grillés (page 170). Quelques points à ne pas oublier quand on fait un barbecue :

- *faire mariner les aliments dans le réfrigérateur ;*
- *préchauffer le barbecue ;*
- *avoir toujours un plat propre à proximité du barbecue de façon à pouvoir déposer la viande cuite sur une surface qui n'a pas été contaminée par les jus de la viande, de la volaille ou du poisson cru ; servez-vous également d'un ensemble d'ustensiles pour la nourriture crue et d'un autre pour la nourriture cuite ;*
- *ne jamais servir la marinade comme sauce à moins de la faire bouillir et de la laisser cuire plusieurs minutes afin que tous les jus de viande soient cuits ;*
- *utiliser des ustensiles à long manche ;*
- *laisser reposer la viande quelques minutes avant de la découper.*

Bruschettas à la ricotta (page 42)
Salade de pommes de terre (page 80) [demi-portion]
Salade de chou à l'orientale (page 77) [demi-portion]
Surlonge en croûte à la moutarde et au poivre (page 195)
Épis de maïs grillés aux fines herbes (page 210)
Tourte à la rhubarbe et aux fraises (page 271)

767 calories ; 20 g de matières grasses ; 23 % des calories provenant du gras ; 11 g de fibres alimentaires

MENU HIVERNAL CHALEUREUX

Il existe tellement de soupes, de ragoûts et de plats en casserole délicieux qui conviennent parfaitement à un menu hivernal. Voici d'autres plats tout à fait appropriés : rôti de porc méridional (page 201), poulet aux quarante gousses d'ail (page 177), timbale de poulet (page 164), bœuf sukiyaki (page 193).

Potage de lentilles aux légumes (page 66)
Pain de viande avec purée de pommes de terre à l'irlandaise (page 186)
Macédoine de maïs piquante (page 211)
Pouding crémeux au riz (page 265)

910 calories ; 20 g de matières grasses ; 20 % des calories provenant du gras ; 15 g de fibres alimentaires

Souper pour deux

Quand vous cuisinez pour deux, trouvez des recettes qui se divisent facilement en deux ou choisissez-en dont les restes se cuisinent bien. (Les restants d'hoummos de ce menu peuvent servir de tartinade ou de garniture à sandwiches ; vous pouvez congeler ou conserver pendant quelques jours au réfrigérateur la moitié de la sauce tomate des pâtes.) Faites cuire autant de pommes qu'il vous en faut ; les biscuits en trop se congèlent bien.

Hoummos aux graines de sésame (page 37) servi avec des croustilles de pitas (page 40) [50 ml ou 1/4 tasse de trempette et 125 ml ou 1/2 tasse de croustilles de pitas par portion]
Linguine aux tomates et aux pétoncles (page 108)
Pommes cuites au four aux biscuits Amaretti (page 261)
Meringues au moka (page 281) [2 biscuits par portion]

764 calories ; 12 g de matières grasses ; 14 % des calories provenant du gras ; 11 g de fibres alimentaires

Quand les petits copains dorment à la maison

Quand vos enfants ont des amis qui restent à coucher, on dirait toujours qu'ils veulent les impressionner par un petit déjeuner spécial. Ils adorent préparer eux-mêmes le lait fouetté et vous pouvez préparer le pain doré la veille au soir. Voici d'autres plats qui conviennent bien au petit déjeuner des enfants : crêpes à la ricotta et au citron (page 232), crêpes aux flocons d'avoine et au babeurre (page 233), crêpes levées à la poire caramélisée (page 235).

Banane battue (page 227)
Pain doré au four (page 231)
Carrés épicés à l'avoine et aux raisins secs (page 284)

524 calories ; 12 g de matières grasses ; 21 % des calories provenant du gras ; 5 g de fibres alimentaires

Menu pour les adolescents

Chaque année au mois d'août, nous donnons des cours de cuisine à des étudiants qui quittent la maison pour le collège ou l'université. Les parents (qui sont mes élèves habituels) sont terrifiés à l'idée que leurs enfants puissent se laisser mourir de faim quand ils auront quitté le foyer familial ! Les adolescents raffolent des plats au poulet, des pâtes et des plats sautés. Donc, s'ils reçoivent des amis à dîner, les suggestions qui suivent sont des valeurs sûres.

Pizza au pistou (page 45)
Poulet et légumes à l'orientale (page 174)
Riz à la vapeur (page 50)
Gâteau aux pommes express (page 273)

616 calories ; 17 g de matières grasses ; 24 % des calories provenant du gras ; 6 g de fibres alimentaires

Dîner végétarien pour adolescents

Bien des jeunes deviennent végétariens pour des raisons écologiques ou morales ou encore pour maigrir ; cependant, c'est une bonne idée de préparer de temps à autre un repas végétarien pour toute la famille. Essayez ce menu et personne ne s'ennuiera de la viande. Voici d'autres menus sans viande dont tout le monde raffolera : pâtes à la sauce tomate et à la ricotta (page 106), sauté de riz et de légumes printaniers (page 126), croquettes falafel aux légumes (page 130) et pizza à la pâte éclair (page 127).

Minestrone vert aux croûtons de fromage (page 56)
Nouilles aux légumes avec sauce aux arachides (page 107)
Roulés au miel et à l'avoine (page 244)
Croquant aux prunes (page 270)

851 calories ; 24 g de matières grasses ; 25 % des calories provenant du gras ; 15 g de fibres alimentaires

Dîner des enfants

Lorsque des amis de mes enfants mangent avec nous, tout ce petit monde mange tellement bien ! Ils sont heureux, ils s'amusent et la nourriture semble disparaître. Il y a dans ce livre de nombreuses recettes que les enfants adorent, comme les bâtonnets de poulet grillés (page 170), le bifteck de flanc à la coréenne (page 194), les plats de pâtes, les plats sautés et la plupart des desserts. Les enfants aiment tremper des légumes et des croustilles de pitas dans du yogourt nature, mais ils aiment bien le tzatziki aussi si vous y mettez un peu moins d'ail.

Tzatziki (page 39) servi avec des croustilles de pitas (page 40)
Boulettes de poulet à la sauce teriyaki (page 166)
Frites rôties au romarin (page 216)
Épis de maïs [1/2 épi]
Gâteau des anges au chocolat, avec sauce (page 276)

801 calories ; 15 g de matières grasses ; 17 % des calories provenant du gras ; 8 g de fibres alimentaires

Dîner de l'Atlantique

Certains de mes plus beaux souvenirs remontent aux moments que j'ai passés à notre chalet d'été en Nouvelle-Écosse. Malheureusement, à cette époque, je n'aimais pas autant le poisson qu'aujourd'hui. Tous les plats de saumon servis avec un riz pilaf conviendraient à ce menu.

Moules à la sauce de haricots noirs (page 156)
Poisson-frites au four (page 149)
Crosses de fougères à l'étuvée
Gâteau aux bleuets (page 269) [demi-portion]

741 calories ; 16 g de matières grasses ; 19 % des calories provenant du gras ; 7 g de fibres alimentaires

Dîner de la Côte Ouest

J'aime aller en Colombie-Britannique car j'admire l'attitude calme et décontractée de ses habitants face à la vie. Parce que les fruits et les légumes frais y sont abondants et variés, que la saison de culture y est plus longue, que l'influence de la culture asiatique s'y fait sentir et que les gens sont toujours prêts à expérimenter de nouvelles idées, plusieurs tendances en alimentation viennent de la côte ouest.

Trempette de fromage de chèvre aux pommes de terre (page 41)
Pâtes avec saumon grillé et légumes sautés (page 110)
Pommes cuites au four aux biscuits Amaretti (page 261)

762 calories ; 17 g de matières grasses ; 20 % des calories provenant du gras ; 12 g de fibres alimentaires

Souper de la veille du Jour de l'An

Il est de plus en plus difficile de souper à l'extérieur la veille du jour de l'An. Les restaurants coûtent cher, on n'est jamais certain de trouver un taxi, les gardiennes sont rares. Finalement, je trouve plus facile d'inviter des amis pour souper. En cette occasion, on trouve normal de dépenser un peu plus pour les ingrédients et de passer un peu plus de temps à cuisiner.

Bouchées de polenta (page 47)
Crevettes «grillées» de la Louisiane accompagnées de riz à l'étuvée (page 50)
Saumon vapeur à la sauce coréenne (page 140)
Carottes glacées au cumin (page 205)
Curry de fruits sucré (page 264) servi avec du yogourt glacé à la vanille

983 calories ; 22 g de matières grasses ; 20 % des calories provenant du gras ; 12 g de fibres alimentaires

Dîner de Pâques

Même si les dîners de Pâques sont souvent de gros repas de fête, ils ont tout de même un petit côté léger et printanier. Profitez-en pour servir toutes sortes de plats à saveur de fraîcheur, mais en petites portions.

Pain grillé à la salsa de tomate, de poivron et de basilic (page 43)
Soupe de fruits de mer au bouillon de gingembre (page 52)
Rôti d'agneau au romarin et aux pommes de terre (page 199)
Asperges au gingembre (page 206)
Haricots blancs braisés (page 218) [demi-portion]
Meringues renversées au citron (page 268)

844 calories ; 16 g de matières grasses ; 17 % des calories provenant du gras ; 16 g de fibres alimentaires

Repas d'Action de Grâces

Les recettes de légumes de ce livre sont souvent des combinaisons de plusieurs légumes et produits céréaliers. Donc, si vous décidez de préparer un seul plat d'accompagnement, vous avez quand même une belle variété de textures, de saveurs et de nutriments. À l'Action de grâces toutefois, je prévois plus de temps pour cuisiner et j'aime préparer un grand nombre de plats d'accompagnement ; si vous suivez mon idée, servez bien sûr des portions plus petites de chaque plat.

Soupe à la pomme et à la courge (page 54)
Poulet rôti farci de boulghour (page 179)
Purée de patates douces épicées (page 214) [demi-portion]
Maïs à l'ail et à la ciboulette (page 209) [demi-portion]
Pain aux céréales Red River (page 254)
Tarte aux pommes en pâte filo (page 272)

960 calories ; 21 g de matières grasses ; 20 % des calories provenant du gras ; 19 g de fibres alimentaires

Seder de Pâque

Les familles juives se réunissent à la pâque pour un « seder » afin de commémorer la libération de leur peuple. Lors de cette réunion, on raconte l'histoire de l'exode d'Égypte ; ensuite, il est traditionnel de prendre un gros repas. À cette occasion, on sert toujours un œuf cuit dur avec de l'eau salée pour rappeler aux gens les larmes que versèrent leurs ancêtres dans leur souffrance (vous pouvez à la place servir un blanc d'œuf cuit dur) ; on y mange toujours du matzo (pain azyme, c'est-à-dire sans levain) parce que les Juifs qui ont fui l'Égypte n'avaient pas le temps de laisser lever le pain.

Voici un magnifique menu de la pâque juive qui combine des plats traditionnels et des plats nouveaux. N'oubliez pas qu'avec un repas à plusieurs services il faut faire des portions plus petites. Ce menu convient à seize convives.

Poisson gefilte avec salade de raifort aux betteraves (page 152)
« Crème » de fenouil aux poireaux et aux carottes (page 60) avec salsa épicée (page 68) [**omettre les croûtons**]
Poitrine de dinde rôtie au romarin et à l'ail (page 182) [recette double]
Tsimmis de ma tante (page 191) [suffisamment pour 16 convives]
Brocoli à l'étuvée
Poires pochées dans du vin rouge épicé (page 259) [demi-portion]
Meringues au moka (page 281) [2 biscuits par portion] [**omettre la fécule de maïs**]

733 calories ; 16 g de matières grasses ; 20 % des calories provenant du gras ; 9 g de fibres alimentaires

Repas entre amis pour un événement sportif télévisé

Prévoyez des choses qui se préparent à l'avance et qui sont aussi délicieuses froides que chaudes ou qui se réchauffent facilement (au cas où la partie irait en prolongation juste au moment où tout est prêt à servir). Voici d'autres plats qui conviennent tout aussi bien à une telle occasion : chili de poulet à l'orientale (page 163), muffuletta végétarienne (page 117) et chili de haricots variés (page 121). Ce repas régalera de huit à dix convives.

Guacamole (page 38)
Quesadillas au fromage de chèvre et aux haricots noirs (page 120) [demi-portion]
Trempette de haricots noirs rissolés (page 35) servie avec des croustilles de maïs (page 87)
[125 ml ou 1/2 tasse de croustilles]
Fajitas au poulet (page 171)
Salade de céréales variées (page 73) [demi-portion]
Trempette de yogourt pour fruits et coulis de pêches (page 263) servis avec des tranches de fruits frais
Biscottes au miel et aux amandes (page 282)
[2 biscuits par portion]

967 calories ; 23 g de matières grasses ; 21 % des calories provenant du gras ; 14 g de fibres alimentaires

Buffet pour un cocktail-cadeaux en l'honneur de la mariée

Pour une réception de ce genre, je prépare habituellement une bonne variété de plats au cas où certains invités n'aimeraient pas quelque chose ou seraient allergiques. Avec ce menu, si vous faites une seule recette de chaque plat, vous aurez amplement de nourriture pour douze à seize convives. (Plus vous avez d'invités, plus vous devriez servir de plats préparés à l'avance car, quand vos invités arriveront, vous devrez vous occuper de toutes sortes de choses.)

Roulés de tortillas au saumon fumé (page 46)
[2 morceaux par portion]
Hoummos aux graines de sésame (page 37) servi dans des petits pains pitas [2 par portion]
Salade d'aubergine au gingembre (page 198) servie avec des croustilles de pitas (page 40)
[125 ml ou 1/2 tasse de croustilles par portion]
Salade de spaghetti au thon (page 83) [demi-portion]
Salade de poulet grillé haché (page 88) [demi-portion]
Gâteau des anges au coulis de baies (page 274)
Carrés aux dattes (page 283)

880 calories ; 17 g de matières grasses ; 17 % des calories provenant du gras ; 12 g de fibres alimentaires

Repas de tous les jours vite faits

Ce livre contient de nombreuses recettes qui se préparent rapidement. Essayez de planifier vos menus d'avance et établissez un plan de travail approximatif.

Gombo au poulet et aux fruits de mer (page 59)
Pain de maïs au piment vert doux (page 246)
Sorbet aux framboises

406 calories ; 7 g de matières grasses ; 16 % des calories provenant du gras ; 6 g de fibres alimentaires

Porc à l'orientale (page 202)
Riz aux pâtes et aux pois chiches (page 223)
Fruits frais

642 calories ; 14 g de matières grasses ; 19 % des calories provenant du gras ; 10 g de fibres alimentaires

Poitrines de poulet à la sauce de haricots noirs (page 172)
Riz à la vapeur (page 50)
Fraises au vinaigre balsamique (page 258)

330 calories ; 2 g de matières grasses ; 7 % des calories provenant du gras ; 3 g de fibres alimentaires

Brochettes de tofu grillé (page 136)
Pilaf de riz navajo (page 222)
Meringues au moka (page 281) [2 biscuits par portion]

461 calories ; 7 g de matières grasses ; 14 % des calories provenant du gras ; 12 g fibres alimentaires

Salade de spaghetti au thon (page 83)
Croquant aux prunes (page 270)

514 calories ; 13 g de matières grasses ; 22 % des calories provenant du gras ; 6 g de fibres alimentaires

Pâtes au poivron rouge et à l'aubergine (page 98)
Salade verte avec vinaigrette moutarde et poivre (page 92)
[20 ml ou 1 1/2 c. à table de vinaigrette par portion]
Sorbet au citron

609 calories ; 11 g de matières grasses ; 17 % des calories provenant du gras ; 11 g de fibres alimentaires

Flétan poché au four et vinaigrette aux fines herbes (page 142)
Couscous à l'orientale (page 142)
Salade de fruits

417 calories ; 8 g de matières grasses ; 16 % des calories provenant du gras ; 5 g fibres alimentaires

Potage de haricots blancs ▶
avec salsa à la verdure *(page 62)*

Pain au romarin *(page 255)*

Les hors-d'œuvre et les entrées

◀ Salade de haricots noirs, de maïs et de riz *(page 74)*

Spaghettini aux légumes verts *(page 82)*

Salade niçoise *(page 78)*

Tartinade d'aubergine au tahini

Je suis convaincue que ceux qui n'aiment pas l'aubergine n'ont pas trouvé de recettes qui leur convienne ! En voici une dont la consistance crémeuse est parfaite aussi bien en tartinade qu'en trempette. Servez cette préparation en entrée ou comme condiment avec le rosbif. Utilisez-la comme substitut de la mayonnaise, dans les sandwiches ou comme vinaigrette sur des légumes grillés marinés. Vous pouvez essayer également d'autres recettes d'aubergine, comme la caponata (p. 40) et la salade d'aubergine au gingembre (p. 198).

Vous pouvez utiliser cette tartinade telle quelle, avec ses gros morceaux de légumes, ou la réduire d'abord en purée. Si vous le pouvez, faites griller l'aubergine au barbecue, ce qui lui donnera une subtile et agréable saveur de fumée.

Donne environ 500 ml (2 tasses)

1 kg	**aubergine**	**2 lb**
20 ml	**tahini brassé avant d'être mesuré**	**1 1/2 c. à table**
50 ml	**jus de citron**	**1/4 tasse**
25 ml	**eau chaude**	**2 c. à table**
2 ml	**poivre**	**1/2 c. à thé**
1 ml	**sauce piquante au piment**	**1/4 c. à thé**
2	**gousses d'ail émincées**	**2**
25 ml	**coriandre fraîche ou persil frais haché**	**2 c. à table**
	sel au goût	

1. Cuire l'aubergine entière au barbecue environ 40 minutes, en la tournant fréquemment, jusqu'à ce qu'elle soit grillée en surface et tendre à l'intérieur. (On peut également mettre l'aubergine dans un plat allant au four et la cuire au four préchauffé à 190 °C (375 °F) de 45 à 50 minutes ou jusqu'à ce qu'elle soit très tendre. Ou encore, on peut placer l'aubergine dans un plat en verre, la percer ici et là et la faire cuire au four à micro-ondes à haute intensité de 8 à 10 minutes ou jusqu'à ce qu'elle soit tendre.) Laisser refroidir.
2. Peler l'aubergine et la couper grossièrement. Faire dégorger au besoin. Couper en dés ou réduire en purée au robot culinaire.
3. Mélanger le tahini, le jus de citron, l'eau chaude, le poivre, la sauce piquante au piment, l'ail et le sel. Battre au fouet jusqu'à consistance lisse. Incorporer à l'aubergine au fouet ou au mélangeur. Rectifier l'assaisonnement au besoin. Parsemer de coriandre fraîche.

LE TAHINI ET LES GRAINES DE SÉSAME

Le tahini, ou tahin, est une pâte faite de graines de sésame moulues ; il contient beaucoup de matières grasses. On le trouve, préparé ou séché dans les magasins d'aliments naturels et dans les marchés d'importations du Moyen-Orient. À utiliser en petites quantités et à conserver au réfrigérateur.

Avant d'utiliser des graines de sésame, je les fais rôtir, à moins qu'elles ne doivent être rôties au cours de la recette. Placez les graines dans une poêle épaisse et faire cuire en remuant la poêle jusqu'à ce que les graines soient presque dorées et qu'elles commencent à éclater. Ou encore, étendez-les en une seule couche sur une plaque à pâtisserie et mettez au four préchauffé à 180 °C (350 °F) pendant quelques minutes en les surveillant de près. Vous pouvez également faire rôtir les graines de sésame au four à micro-ondes ; il suffit de les placer dans une assiette à tarte en verre et de les faire cuire à haute intensité de 30 à 60 secondes.

APPORT NUTRITIONNEL PAR PORTION DE
15 ml (1 c. à table)

11	calories
2 g	glucides
1 g	fibres
trace	matières grasses
trace	gras saturés
trace	protéines
0 mg	cholestérol
1 mg	sodium
61 mg	potassium

TREMPETTE DE HARICOTS NOIRS RISSOLÉS

Traditionnellement, on prépare cette trempette avec des haricots pinto, mais j'aime bien utiliser les haricot noirs. Pour accélérer la préparation, employez des haricots en conserve. Si vous avez des piments chipotles (p. 149), émincez-en un et ajoutez-le à la recette, ce qui lui donnera un goût piquant et une agréable saveur de fumée.

On peut préparer cette trempette à l'avance et la réchauffer au moment de servir. Accompagnez-la de croustilles de maïs (p. 87) ou de croustilles de pitas (p. 37).

Donne environ 750 ml (3 tasses)

10 ml	**huile d'olive**	**2 c. à thé**
1	**petit oignon haché finement**	**1**
3	**gousses d'ail hachées finement**	**3**
15 ml	**poudre de chili**	**1 c. à table**
5 ml	**cumin**	**1 c. à thé**
2 ml	**piment de Cayenne (facultatif)**	**1/2 c. à thé**
750 ml	**haricots noirs cuits (p. 68)**	**3 tasses**
250 ml	**eau ou eau de cuisson des haricots**	**1 tasse**
1 ml	**poivre**	**1/4 c. à thé**
1	**tomate épépinée et coupée en dés**	**1**
25 ml	**coriandre fraîche ou persil frais haché**	**2 c. à table**
	sel au goût	

1. Chauffer l'huile dans une grande poêle antiadhésive. Ajouter l'oignon et l'ail. Faire revenir à feu doux quelques minutes, jusqu'à ce que le tout soit tendre. Ajouter la poudre de chili, le cumin et le piment de Cayenne. Cuire 30 secondes.
2. Ajouter les haricots et bien mélanger. Chauffer à fond. Piler grossièrement les haricots au pilon ou à la grosse fourchette (on peut également se servir d'un robot). Ajouter suffisamment d'eau pour obtenir la consistance d'une trempette. Ajouter le poivre et le sel. Rectifier l'assaisonnement au besoin. Garder au chaud jusqu'au moment de servir (si la trempette épaissit, ajouter de l'eau).
3. Verser la préparation dans une assiette creuse et parsemer de tomate et de coriandre fraîche.

PILE DE TORTILLAS
Étaler deux tortillas de farine blanche, tartiner chacune d'elles de 50 ml (1/4 tasse) de trempette de haricots noirs rissolés et couvrir de 75 ml (1/3 tasse) de fromage cheddar ou Monterey Jack léger râpé. Superposer les deux tortillas et couvrir d'une troisième. Placer sur une plaque à pâtisserie et cuire au four préchauffé à 200 °C (400 °F) pendant 10 minutes ou jusqu'à ce que le fromage soit fondu. Tailler en pointes et servir accompagnées de salsa au maïs (p. 43).

Donne 6 pointes.

APPORT NUTRITIONNEL PAR PORTION DE
15 ml (1 c. à table)

18	calories
3 g	glucides
1 g	fibres
trace	matières grasses
0 g	gras saturés
1 g	protéines
0 mg	cholestérol
2 mg	sodium
51 mg	potassium

TARTINADE DE HARICOTS BLANCS AUX LÉGUMES VERTS

Certains restaurants offrent maintenant une tartinade de haricots ou hoummos, au lieu du beurre. Vous pouvez la préparer avec ou sans les légumes verts.

Servez cette tartinade avec du pain grillé (p. 43), des croustilles de pitas (p. 37) ou des bouchées de polenta (p. 47).

Donne environ 375 ml (1 1/2 tasse)

1	**boîte de 540 ml (19 oz) de haricots blancs rincés et égouttés ou 500 ml (2 tasses) de haricots cuits**	**1**
25 ml	**jus de citron**	**2 c. à table**
2 ml	**poivre**	**1/2 c. à thé**
1 trait	**sauce piquante au piment**	**1 trait**
1	**gousse d'ail émincée**	**1**
20 ml	**huile d'olive**	**4 c. à thé**
2	**gousses d'ail hachées finement**	**2**
500 ml	**rappini ou brocoli coupé en dés**	**2 tasses**
125 ml	**eau**	**1/2 tasse**
	sel au goût	

1. Au robot culinaire ou au mélangeur, réduire les haricots en purée avec le jus de citron, le poivre, la sauce piquante au piment, l'ail et le sel.
2. Chauffer l'huile d'olive dans une grande poêle antiadhésive. Faire revenir l'ail haché jusqu'à ce qu'il soit odorant, environ 1 minute. Ajouter le rappini et l'eau et cuire en brassant pendant environ 5 minutes, jusqu'à ce que l'eau soit évaporée et que le rappini soit tendre. Laisser refroidir.
3. Ajouter en brassant le rappini à la tartinade de haricots ou garnissez-en le dessus de la tartinade. Rectifier l'assaisonnement au besoin.

TREMPETTES RAPIDES

- salsas (voir l'index)
- mélange de fromage de yogourt (p. 228) et de salsa
- mélange de fromage de yogourt et de pistou (p. 45)
- vinaigrette à l'ail rôti (page 93)
- vinaigrette au poivron rouge rôti (p. 96)
- restes de potage en purée
- sauce à l'arachide (p. 86)
- vinaigrette niçoise (p. 78)
- vinaigrette du Moyen-Orient (p. 130)
- sauce à fondue aux prunes (p. 167)
- sauce au miel et à l'ail (p. 167)
- sauce aux tomates tiède (p. 186 ou 196)

APPORT NUTRITIONNEL PAR PORTION DE
15 ml (1 c. à table)

15	calories
2 g	glucides
1 g	fibres
1 g	matières grasses
trace	gras saturés
1 g	protéines
0 mg	cholestérol
27 mg	sodium
32 mg	potassium

HOUMMOS AUX GRAINES DE SÉSAME

Cette trempette se prépare en un tournemain et fait appel à des ingrédients courants. Vous la servirez comme trempette avec des pitas ou des craquelins, ou encore vous l'emploierez à la place de la mayonnaise dans les sandwiches.

Donne environ 375 ml (1 1/2 tasse)

1	**boîte de 540 ml (19 oz) de pois chiches rincés et égouttés ou 500 ml (2 tasses) de pois chiches cuits**	**1**
2	**gousses d'ail émincées**	**2**
45 ml	**jus de citron**	**3 c. à table**
15 ml	**huile d'olive (facultatif)**	**1 c. à table**
2 ml	**sauce piquante au piment**	**1/2 c. à thé**
15 ml	**huile de sésame**	**1 c. à table**
2 ml	**cumin moulu**	**1/2 c. à thé**
	tranches de citron	
25 ml	**coriandre fraîche ou persil frais haché**	**2 c. à table**

1. Au robot culinaire ou au mélangeur, réduire les pois chiches en une purée grossière (si on utilise le mélangeur, ajouter 50 ml (1/2 tasse) d'eau et procéder en deux quantités séparées).
2. Ajouter l'ail, le jus de citron, l'huile d'olive, la sauce piquante au piment, l'huile de sésame et le cumin. Réduire le mélange en purée jusqu'à ce qu'il soit à la consistance désirée. Rectifier l'assaisonnement au besoin.
3. Transférer dans un bol de service et garnir de tranches de citron et de coriandre fraîche.

CROUSTILLES DE PITAS

Pour préparer des croustilles de pitas, séparez et découpez en pointes quatre pains pitas de 20 cm (8 po). Étalez ces pointes côte à côte sur une plaque à pâtisserie et faites cuire au four préchauffé à 200 °C (400 °F) de 8 à 10 minutes ou jusqu'à ce qu'elles soient croustillantes. (Pour préparer des croustilles assaisonnées, badigeonnez de blanc d'œuf légèrement battu et parsemez de fines herbes fraîches ou séchées, de graines de sésame ou de graines de pavot avant de couper en pointes.)

Donne environ 1,5 litre (6 tasses).

CROUSTILLES DE BAGEL

Couper des restes de bagel en petits morceaux. Étaler en une seule couche sur une plaque à pâtisserie et cuire au four préchauffé à 150 °C (300 °F) de 45 à 50 minutes ou jusqu'à ce qu'ils soient croustillants.

APPORT NUTRITIONNEL PAR PORTION DE 15 ml (1 c. à table)

27	calories
4 g	glucides
1 g	fibres
1 g	matières grasses
trace	gras saturés
1 g	protéines
0 mg	cholestérol
35 mg	sodium
25 mg	potassium

GUACAMOLE

Même si l'avocat a une teneur élevée en matières grasses, vous pouvez l'associer à des asperges, à des petits pois en purée ou à de la ricotta à teneur réduite en matières grasses pour ainsi réduire l'apport en gras.

Vous utiliserez ce mélange comme tartinade à sandwiches, comme trempette ou comme sauce pour accompagner les fajitas (p. 171), le chili (p. 121) ou encore le poisson, le poulet et la viande grillés.

Donne environ 500 ml (2 tasses)

1	**tomate épépinée et coupée en dés**	**1**
2	**gousses d'ail émincées**	**2**
50 ml	**oignons verts hachés finement**	**1/4 tasse**
1	**piment jalapeño épépiné et coupé en dés**	**1**
25 ml	**jus de lime**	**2 c. à table**
75 ml	**coriandre fraîche ou persil frais haché**	**1/3 tasse**
250 ml	**fromage ricotta léger ou fromage de yogourt crémeux (p. 228)**	**1 tasse**
1	**petit avocat bien mûr**	**1**
	sel au goût	

1. Mélanger la tomate, l'ail, les oignons verts, le piment jalapeño, le jus de lime, la coriandre fraîche et le sel.
2. Ajouter la ricotta au mélange en l'écrasant au pilon.
3. Couper l'avocat en deux. Enlever le noyau, retirer la chair à l'aide d'une cuillère et l'ajouter au mélange de fromage en l'écrasant (je préfère une texture grumeleuse à une texture homogène). Rectifier l'assaisonnement au besoin.

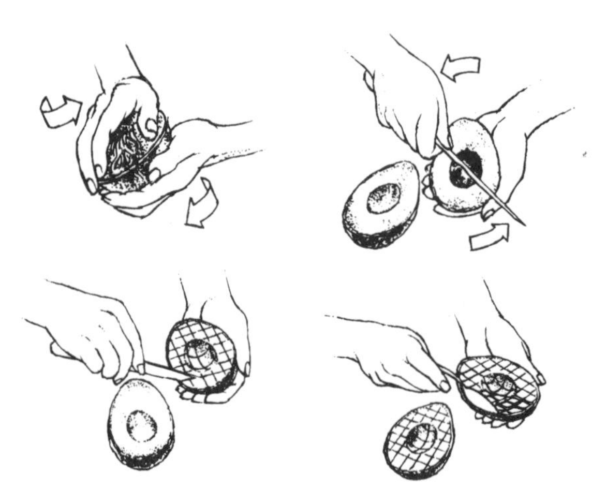

COMMENT COUPER UN AVOCAT

Coupez l'avocat en deux dans le sens de la longueur. Faites pivoter délicatement les deux moitiés l'une sur l'autre, dans un sens puis dans l'autre, jusqu'à ce que vous puissiez les séparer. Pour retirer le noyau, piquez-y la lame d'un couteau et remuez-le délicatement jusqu'à ce qu'il se détache.

Tenez le demi-avocat dans la paume de la main et découpez-le en cubes sans couper la peau. Retirez ensuite les cubes de chair à la cuillère.

APPORT NUTRITIONNEL PAR PORTION DE
15 ml (1 c. à table)

15	calories
1 g	glucides
trace	fibres
1 g	matières grasses
trace	gras saturés
1 g	protéines
2 mg	cholestérol
11 mg	sodium
44 mg	potassium

TZATZIKI

Voici une préparation populaire que l'on peut servir comme trempette ou tartinade ou comme sauce d'accompagnement pour poulet, agneau ou poisson grillé. Si la quantité d'ail vous fait peur, réduisez-la. Saler le concombre le fait dégorger et empêche la trempette de devenir trop liquide.

Donne 500 ml (2 tasses)

1	**concombre anglais**	**1**
5 ml	**sel**	**1 c. à thé**
375 ml	**fromage de yogourt crémeux (p. 228) ou yogourt ferme**	**1 1/2 tasse**
4	**gousses d'ail émincées**	**4**
25 ml	**aneth frais haché**	**2 c. à table**
1 ml	**sauce piquante au piment (facultatif)**	**1/4 c. à thé**

1. Râper et saler le concombre. Mettre dans une passoire placée au-dessus d'un bol et laisser reposer 15 minutes. Enlever l'excès de liquide en pressant.
2. Mélanger le fromage de yogourt, l'ail, l'aneth et la sauce piquante au piment.
3. Ajouter le concombre en brassant. Rectifier l'assaisonnement au besoin.

LES AVOCATS
Je préfère les avocats Haas qui sont petits, vert foncé et peu attirants avec leur peau ridée. Ils sont plus denses et plus « crémeux » que les autres.

Il est difficile de trouver des avocats mûrs le jour où on en a besoin ; il vaut mieux les acheter à l'avance. Conservez les avocats mûrs au réfrigérateur. Vous pouvez laisser ceux qui ne sont pas encore mûrs sur le comptoir à l'abri de la lumière directe du soleil ; ils devraient mûrir en deux ou trois jours. Si vous désirez en accélérer le mûrissement, placez-les dans un sac en papier perforé.

Pour empêcher un avocat de noircir une fois coupé, arrosez la partie coupée avec du jus de citron ou de lime et couvrez d'une pellicule plastique. Si la surface de votre guacamole change de couleur, enlevez en grattant la mince couche de surface plutôt que de la mélanger avec le reste de la préparation.

APPORT NUTRITIONNEL PAR PORTION DE
15 ml (1 c. à table)

13	calories
2 g	glucides
trace	fibres
trace	matières grasses
trace	gras saturés
1 g	protéines
1 mg	cholestérol
82 mg	sodium
54 mg	potassium

Caponata

Cette préparation se conservera pendant deux semaines au réfrigérateur. Vous pouvez également la congeler. Si elle devient un peu trop liquide en décongelant, portez-la simplement à ébullition et laissez-la cuire jusqu'à ce qu'elle épaississe.

Donne environ 2 litres (8 tasses)

1 kg	**aubergine**	**2 lb**
15 ml	**huile d'olive**	**1 c. à table**
2	**oignons hachés**	**2**
3	**gousses d'ail hachées finement**	**3**
pincée	**flocons de piment fort (facultatif)**	**pincée**
2	**branches de céleri hachées**	**2**
1	**poivron rouge coupé en dés**	**1**
1	**poivron jaune coupé en dés**	**1**
1	**boîte de 796 ml (28 oz) de tomates italiennes non égouttées**	**1**
25 ml	**sucre granulé**	**2 c. à table**
50 ml	**vinaigre de vin rouge ou vinaigre balsamique**	**1/4 tasse**
2 ml	**poivre**	**1/2 c. à thé**
50 ml	**persil frais haché**	**1/4 tasse**
50 ml	**ciboulette fraîche ou oignons verts hachés**	**1/4 tasse**
50 ml	**basilic frais haché**	**1/4 tasse**
25 ml	**pignons rôtis (p. 245) (facultatif)**	**2 c. à table**

1. Couper l'aubergine en tranches de 2,5 cm (1 po). Griller les tranches sous le gril du four ou au barbecue jusqu'à ce qu'elles soient légèrement dorées. Tourner et faire griller de l'autre côté. Couper en cubes.
2. Chauffer l'huile dans une grande poêle antiadhésive profonde ou dans un faitout. Ajouter les oignons, l'ail et les flocons de piment fort et faire revenir à feu doux jusqu'à ce que le tout ait ramolli.
3. Ajouter l'aubergine, le céleri, les poivrons et les tomates. Cuire à découvert pendant environ 15 minutes.
4. Ajouter le sucre et le vinaigre dans la préparation de légumes en brassant. Ajouter le poivre et laisser cuire à découvert jusqu'à ce que le mélange épaississe, soit environ 20 minutes.
5. Rectifier l'assaisonnement au besoin. Ajouter le persil, la ciboulette, le basilic et les pignons en brassant.

LA CAPONATA

On peut utiliser cette préparation de légumes de bien des façons. On peut en tartiner du pain ou des biscottes ou la servir comme trempette avec des bâtonnets de pain (gressins) ou des crudités. On peut en garnir des légumes verts ou du pain grillé (p. 43). On peut également la servir comme légume d'accompagnement ou comme condiment sur des viandes rôties, et on peut la mélanger à des pâtes alimentaires. Vous pouvez la servir chaude ou froide, bien qu'elle soit traditionnellement servie froide.

APPORT NUTRITIONNEL PAR PORTION DE
15 ml (1 c. à table)

6	calories
1 g	glucides
trace	fibres
trace	matières grasses
0 g	gras saturés
trace	protéines
0 mg	cholestérol
11 mg	sodium
39 mg	potassium

Trempette de fromage de chèvre aux pommes de terre

Mélangé dans une trempette ou une tartinade, le fromage de chèvre crémeux et frais a un goût moins prononcé.

Donne environ 500 ml (2 tasses) de trempette

1 kg	**pommes de terre nouvelles (une trentaine de grelots)**	**2 lb**
125 g	**fromage de chèvre**	**4 oz**
125 g	**fromage cottage pressé à faible teneur en matières grasses**	**4 oz**
250 ml	**fromage de yogourt crémeux (p. 228) ou yogourt ferme**	**1 tasse**
1	**gousse d'ail émincée**	**1**
25 ml	**persil frais haché**	**2 c. à table**
25 ml	**basilic ou aneth frais haché**	**2 c. à table**
25 ml	**ciboulette fraîche ou oignons verts**	**2 c. à table**
5 ml	**thym ou romarin frais haché, ou une pincée de thym ou de romarin séché**	**1 c. à thé**
2 ml	**sauce piquante au piment**	**1/2 c. à thé**
1 ml	**poivre**	**1/4 c. à thé**
	sel au goût	

1. Cuire les pommes de terre jusqu'à ce qu'elles soient tendres. Égoutter et couper en deux.
2. Pendant ce temps, réduire ensemble en crème ou en purée le fromage de chèvre et le fromage cottage. Ajouter le fromage de yogourt et bien mélanger. La préparation devrait être lisse.
3. Ajouter l'ail, le persil, le basilic, la ciboulette, le thym, la sauce piquante au piment, le poivre et le sel et bien mélanger. Rectifier l'assaisonnement au besoin. Verser la trempette dans un bol et disposer les pommes de terre autour.

Trempette au fromage bleu : Remplacer le fromage de chèvre par du gorgonzola doux ou du roquefort ; remplacer le basilic par 15 ml (1 c. à table) d'estragon frais haché ou 5 ml (1 c. à thé) d'estragon séché. Omettre le thym.

Trempette au thon : Omettre le fromage de chèvre et le fromage cottage. Réduire le fromage de yogourt en purée avec 1 boîte de 284 ml (7 oz) de thon blanc (mis en conserve dans l'eau) égoutté et défait en flocons.

APPORT NUTRITIONNEL PAR PORTION DE
15 ml (1 c. à table) + pomme de terre

41	calories
6 g	glucides
trace	fibres
1 g	matières grasses
1 g	gras saturés
2 g	protéines
4 mg	cholestérol
50 mg	sodium
120 mg	potassium

Bruschetta à la ricotta

Il existe actuellement un véritable engouement pour la bruschetta et les crostinis. On en voit partout, et ils sont absolument délicieux.

Vous pouvez utiliser cette tartinade sur des craquelins, comme garniture à sandwiches ou pour farcir des légumes ou des petits pitas. Pour ajouter une saveur fumée, faites griller le pain au barbecue plutôt que sous le gril du four.

Choisissez toujours la ricotta la moins humide possible mais, si la marque que vous utilisez contient beaucoup d'humidité, égouttez-la d'abord en suivant la méthode décrite ci-dessous

Donne environ 24 hors-d'œuvre

500 g	**fromage ricotta léger**	**1 lb**
1	**baguette française d'environ 40 cm (16 po)**	**1**
2 ml	**poivre**	**1/2 c. à thé**
25 ml	**persil frais haché**	**2 c. à table**
25 ml	**ciboulette fraîche ou oignons verts hachés**	**2 c. à table**
25 ml	**basilic ou aneth frais haché**	**2 c. à table**
15 ml	**menthe fraîche hachée ou 1 ml (1/4 c. à thé) de menthe séchée**	**1 c. à table**
25 ml	**huile d'olive (facultatif)**	**2 c. à table**
1 ml	**flocons de piment fort**	**1/4 c. à thé**
2	**gousses d'ail émincées**	**2**
	sel au goût	

1. Si la ricotta contient beaucoup d'humidité, couper en quartiers, placer dans une passoire et laisser égoutter pendant quelques heures ou toute la nuit.
2. Couper le pain en diagonale et faire des tranches de 1 cm (1/2 po) d'épaisseur. Disposer côte à côte sur des plaques à pâtisserie. Préchauffer le four et placer sous le gril jusqu'à ce que les tranches de pain soient légèrement croustillantes de chaque côté mais encore un peu tendres au centre.
3. Mettre la ricotta dans un bol et y incorporer en battant le poivre, le persil, la ciboulette, le basilic et la menthe. Ajouter l'huile d'olive, les flocons de piment fort, l'ail et le sel. Rectifier l'assaisonnement au besoin.
4. Tartiner chaque tranche de pain d'environ 20 ml (4 c. à thé) de mélange de ricotta.

LES SALSAS

Les salsas sont habituellement préparées avec des légumes ou des fruits frais, des fines herbes et des assaisonnements frais. On les sert crues ou très légèrement cuites, pour que les saveurs restent vives.

Vous servirez la salsa sur du pain grillé ou comme trempette, seule ou mélangée à du yogourt ou à du fromage de yogourt (p. 228). Utilisez-la comme sauce avec la viande ou le poisson grillé nature, comme garniture sur les pommes de terre au four ou comme condiment dans les sandwiches.

APPORT NUTRITIONNEL PAR HORS-D'ŒUVRE

59	calories
8 g	glucides
trace	fibres
1 g	matières grasses
1 g	gras saturés
3 g	protéines
6 mg	cholestérol
96 mg	sodium
40 mg	potassium

Pain grillé à la salsa de tomate, de poivron et de basilic

Bien qu'un grand nombre de salsas commerciales soient maintenant vendues sur le marché, je préfère celles qui sont préparées avec des ingrédients frais et non transformés. Cette variante maison est facile à réaliser et représente un parfait exemple de ce que devrait être une salsa.

Donne 16 portions

Salsa :

1	**poivron rouge rôti (p. 154) pelé et coupé en dés**	**1**
1	**tomate épépinée et coupée en dés**	**1**
125 ml	**basilic frais haché**	**1/2 tasse**
25 ml	**olives noires hachées**	**2 c. à table**
15 ml	**huile d'olive**	**1 c. à table**
15 ml	**vinaigre balsamique**	**1 c. à table**
1	**gousse d'ail émincée**	**1**
1 ml	**poivre**	**1/4 c. à thé**
	sel au goût	

Pain grillé :

15 ml	**huile d'olive**	**1 c. à table**
5 ml	**romarin frais haché ou 1 ml (1/4 c. à thé) de romarin séché**	**1 c. à thé**
1 ml	**poivre**	**1/4 c. à thé**
pincée	**sel**	**pincée**
8	**grandes tranches de pain italien de 1 cm (1/2 po) d'épaisseur**	**8**

1. Mélanger le poivron rouge et la tomate. Ajouter en brassant le basilic, les olives, l'huile, le vinaigre, l'ail, le poivre et le sel. Laisser mariner pendant au moins 10 minutes. Rectifier l'assaisonnement au besoin.
2. Mélanger dans un petit bol l'huile d'olive, le romarin, le poivre et le sel. Badigeonner un côté du pain avec ce mélange.
3. Préchauffer le barbecue ou le gril du four. Griller les tranches de pain du côté huilé jusqu'à ce qu'elles soient légèrement dorées. Tourner et faire dorer légèrement l'autre côté.
4. Couper chaque tranche de pain en deux. Servir dans un panier en plaçant le côté garni de fines herbes vers le haut et en présentant la salsa à part.

SALSA ÉPICÉE AU MAÏS

Vous emploierez cette salsa comme trempette, comme garniture à soupe, comme garniture à bruschetta (p. 42) ou à pizza (p. 45), ou encore comme sauce avec l'agneau, le poisson ou le poulet grillés. Si vous ne voulez pas que la sauce soit piquante, vous omettrez le piment fort ou vous en enlèverez les membranes et les graines. Vous pourrez également ajouter 250 ml (1 tasse) de haricots noirs (Black turtle).

Dans le robot culinaire, mettre 500 ml (2 tasses) de maïs en grains cuit, 1 poivron rouge rôti, épépiné et pelé (p. 154), 7 ml (1 1/2 c. à thé) de piment chipotle ou jalapeño émincé et 1 gousse d'ail émincée. Mettre le robot en marche-arrêt jusqu'à ce que le mélange soit légèrement pâteux et bien amalgamé. Ajouter 15 ml (1 c. à table) de vinaigre balsamique ou de vinaigre de riz, 50 ml (1/4 tasse) de coriandre fraîche ou de persil frais haché, 25 ml (2 c. à table) de ciboulette fraîche ou d'oignons verts hachés et 1 ml (1/4 c. à thé) de sel. Battre tout juste pour bien mélanger.

Donne environ 500 ml (2 tasses).

APPORT NUTRITIONNEL PAR PORTION

59	calories
9 g	glucides
1 g	fibres
2 g	matières grasses
trace	gras saturés
2 g	protéines
0 mg	cholestérol
92 mg	sodium
47 mg	potassium

PAINS AUX FINES HERBES ET À L'OIGNON À LA PROVENÇALE

Je vous présente ici un pastiche de la pissaladière, une spécialité provençale. J'ai utilisé du pain au lieu de la pâte à pizza et des poivrons rouges au lieu des anchois pour diminuer le sel. Mais la garniture traditionnelle d'oignon et d'ail est restée aussi délicieuse. À servir comme hors-d'œuvre ou repas léger.

Donne 8 portions

15 ml	**huile d'olive**	**1 c. à table**
2	**gousses d'ail émincées**	**2**
3	**oignons hachés ou tranchés minces**	**3**
1 ml	**poivre**	**¼ c. à thé**
5 ml	**thym frais haché ou 1 ml (¼ c. à thé) de thym séché**	**1 c. à thé**
	sel au goût	
1	**baguette française d'environ 40 cm (16 po)**	**1**
2	**poivrons rouges rôtis (page 154) pelés et coupés en lanières**	**2**
50 ml	**olives noires en moitiés**	**¼ tasse**

1. Chauffer l'huile d'olive dans une grande poêle antiadhésive. Ajouter l'ail et les oignons et faire revenir à feu doux pendant 10 minutes ou jusqu'à ce que les oignons soient tendres et dorés. Ajouter le poivre, le thym et le sel.
2. Couper les bouts de la baguette. Couper le pain en deux dans le sens de la longueur. Tartiner avec le mélange à l'oignon. Entrecroiser les lanières de poivron rouge pour former des X. Disposer les olives entre les croisillons.
3. Mettre le pain sur une plaque à pâtisserie et cuire au four préchauffé à 200 °C (400 °F) de 15 à 20 minutes ou jusqu'à ce qu'il soit très chaud et croustillant. Couper en bouchées de 5 cm (2 po) et servir.

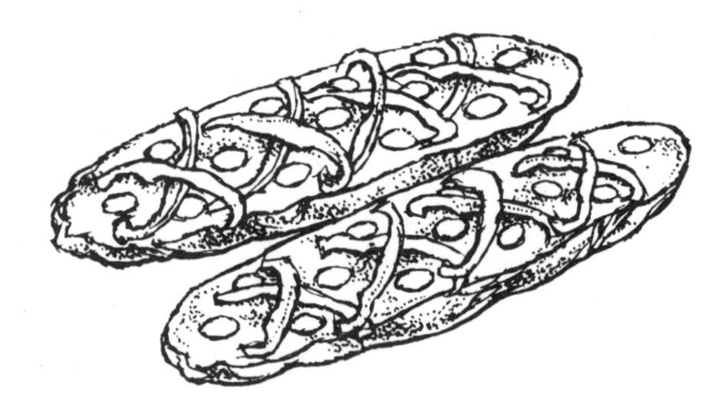

APPORT NUTRITIONNEL PAR PORTION

152	calories
27 g	glucides
2 g	fibres
3 g	matières grasses
1 g	gras saturés
4 g	protéines

Excellente source de :
vitamine C

0 mg	cholestérol
257 mg	sodium
144 mg	potassium

Pizza au pistou

Le pistou traditionnel contient énormément d'ingrédients ayant une teneur relativement élevée en matières grasses. Lorsque je prépare mon pistou, j'utilise la moitié de la quantité habituelle d'huile, une ou deux cuillerées à table de pignons seulement (je les fais rôtir pour en accentuer la saveur) et j'ajoute le fromage au moment d'utiliser le pistou, si le plat l'exige. Mais si vous recherchez une variante du pistou qui contienne vraiment peu de matières grasses, en voici une que je trouve excellente. Vous pourriez remplacer le jus de légumes par du vinaigre balsamique, du jus de citron ou un poivron rouge rôti (p.154) réduit en purée. Ajoutez 15 ml (1 c. à table) d'huile d'olive pour rendre la sauce plus lisse et 25 ml (2 c. à table) de parmesan si vous le désirez.

Donne 32 pointes

Pistou :

2	**gousses d'ail**	**2**
500 ml	**feuilles de basilic frais**	**2 tasses**
15 ml	**pignons rôtis (p. 245)**	**1 c. à table**
50 ml	**jus de légumes ou jus de tomate**	**1/4 tasse**
2 ml	**poivre**	**1/2 c. à thé**

Pizza :

4	**tortillas de farine blanche de 25 cm (10 po)**	**4**
250 ml	**fromage mozzarella partiellement écrémé râpé**	**1 tasse**
4	**poivrons rouges rôtis (p. 154) pelés et coupés en lanières**	**4**
	brins de basilic frais	

1. Pour préparer le pistou, hacher l'ail au robot culinaire. Ajouter le basilic et les pignons et hacher. Ajouter le jus et le poivre et réduire le tout en une purée lisse.

2. Piquer les tortillas à l'aide d'une fourchette. Faire cuire au four préchauffé à 220 °C (425 °F), directement sur les grilles du four, de 3 à 5 minutes ou jusqu'à ce que les tortillas soient légèrement dorées et croustillantes. Disposer côte à côte sur des plaques à pâtisserie.

3. Tartiner chaque tortilla de 25 ml (2 c. à table) de pistou. Parsemer de fromage et de lanières de poivron rouge. Cuire au four pendant 8 minutes ou jusqu'à ce que le fromage forme des bulles. Garnir de brins de basilic frais. Découper en pointes.

APPORT NUTRITIONNEL PAR POINTE

39	calories
5 g	glucides
1 g	fibres
1 g	matières grasses
1 g	gras saturés
2 g	protéines

Bonne source de : vitamine C

2 mg	cholestérol
53 mg	sodium
47 mg	potassium

Roulés de tortilla au saumon fumé

Quand on prépare ces roulés, on se sent un peu comme un héros culinaire. Vous arriverez probablement à concocter de nombreuses variantes de votre cru en employant des tartinades, des viandes froides ou des légumes cuits divers.

Servez les rouleaux, côté spiralé vers le haut, sur un lit de laitue déchiquetée.

Donne environ 32 à 40 hors-d'œuvre

250 ml	**fromage cottage pressé à faible teneur en matières grasses ou fromage de yogourt**	**1 tasse**
25 ml	**moutarde au miel**	**2 c. à table**
4	**tortillas de farine blanche de 25 cm (10 po)**	**4**
250 g	**saumon fumé en tranches minces**	**1/2 lb**
25 ml	**aneth frais haché**	**2 c. à table**
25 ml	**ciboulette fraîche ou oignons verts hachés**	**2 c. à table**
4	**feuilles de laitue déchiquetées**	**4**

1. Mélanger le fromage cottage et la moutarde. (Si le fromage est un peu granuleux, réduire en purée au mélangeur ou au robot culinaire.)
2. Étendre le mélange de fromage de manière régulière sur les tortillas.
3. Disposer le saumon fumé sur le fromage. (Laisser environ 2,5 cm (1 po) à la partie supérieure de chaque tortilla couverte seulement de fromage de façon à ce que les rouleaux restent bien collés.) Parsemer d'aneth, de ciboulette et de laitue.
4. Rouler les tortillas étroitement et sceller en pressant fermement. Bien envelopper et réfrigérer pendant 2 heures ou jusqu'au moment de servir. Couper les deux bouts, puis couper chacun des rouleaux légèrement en diagonale en 8 à 10 tranches.

Apport nutritionnel par hors-d'œuvre

40	calories
5 g	glucides
trace	fibres
1 g	matières grasses
trace	gras saturés
3 g	protéines
2 mg	cholestérol
84 mg	sodium
26 mg	potassium

Bouchées de polenta

On peut préparer la polenta à partir de semoule ordinaire ou de semoule instantanée, et on peut la servir crémeuse ou ferme, comme dans la présente recette. Même si elle est excellente servie nature, elle est également parfaite garnie de diverses tartinades, comme la tartinade de haricots blancs (p. 36) ou la salsa (p. 43). Vous pouvez également vous servir des rondelles de polenta comme garniture à pizza.

On peut aussi verser la polenta chaude dans de petits moules à muffins huilés et confectionner ainsi des petits muffins de polenta.

Donne environ 32 bouchées

1 l	**eau**	**4 tasses**
4 ml	**sel**	**3/4 c. à thé**
2 ml	**poivre**	**1/2 c. à thé**
250 ml	**semoule de maïs (ordinaire ou instantanée)**	**1 tasse**
2 ml	**cumin moulu**	**1/2 c. à thé**
15 ml	**huile d'olive**	**1 c. à table**
125 ml	**lait**	**1/2 tasse**
25 ml	**persil frais haché**	**2 c. à table**
25 ml	**fromage parmesan râpé**	**2 c. à table**

1. Dans une grande casserole, porter l'eau à ébullition. Ajouter le sel et le poivre. Ajouter la semoule de maïs en un mince filet et en brassant sans arrêt. Ajouter le cumin.
2. Cuire la polenta de 15 à 20 minutes à feu doux, en brassant occasionnellement avec une cuillère de bois (la polenta instantanée cuit en 5 minutes).
3. Ajouter en brassant l'huile, le lait, le persil et le fromage. Rectifier l'assaisonnement au besoin.
4. Verser la polenta dans un plat huilé de 3,5 litres (13 po × 9 po) et réfrigérer pendant quelques heures. Démouler et couper en carrés, en losanges ou en rondelles.
5. Juste avant de servir, préchauffer le gril du four et placer les bouchées sur une plaque à pâtisserie. Faire griller pendant 2 minutes ou jusqu'à ce qu'elles soient parfaitement réchauffées.

Apport nutritionnel par bouchée

23	calories
4 g	glucides
trace	fibres
1 g	matières grasses
trace	gras saturés
1 g	protéines
1 mg	cholestérol
64 mg	sodium
15 mg	potassium

Boulettes de poulet à la sauce aigre-douce

Les beignets à l'orientale sont habituellement enrobés d'une mince pâte à la farine de blé ou de riz, mais il est beaucoup plus rapide de préparer des beignets sans enrobage (je les appelle alors simplement des « boules » au poulet). On peut servir celles-ci en hors-d'œuvre, piquées sur des cure-dents ou des fourchettes à cocktail, ou encore en faire un plat de résistance en les servant sur des nouilles ou du riz. Une excellente variante consiste à mélanger du poulet et des crevettes en parts égales.

La sauce aigre-douce a la réputation d'être sucrée, mais la recette proposée ici est basée sur une authentique version. Vous pouvez napper de sauce des morceaux de poulet grillé ou des crevettes cuites et remuer, ou vous pouvez l'ajouter à vos viandes et légumes sautés.

Donne environ 32 boules

250 g	**épinards frais ou 1 paquet de 300 g (10 oz) d'épinards congelés**	**1/2 lb**
500 g	**poitrines de poulet désossées, sans la peau et hachées**	**1 lb**
1	**blanc d'œuf**	**1**
15 ml	**fécule de maïs**	**1 c. à table**
2 ml	**sel**	**1/2 c. à thé**
1 ml	**pâte de piment fort**	**1/4 c. à thé**
1	**carotte hachée finement**	**1**
5 ml	**gingembre frais haché**	**1 c. à thé**

Sauce aigre-douce :

75 ml	**ketchup**	**1/3 tasse**
45 ml	**vinaigre de riz ou vinaigre de cidre**	**3 c. à table**
45 ml	**sucre granulé**	**3 c. à table**
125 ml	**eau**	**1/2 tasse**
15 ml	**sauce soja**	**1 c. à table**
5 ml	**huile de sésame**	**1 c. à thé**
10 ml	**fécule de maïs**	**2 c. à thé**
10 ml	**huile végétale**	**2 c. à thé**
20 ml	**graines de sésame rôties (p. 34)**	**4 c. à thé**
50 ml	**coriandre fraîche ou persil frais haché**	**1/4 tasse**

1. Laver les épinards. Mettre dans une casserole, couvrir et cuire jusqu'à ce qu'ils aient ramollis. Rincer à l'eau froide. Retirer l'excès de liquide en pressant et hacher. Réserver. (Si vous utilisez des épinards congelés, décongeler simplement, retirer l'excès d'humidité en pressant et hacher.) Presser de nouveau au besoin pour extraire ce qui pourrait rester de liquide.
2. Dans un grand bol, mélanger ensemble le poulet haché, le blanc d'œuf, 15 ml (1 c. à table) de fécule de maïs et le sel. Ajouter au mélange la pâte de piment fort, la carotte, le gingembre et les épinards mis en réserve.
3. Garnir le fond d'une plaque à pâtisserie de papier ciré. Rouler le mélange en boulettes de 2,5 cm (1 po) et aplatir légèrement. Placer sur la plaque à pâtisserie. Réfrigérer ou congeler jusqu'au moment de cuire.
4. Dans un petit bol, mélanger ensemble les sept premiers ingrédients de la sauce. Réserver.
5. Chauffer l'huile végétale dans une grande poêle antiadhésive. Ajouter les boulettes de poulet côte à côte. Faire cuire jusqu'à ce que le dessous soit légèrement doré. Décoller les boulettes et tourner. Ajouter la sauce et couvrir la poêle. Faire cuire à feu doux de 3 à 5 minutes ou jusqu'à ce que le poulet soit ferme. Bien mélanger. La sauce devrait épaissir.
6. Disposer les boulettes de poulet sur un plat de service et parsemer de graines de sésame et de coriandre fraîche.

Apport nutritionnel par boule

35	calories
3 g	glucides
trace	fibres
1 g	matières grasses
trace	gras saturés
4 g	protéines
8 mg	cholestérol
113 mg	sodium
96 mg	potassium

CREVETTES « GRILLÉES » DE LA LOUISIANE

Voici un plat dont la saveur est si bien relevée que, même servi en entrée et en petite quantité, il prend des allures de fête.

Le terme « grillées » vient de la sauce qui contient des assaisonnements pour grillades, mais vous pourriez également faire griller les crevettes au barbecue ou sous le gril du four pendant une minute de chaque côté avant de les ajouter à la sauce. On peut préparer ce plat à l'avance, mais il faut le réchauffer rapidement pour éviter aux crevettes une cuisson excessive.

Donne 8 portions d'entrée

5 ml	**paprika**	**1 c. à thé**
2 ml	**poivre**	**1/2 c. à thé**
1 ml	**piment de Cayenne**	**1/4 c. à thé**
1 ml	**origan séché**	**1/4 c. à thé**
1 ml	**thym séché**	**1/4 c. à thé**
500 g	**crevettes décortiquées**	**1 lb**
10 ml	**huile d'olive**	**2 c. à thé**
1	**petit oignon haché finement**	**1**
3	**gousses d'ail hachées finement**	**3**
50 ml	**sauce Worcestershire**	**1/4 tasse**
75 ml	**bière**	**1/3 tasse**
15 ml	**jus de citron**	**1 c. à table**
125 ml	**eau**	**1/2 tasse**
25 ml	**persil frais haché**	**2 c. à table**

1. Mélanger ensemble le paprika, le poivre, le piment de Cayenne, l'origan et le thym.
2. Éponger les crevettes, ajouter la moitié du mélange d'épices et brasser. Réserver.
3. Chauffer l'huile d'olive dans une grande poêle antiadhésive. Ajouter l'oignon et l'ail et faire revenir environ 5 minutes ou jusqu'à ce que le tout soit très odorant et tendre. Ne pas laisser brunir.
4. Ajouter le reste du mélange d'épices et faire cuire pendant 1 minute. Ajouter la sauce Worcestershire, la bière, le jus de citron et l'eau. Porter à ébullition et faire cuire à découvert en laissant diminuer jusqu'à ce qu'il reste environ 75 ml (1/3 tasse) de sauce.
5. Ajouter les crevettes à la sauce et bien mélanger. Faire cuire de 3 à 4 minutes ou jusqu'à ce que les crevettes soient tout juste cuites. Rectifier l'assaisonnement au besoin. Parsemer de persil au moment de servir.

RIZ À LA VAPEUR

J'utilise cette méthode de cuisson pour toutes les variétés de riz à grains longs, tels que le basmati, le thaï parfumé et le riz ordinaire.

Bien laver 375 ml (1 1/2 tasse) de riz blanc à grains longs. Mettre dans une casserole de grandeur moyenne et ajouter 550 ml (2 1/4 tasses) d'eau froide. Porter à ébullition. Réduire le feu de moitié et continuer la cuisson à découvert jusqu'à ce que l'eau disparaisse et que des trous se forment à la surface du riz, soit de 5 à 8 minutes environ. Couvrir et cuire à feu très doux pendant 15 minutes. Fermer le feu et laisser reposer jusqu'à 30 minutes avant de servir. (Pour préparer du riz brun à la vapeur, utiliser 50 ml (1/4 tasse) d'eau additionnelle et laisser cuire le riz à feu doux pendant 30 minutes au lieu de 15.)

Donne environ 1 litre (4 tasses).

APPORT NUTRITIONNEL PAR PORTION

71	calories
3 g	glucides
trace	fibres
2 g	matières grasses
trace	gras saturés
10 g	protéines

Bonne source de :
vitamine B_{12}

65 mg	cholestérol
156 mg	sodium
115 mg	potassium

LES SOUPES ET LES POTAGES

Soupe de fruits de mer au bouillon de gingembre

Soupe aigre et piquante

Potage à la pomme et à la courge

Bortsch au chou

Minestrone vert aux croûtons de fromage

Potage parmentier à l'ail garni d'un filet de pistou

Potage de poireaux et de pommes de terre

Gombo au poulet et aux fruits de mer

Potage de fenouil aux poireaux et aux carottes

Soupe aux pois chiches et aux épinards

Potage de haricots blancs avec salsa à la verdure

Potage de lentilles aux légumes

Soupe de champignons aux haricots et à l'orge

Soupe marocaine aux lentilles et aux pâtes

Soupe de haricots noirs au yogourt et à la salsa épicée

Soupe aux pois cassés à l'aneth

SOUPE DE FRUITS DE MER AU BOUILLON DE GINGEMBRE

Cette soupe au goût frais et léger contient peu de matières grasses. On peut y remplacer les fruits de mer par du blanc de poulet coupé en dés.

Donne 8 portions

5 ml	**huile végétale**	**1 c. à thé**
2	**gousses d'ail hachées finement**	**2**
15 ml	**gingembre frais finement haché**	**1 c. à table**
5 ml	**zeste de citron râpé**	**1 c. à thé**
1 ml	**flocons de piment fort**	**¼ c. à thé**
1 l	**bouillon de poulet maison (p. 59) ou 1 boîte de 284 ml (10 oz) de bouillon de poulet et de l'eau pour compléter ou fumet de poisson maison (p. 53)**	**4 tasses**
25 ml	**sauce de poisson thaïe (nam pla) ou sauce soja**	**2 c. à table**
15 ml	**jus de citron**	**1 c. à table**
3	**carottes en rondelles**	**3**
125 g	**pétoncles coupés en dés**	**¼ lb**
125 g	**crevettes parées et coupées en dés**	**¼ lb**
5 ml	**huile de sésame**	**1 c. à thé**
4	**oignons verts hachés finement**	**4**
25 ml	**coriandre fraîche ou persil frais haché**	**2 c. à table**

1. Chauffer l'huile dans une grande casserole ou un faitout. Ajouter l'ail, le gingembre, le zeste de citron et les flocons de piment fort. Faire revenir à feu doux jusqu'à ce que le tout soit très odorant.
2. Ajouter le bouillon, la sauce de poisson et le jus de citron et porter à ébullition.
3. Ajouter les carottes. Réduire le feu et laisser cuire à feu très doux pendant 15 minutes.
4. Ajouter les pétoncles, les crevettes, l'huile de sésame et les oignons verts. Faire cuire quelques minutes seulement ou jusqu'à ce que les fruits de mer soient à peine cuits. Parsemer de coriandre fraîche au moment de servir.

FLEURS DE CAROTTES

Pour obtenir des rondelles de carotte en forme de fleur, que vous pourrez utiliser dans les soupes, sur les pâtes ou avec des légumes sautés, pelez une carotte puis faites-y trois ou quatre entailles en V dans le sens de la longueur. Quand vous couperez la carotte en rondelles, les tranches auront une forme de fleur.

APPORT NUTRITIONNEL PAR PORTION

73	calories
5 g	glucides
1 g	fibres
2 g	matières grasses
trace	gras saturés
8 g	protéines

Excellente source de :
vitamine A
Bonne source de :
niacine et vitamine B_{12}

21 mg	cholestérol
282 mg	sodium
267 mg	potassium

Soupe aigre et piquante

La soupe aigre et piquante est une soupe savoureuse et facile à préparer tout en ne contenant que peu de matières grasses.

Donne de 6 à 8 portions

10	**champignons déshydratés shiitake ou champignons frais**	**10**
250 g	**tofu extra-ferme**	**1/2 lb**
25 ml	**fécule de maïs**	**2 c. à table**
50 ml	**eau**	**1/2 tasse**
1,5 l	**bouillon de poulet maison (p. 59) ou 1 boîte de 284 ml (10 oz) de bouillon de poulet et de l'eau pour compléter**	**6 tasses**
3	**poireaux parés et coupés en rondelles ou 1 oignon tranché finement**	**3**
250 ml	**pousses de bambou tranchées finement**	**1 tasse**
45 ml	**vinaigre chinois noir ou sauce Worcestershire**	**3 c. à table**
25 ml	**sauce soja**	**2 c. à table**
25 ml	**gingembre frais émincé**	**2 c. à table**
2 ml	**poivre**	**1/2 c. à thé**
5 ml	**huile de sésame**	**1 c. à thé**
2 ml	**pâte de piment fort**	**1/2 c. à thé**
2	**blancs d'œufs ou 1 œuf entier battu**	**2**
3	**oignons verts tranchés finement**	**3**

1. Si vous utilisez des champignons déshydratés, couvrir d'eau chaude et laisser attendrir pendant 20 minutes. Égoutter, rincer, retirer les pieds et couper les chapeaux en tranches.
2. Couper le tofu en fines lanières. (Si vous utilisez du tofu ordinaire, envelopper-le dans un linge et placer-le sous un poids. Laisser-le reposer ainsi pendant 30 minutes avant de le couper.) Délayer la fécule de maïs dans l'eau. Réserver.
3. Mettre dans une grande casserole le bouillon, les champignons, les poireaux, les pousses de bambou et le tofu. Porter à ébullition. Écumer au besoin et cuire pendant environ 3 minutes. Ajouter le vinaigre, la sauce soja, le gingembre, le poivre, l'huile de sésame et la pâte de piment fort. Rectifier l'assaisonnement au besoin.
4. Brasser le mélange de fécule de maïs et ajouter-le à la soupe. Cuire jusqu'à léger épaississement en brassant pour éviter la formation de grumeaux.
5. Retirer du feu et ajouter lentement les blancs d'œufs battus en brassant sans arrêt pour que les œufs forment des fils et cuisent parfaitement. Ajouter les oignons verts. Servir chaud.

LE FUMET DE POISSON
Il est difficile de trouver un bon fumet de poisson, il est donc avantageux de le faire vous-même. N'utilisez que du poisson maigre à chair blanche. Conservez tout reste de fumet de poisson au congélateur (p. 69).

Mettez 1,5 kg (3 lb) d'arêtes, de queues et de têtes de poissons dans une grande marmite, ainsi que 2 oignons, 2 carottes, 2 branches de céleri et 1 poireau coupés grossièrement. Ajoutez un petit bouquet de persil frais, 1 feuille de laurier, 2 ml (1/2 c. à thé) de thym séché, 6 grains de poivre et 250 ml (1 tasse) de vin blanc sec (facultatif) ou d'eau. Couvrez d'environ 3 litres (3 pintes) d'eau froide, portez à ébullition et écumez. Réduisez la chaleur et laissez mijoter pendant 30 minutes. Tamisez.

Donne environ 3 litres (3 pintes).

APPORT NUTRITIONNEL PAR PORTION

155	calories
19 g	glucides
3 g	fibres
3 g	matières grasses
1 g	gras saturés
15 g	protéines

Excellente source de : niacine

1 mg	cholestérol
428 mg	sodium
594 mg	potassium

POTAGE À LA POMME ET À LA COURGE

La couleur et la saveur riches de cette soupe rappellent l'automne, mais elle est délicieuse tout au long de l'année. Bien que toutes les espèces de courges d'hiver conviennent à cette recette, c'est la consistance et la couleur de la courge musquée que je préfère. La pomme rappelle la merveilleuse douceur des tartes aux pommes, mais vous pouvez aussi bien utiliser une poire.

Donne de 6 à 8 portions

10 ml	**huile végétale**	**2 c. à thé**
2	**poireaux parés et tranchés**	**2**
1	**pomme pelée, parée et coupée en dés**	**1**
1 kg	**courge musquée, pelée et coupée en dés**	**2 lb**
1	**pomme de terre pelée et coupée en dés**	**1**
1 l	**bouillon de poulet maison (p. 59) ou 1 boîte de 284 ml (10 oz) de bouillon de poulet et de l'eau pour compléter**	**4 tasses**
5 ml	**thym frais haché ou 1 ml (1/4 c. à thé) de thym séché**	**1 c. à thé**
5 ml	**romarin frais haché ou 1 ml (1/4 c. à thé) de romarin séché**	**1 c. à thé**
1 ml	**poivre**	**1/4 c. à thé**
125 ml	**fromage cheddar léger râpé (facultatif)**	**1/2 tasse**
	sel au goût	

1. Chauffer l'huile dans une grande casserole ou un faitout. Ajouter les poireaux et faire revenir à feu doux jusqu'à ce qu'ils soient tendres et odorants.
2. Ajouter la pomme, la courge et la pomme de terre. Bien mélanger. Ajouter le bouillon, le thym, le romarin, le poivre et le sel. Porter à ébullition. Réduire la chaleur, couvrir et laisser cuire à feu très doux pendant 30 minutes ou jusqu'à ce que la courge soit très tendre.
3. Réduire en purée. Si la soupe est trop épaisse, ajouter du bouillon ou de l'eau. Rectifier l'assaisonnement. Parsemer chaque portion de fromage râpé.

APPORT NUTRITIONNEL PAR PORTION

129	calories
23 g	glucides
4 g	fibres
3 g	matières grasses
trace	gras saturés
5 g	protéines

Bonne source de : niacine et vitamine B_6

1 mg	cholestérol
30 mg	sodium
615 mg	potassium

BORTSCH AU CHOU

Pour réaliser une variante plus rapide de cette recette, vous pouvez remplacer le bœuf par du poulet. Enlevez d'abord la peau et ajouter le chou dès que vous avez écumé le bouillon. Ou encore, pour en obtenir une variante végétarienne, omettez complètement le bœuf ou le poulet.

Pour obtenir un plat de résistance substantiel, ajoutez des pommes de terre bouillies.

Donne 12 portions

500 g	**poitrine de bœuf ou petites côtes, dont on a enlevé tout gras visible, coupées en morceaux de 2,5 cm (1 po).**	**1 lb**
4 l	**eau froide**	**4 pintes**
1	**petit chou coupé en morceaux de 2,5 cm (1 po)**	**1**
2	**oignons hachés grossièrement**	**2**
2	**carottes coupées en rondelles**	**2**
1	**boîte de 796 ml (28 oz) de tomates italiennes non égouttées et hachées grossièrement**	**1**
2 ml	**poivre**	**1/2 c. à thé**
	sel au goût	
45 ml	**sucre granulé**	**3 c. à table**
45 ml	**jus de citron ou vinaigre**	**3 c. à table**

1. Placer le bœuf dans un faitout avec l'eau. Porter à ébullition. Enlever et jeter l'écume qui monte à la surface. Réduire le feu, couvrir et laisser cuire à feu doux pendant 1 heure.

2. Ajouter le chou, les oignons, les carottes, les tomates, le poivre et le sel. Couvrir et laisser cuire à feu doux pendant 1 heure.

3. Ajouter le sucre et le jus de citron et laisser cuire à feu très doux et à découvert pendant 30 minutes. Rectifier l'assaisonnement en ajoutant du sel, du poivre, du sucre ou du jus de citron au besoin.

APPORT NUTRITIONNEL PAR PORTION

97	calories
12 g	glucides
2 g	fibres
3 g	matières grasses
1 g	gras saturés
7 g	protéines

Excellente source de : vitamine A et vitamine B_{12}
Bonne source de : vitamine C

15 mg	cholestérol
152 mg	sodium
374 mg	potassium

MINESTRONE VERT AUX CROÛTONS DE FROMAGE

Voici un minestrone sans tomate mais dont la couleur est irrésistible et la saveur bien fraîche. Les croûtons de fromage peuvent se préparer à l'avance.

Donne de 8 à 10 portions

10 ml	**huile d'olive**	**2 c. à thé**
1	**oignon haché**	**1**
2	**poireaux parés et hachés**	**2**
3	**gousses d'ail hachées finement**	**3**
1	**botte de bette à carde, de rappini ou de brocoli haché**	**1**
2	**courgettes tranchées**	**2**
2 l	**bouillon de poulet maison (p. 59) ou 1 boîte de 284 ml (10 oz) de bouillon de poulet et de l'eau pour compléter**	**8 tasses**
125 ml	**petites pâtes à soupe**	**1/2 tasse**
250 g	**haricots verts coupés en morceaux de 1 cm (1/2 po).**	**1/2 lb**
500 ml	**petits pois frais ou congelés**	**2 tasses**
50 ml	**persil frais haché**	**1/4 tasse**
25 ml	**basilic frais haché**	**2 c. à table**
1 ml	**poivre**	**1/4 c. à thé**
	sel au goût	
175 ml	**fromage parmesan râpé**	**3/4 tasse**
50 ml	**pistou (p. 45) (facultatif)**	**1/4 tasse**

1. Chauffer l'huile dans un grande casserole ou dans une cocotte. Ajouter l'oignon, les poireaux et l'ail. Faire revenir à feu doux pendant 5 minutes sans laisser brunir.
2. Ajouter la bette à carde, les courgettes et le bouillon. Porter à ébullition. Ajouter les pâtes et faire cuire pendant 5 minutes. Ajouter les haricots et les petits pois et poursuivre la cuisson pendant 3 minutes. Ajouter le persil, le basilic, le poivre et le sel. Rectifier l'assaisonnement au besoin.
3. Pour préparer les croûtons de fromage, parsemer une plaque à pâtisserie antiadhésive d'une mince couche de parmesan. Faire cuire au four préchauffé à 180 °C (350 °F) de 2 à 5 minutes ou jusqu'à ce que le fromage soit fondu et doré. Laisser refroidir jusqu'à consistance croustillante. Retirer de la plaque à pâtisserie et briser grossièrement.
4. Ajouter le pistou en remuant et servir avec les croûtons.

LES BOUILLONS POUR SOUPES

Les bouillons maison sont préférables mais, si vous n'en avez pas sous la main, il existe des solutions de rechange.

- Le bouillon congelé, sans sel et dégraissé. Il coûte cher, c'est pourquoi je le dilue toujours avec de l'eau.
- Le bouillon en conserve contient beaucoup plus de sel que nécessaire, et il peut contenir du glutamate monosodique, des matières grasses et des colorants. En réfrigérant la boîte avant de l'ouvrir, le gras se solidifiera à la surface et vous pourrez l'enlever avant d'utiliser le bouillon. Je dilue toujours le bouillon en conserve avec une plus grande quantité d'eau que celle qui est recommandée. Faites congeler l'excédent.
- Les cubes de bouillon et les bases de soupe en poudre sont les substituts de bouillon que j'aime le moins. Si je dois les utiliser, je les dissous dans 1,5 litre à 2 litres (6 à 8 tasses) d'eau par cube ou par 5 ml (1 c. à thé). Recherchez les marques à teneur réduite en sel et en matières grasses.
- L'eau est un bon substitut au bouillon lorsque la recette fait appel à de nombreux ingrédients à saveur prononcée.

APPORT NUTRITIONNEL PAR PORTION

184	calories
21 g	glucides
5 g	fibres
6 g	matières grasses
2 g	gras saturés
14 g	protéines

Excellente source de : niacine et acide folique
Bonne source de : vitamine A, vitamine C, riboflavine, calcium, fer et vitamine B_{12}

9 mg	cholestérol
325 mg	sodium
778 mg	potassium

Potage parmentier à l'ail garni d'un filet de pistou

Lorsqu'on laisse cuire longuement, à feu doux, des gousses d'ail entières, elles deviennent incroyablement douces. Par contre, l'ail cru peut avoir un goût très prononcé. Ne vous étonnez pas si une soupe ou un ragoût longuement mijoté demande quarante gousses d'ail; mais vous pourrez vous étonner si une vinaigrette non cuite demande un grand nombre de gousses d'ail crues.

Donne 8 portions

10 ml	**huile d'olive**	**2 c. à thé**
24	**gousses d'ail pelées**	**24**
1 kg	**pommes de terre pelées et coupées en morceaux de 5 cm (2 po)**	**2 lb**
1,25 l	**bouillon de poulet maison (p. 59) ou 1 boîte de 284 ml (10 oz) de bouillon de poulet et de l'eau pour compléter**	**5 tasses**
2 ml	**poivre**	**1/2 c. à thé**
	sel au goût	

Filet de pistou :

250 ml	**feuilles de basilic frais**	**1 tasse**
1	**gousse d'ail émincée**	**1**
1 ml	**sel**	**1/4 c. à thé**
1 ml	**poivre**	**1/4 c. à thé**
15 ml	**huile d'olive**	**1 c. à table**
45 ml	**eau bouillante**	**3 c. à table**

1. Chauffer l'huile dans une grande casserole ou un faitout. Ajouter les gousses d'ail entières et faire cuire à feu doux environ 5 minutes, jusqu'à ce qu'elles soient odorantes. Ne pas laisser brunir.
2. Ajouter les pommes de terre, le bouillon, le poivre et le sel. Porter à ébullition. Réduire le feu, couvrir et laisser mijoter à feu doux pendant 30 minutes ou jusqu'à ce que les pommes de terre et l'ail soient très tendres.
3. Passer la soupe au presse-purée (ou encore au robot culinaire ou au mélangeur, en y ajoutant du bouillon). Remettre à chauffer. Rectifier l'assaisonnement au besoin.
4. Pour préparer le pistou, réduire en purée au robot culinaire ou au mélangeur le basilic, l'ail, le sel, le poivre et l'huile. En maintenant l'appareil en marche, incorporer l'eau bouillante.
5. Servir la soupe dans des assiettes creuses en y ajoutant un filet de pistou en tourbillon.

Apport nutritionnel par portion

137	calories
21 g	glucides
1 g	fibres
4 g	matières grasses
1 g	gras saturés
5 g	protéines

Bonne source de : niacine et vitamine B_6

1 mg	cholestérol
98 mg	sodium
461 mg	potassium

POTAGE DE POIREAUX ET DE POMMES DE TERRE

Au début de mes études en cuisine, ce potage chaud avait un succès fou ; vingt ans plus tard, il est toujours dans le ton. (Servi froid, c'est en fait la vichyssoise traditionnelle.)

On peut aussi bien le servir en purée qu'avec ses morceaux de légumes coupés, et on peut le préparer en remplaçant la moitié du bouillon par du lait.

Donne 8 portions

15 ml	**huile d'olive**	**1 c. à table**
3	**gros poireaux parés et hachés**	**3**
1	**gousse d'ail hachée finement**	**1**
3	**grosses pommes de terre pelées et coupées en dés**	**3**
1,25 l	**bouillon de poulet maison (p. 59) ou 1 boîte de 284 ml (10 oz) de bouillon de poulet et de l'eau pour compléter**	**5 tasses**
5 ml	**thym frais haché ou une pincée de thym séché**	**1 c. à thé**
2 ml	**poivre**	**1/2 c. à thé**
	sel au goût	
50 ml	**ciboulette fraîche ou oignons verts hachés**	**1/4 tasse**

1. Chauffer l'huile dans une grande casserole ou un faitout. Ajouter les poireaux et l'ail. Faire revenir à feu doux de 5 à 7 minutes ou jusqu'à ce que les poireaux soient fondus. Ajouter les pommes de terre et bien mélanger.
2. Ajouter le bouillon et porter à ébullition. Ajouter le thym, le poivre et le sel. Réduire le feu et laisser cuire à feu doux pendant 20 minutes ou jusqu'à ce que les pommes de terre soient tendres.
3. Passer la soupe au presse-purée, au robot culinaire ou au mélangeur.
4. Remettre la soupe au feu et réchauffer à fond. Rectifier l'assaisonnement au besoin. Parsemer de ciboulette au moment de servir.

Chaudrée de palourdes : Égouttez une boîte de 142 g (5 oz) de palourdes et réserver le liquide. Ajoutez à celui-ci suffisamment d'eau pour obtenir 1 litre (4 tasses) de liquide. Utilisez ce bouillon de palourdes à la place du bouillon de poulet et préparez la soupe jusqu'à l'étape n° 3. Réduisez la moitié de la soupe en purée en gardant quelques pommes de terre en morceaux. Ajoutez les palourdes égouttées et réchauffez à fond. Parsemez de ciboulette.

APPORT NUTRITIONNEL PAR PORTION

111	calories
17 g	glucides
1 g	fibres
3 g	matières grasses
1 g	gras saturés
5 g	protéines

Bonne source de : niacine

1 mg	cholestérol
28 mg	sodium
384 mg	potassium

GOMBO AU POULET ET AUX FRUITS DE MER

Voici un généreux ragoût aux parfums de la Louisiane.

Donne de 8 à 10 portions

15 ml	**huile végétale**	**1 c. à table**
25 ml	**farine tout usage**	**2 c. à table**
1 ml	**piment de Cayenne**	**1/4 c. à thé**
2	**oignons hachés**	**2**
3	**branches de céleri tranchées**	**3**
1	**poivron vert coupé en dés**	**1**
1	**poivron rouge coupé en dés**	**1**
3	**gousses d'ail hachées**	**3**
750 ml	**bouillon de poulet maison (voir la note explicative en marge) ou 1 boîte de 284 ml (10 oz) de bouillon de poulet et de l'eau pour compléter**	**3 tasses**
1	**boîte de 796 ml (28 oz) de tomates italiennes non égouttées**	**1**
125 g	**poulet cru coupé en dés**	**1/4 lb**
125 g	**gombos tranchés**	**1/4 lb**
125 ml	**riz à grains longs**	**1/2 tasse**
2 ml	**sauce piquante au piment**	**1/2 c. à thé**
	sel et poivre au goût	
250 ml	**maïs en grains frais ou congelé**	**1 tasse**
125 g	**chair de crabe en conserve sélectionnée et pressée pour en extraire l'excès d'humidité**	**1/4 lb**
3	**oignons verts tranchés**	**3**

1. Chauffer l'huile dans une grande casserole ou un faitout.
2. Dans un petit bol, mélanger la farine et le piment de Cayenne. Incorporer à l'huile à l'aide d'un fouet et faire cuire délicatement à feu moyen jusqu'à ce que le mélange soit brun foncé.
3. Ajouter les oignons, le céleri, les poivrons et l'ail. Réduire la chaleur et faire cuire de 5 à 10 minutes, jusqu'à ce que les légumes soient légèrement ramollis. Ajouter le bouillon et les tomates et faire chauffer en défaisant celles-ci à la cuillère.
4. Ajouter le poulet, les gombos, le riz, la sauce piquante au piment, le sel et le poivre. Couvrir et laisser cuire à feu doux environ 20 minutes. Ajouter le maïs et la chair de crabe. Cuire pendant 5 minutes. Ajouter les oignons verts et poursuivre la cuisson pendant 5 minutes. Rectifier l'assaisonnement au besoin.

LE BOUILLON DE POULET

Je retire toujours tout le gras visible du poulet avant de préparer un bouillon, mais je laisse la peau parce qu'elle a beaucoup de goût. (Même si la peau contient du gras, celui-ci remonte à la surface quand le bouillon refroidit ; on peut alors dégraisser parfaitement.) Mettre 2 kg (4 lb) de morceaux de poulet dans une grande marmite. Ajouter suffisamment d'eau froide pour couvrir d'environ 5 cm (2 po). Porter à ébullition et écumer.

Ajouter 2 oignons, 2 carottes, 2 branches de céleri et 2 poireaux, tous coupés grossièrement. Porter à ébullition et écumer de nouveau au besoin. Ajouter 1 feuille de laurier, 2 ml (1/2 c. à thé) de thym séché, 6 grains de poivre et un petit bouquet de persil frais. Réduire le feu et faire cuire à découvert environ 1 1/2 heure. Ajouter de l'eau au besoin pour que le poulet en soit toujours recouvert. Tamiser. Pour la congélation, voir p. 69.

Donne environ 3 litres (3 pintes).

APPORT NUTRITIONNEL PAR PORTION

175	calories
26 g	glucides
4 g	fibres
3 g	matières grasses
1 g	gras saturés
11 g	protéines

Excellente source de : vitamine C, niacine et vitamine B_{12}
Bonne source de : vitamine B_6 et acide folique

18 mg	cholestérol
357 mg	sodium
606 mg	potassium

POTAGE DE FENOUIL AUX POIREAUX ET AUX CAROTTES

Les soupes en purée préparées au mélangeur sont incroyablement onctueuses. Préparées au robot, les purées ont une consistance légèrement plus grossière que je préfère habituellement mais, lorsque vous voulez obtenir une soupe vraiment crémeuse sans crème, sortez votre vieux mélangeur du grenier et utilisez-le ! Vous verrez, c'est génial !

Donne 8 portions

15 ml	**huile d'olive**	**1 c. à table**
2	**poireaux parés et hachés**	**2**
2	**gousses d'ail hachées finement**	**2**
2	**bulbes de fenouil ou 3 branches de céleri, parés et hachés**	**2**
2	**carottes hachées**	**2**
1	**pomme de terre pelée et hachée**	**1**
1,25 l	**bouillon de poulet maison (p. 59) ou 1 boîte de 284 ml (10 oz) de bouillon de poulet et de l'eau pour compléter**	**5 tasses**
1 ml	**poivre**	**1/4 c. à thé**
2 ml	**thym frais haché ou 1 pincée de thym séché**	**1/2 c. à thé**
	sel au goût	
250 ml	**croûtons maison (voir la note explicative en marge)**	**1 tasse**
25 ml	**persil frais haché**	**2 c. à table**

1. Chauffer l'huile dans une grande casserole ou un faitout. Ajouter les poireaux, l'ail, le fenouil et les carottes et faire revenir à feu doux pendant environ 5 minutes ou jusqu'à ce que les légumes commencent à ramollir.
2. Ajouter la pomme de terre, le bouillon, le poivre, le thym et le sel. Porter à ébullition. Réduire le feu, couvrir et laisser mijoter lentement de 20 à 25 minutes, jusqu'à ce que les légumes soient très tendres.
3. Réduire en purée au mélangeur, au robot culinaire ou au presse-purée jusqu'à consistance très lisse, en procédant au besoin par petites quantités. Rectifier l'assaisonnement au besoin. Parsemer de croûtons et de persil au moment de servir.

CROÛTONS MAISON

On peut utiliser des restes de pain français ou italien aussi bien que du pain de seigle, pumpernickel, de maïs (p. 246), au levain ou de céréales variées (p. 250).

Couper 5 tranches de pain en cubes et étaler sur une plaque à pâtisserie. Cuire au four préchauffé à 200 °C (400 °F) pendant 15 minutes ou jusqu'à ce que les cubes soient croustillants et dorés.

Pour préparer des croûtons à l'ail, faire griller les tranches de pain, frotter chaque tranche avec une gousse d'ail coupée en deux et couper ensuite en cubes. Pour préparer des croûtons à diverses saveurs, parsemer les cubes de pain de fines herbes hachées ou d'épices avant de mettre au four.

Donne environ 500 ml (2 tasses).

APPORT NUTRITIONNEL PAR PORTION

119	calories
18 g	glucides
1 g	fibres
3 g	matières grasses
1 g	gras saturés
6 g	protéines

Excellente source de : vitamine A
Bonne source de : niacine

1 mg	cholestérol
114 mg	sodium
517 mg	potassium

Soupe aux pois chiches et aux épinards

Voici une soupe riche en fibres qui obtient beaucoup de succès dans notre cours sur le rôle de la nutrition en cuisine. Pour réaliser une variante plus épaisse de cette recette, réduisez en purée la moitié de la soupe avant d'y ajouter les pâtes alimentaires.

Donne 6 portions

10 ml	**huile d'olive**	**2 c. à thé**
1	**oignon haché**	**1**
2	**gousses d'ail hachées finement**	**2**
2 ml	**cumin moulu ou poudre de cari**	**1/2 c. à thé**
pincée	**flocons de piment fort**	**pincée**
1	**boîte de 540 ml (19 oz) de pois chiches rincés et égouttés ou 500 ml (2 tasses) de pois chiches cuits**	**1**
1 l	**bouillon de poulet maison (p. 59) ou 1 boîte de 284 ml (10 oz) de bouillon de poulet et de l'eau pour compléter**	**4 tasses**
125 ml	**petites pâtes à soupe**	**1/2 tasse**
300 g	**épinards frais hachés ou 1 paquet de 300 g (10 oz) d'épinards surgelés décongelés, égouttés et hachés**	**10 oz**
1 ml	**poivre**	**1/4 c. à thé**
	sel au goût	
25 ml	**persil frais haché**	**2 c. à table**

1. Chauffer l'huile dans une grande casserole ou un faitout. Ajouter l'oignon, l'ail, le cumin et les flocons de piment. Faire revenir à feu doux jusqu'à ce que les oignons soient tendres.
2. Ajouter les pois chiches et le bouillon et porter à ébullition. Réduire le feu et laisser mijoter pendant 10 minutes.
3. Ajouter les pâtes et faire cuire pendant 5 minutes ou jusqu'à ce qu'elles soient presque tendres.
4. Ajouter les épinards, le poivre et le sel et cuire environ 3 minutes. Rectifier l'assaisonnement au besoin. Parsemer de persil.

APPORT NUTRITIONNEL PAR PORTION

230	calories
37 g	glucides
5 g	fibres
4 g	matières grasses
1 g	gras saturés
12 g	protéines

Excellente source de : vitamine A et acide folique
Bonne source de : niacine, fer et vitamine B_6

1 mg	cholestérol
191 mg	sodium
483 mg	potassium

POTAGE DE HARICOTS BLANCS AVEC SALSA À LA VERDURE

Voir photo à la page 32.

Si vous désirez préparer une variante rapide de cette soupe, utilisez deux boîtes de 540 ml (19 oz) de haricots blancs rincés et égouttés. Faites cuire les haricots en conserve avec les pommes de terre jusqu'à ce que celles-ci soient tendres, soit environ de 15 à 20 minutes.

Donne de 8 à 10 portions

375 ml	**haricots blancs ou petits haricots blancs secs**	**1 1/2 tasse**
10 ml	**huile d'olive**	**2 c. à thé**
3	**gousses d'ail hachées finement**	**3**
1	**oignon haché finement**	**1**
1 ml	**flocons de piment fort**	**1/4 c. à thé**
2 l	**bouillon de légumes maison (voir la note explicative en marge) ou eau**	**8 tasses**
1	**grosse pomme de terre pelée et coupée en dés**	**1**
125 ml	**petites pâtes à soupe**	**1/2 tasse**
2 ml	**poivre**	**1/2 c. à thé**
	sel au goût	

Salsa à la verdure:

2	**grosses tomates hachées et égouttées**	**2**
125 ml	**roquette ou cresson frais haché**	**1/2 tasse**
25 ml	**ciboulette fraîche ou oignons verts hachés**	**2 c. à table**
25 ml	**basilic frais haché**	**2 c. à table**
25 ml	**persil frais haché**	**2 c. à table**
1	**petite gousse d'ail émincée**	**1**
2 ml	**poivre**	**1/2 c. à thé**
	sel au goût	

BOUILLON DE LÉGUMES

Utilisez ce bouillon de légumes tout usage dans les recettes végétariennes (saler au moment de vous en servir) ou pour remplacer le bouillon de poulet.

Mettre dans une grande marmite 1 oignon, 2 carottes, 2 branches de céleri, 1 poireau, 1 pomme de terre, 2 tomates et 125 g (1/4 lb) de champignons, tous coupés grossièrement. Ajouter 3 litres (3 pintes) d'eau froide, 1 feuille de laurier, 2 ml (1/2 c. à thé) de thym séché, un bouquet de persil frais, 4 gousses d'ail épluchées et 6 grains de poivre. Porter à ébullition et écumer. Couvrir et laisser mijoter à feu doux pendant 1 heure. Tamisez. Ce bouillon se prête bien à la congélation.

Donne environ 3 litres (3 pintes).

1. Faire tremper les haricots dans une grande quantité d'eau pendant 3 heures à la température ambiante ou toute la nuit au réfrigérateur. Bien rincer et égoutter.
2. Chauffer l'huile dans une grande casserole ou un faitout. Ajouter l'ail, l'oignon et les flocons de piment fort et faire revenir à feu doux quelques minutes sans laisser brunir.
3. Ajouter les haricots et le bouillon. Porter à ébullition, réduire le feu, couvrir et laisser mijoter à feu doux pendant 1 heure ou jusqu'à ce que les haricots soient tendres.
4. Ajouter la pomme de terre et poursuivre la cuisson pendant 10 minutes ou jusqu'à ce que la pomme de terre soit tendre.
5. Réduire en purée la totalité ou la moitié du potage. Remettre dans la casserole et allonger de bouillon additionnel ou d'eau jusqu'à l'obtention de la consistance désirée.
6. Ajouter les pâtes et faire cuire pendant 10 minutes. Ajouter le poivre et le sel. Les pâtes font épaissir légèrement le potage, aussi allonger de nouveau si désiré. Rectifier l'assaisonnement au besoin.
7. Pendant ce temps, mélanger tous les ingrédients de la salsa. Rectifier l'assaisonnement au besoin.
8. Servir la soupe dans une assiette creuse en déposant une grosse cuillerée de salsa au centre de chaque assiette.

APPORT NUTRITIONNEL PAR PORTION

204	calories
36 g	glucides
10 g	fibres
3 g	matières grasses
trace	gras saturés
11 g	protéines

Excellente source de : acide folique
Bonne source de : thiamine et fer

0 mg	cholestérol
47 mg	sodium
639 mg	potassium

POTAGE DE LENTILLES AUX LÉGUMES

Le potage de lentilles est tout simple à préparer. Vous pouvez utiliser aussi bien les lentilles vertes que les rouges, mais je préfère ces dernières pour les soupes et potages car elles mettent moins de temps à cuire et donnent un résultat plus velouté.

Donne 6 portions

15 ml	**huile d'olive**	**1 c. à table**
1	**gros oignon coupé en dés**	**1**
2	**gousses d'ail hachées finement**	**2**
5 ml	**poudre de cari ou cumin moulu**	**1 c. à thé**
1	**carotte coupée en dés**	**1**
1	**branche de céleri coupée en dés**	**1**
1	**pomme de terre pelée et coupée en dés**	**1**
250 ml	**lentilles rouges sèches rincées**	**1 tasse**
1 l	**bouillon de poulet maison (p. 59) ou 1 boîte de 284 ml (10 oz) de bouillon de poulet et de l'eau pour compléter**	**4 tasses**
1 ml	**poivre**	**¼ c. à thé**
	sel au goût	
15 ml	**jus de citron**	**1 c. à table**
1 trait	**sauce piquante au piment (facultatif)**	**1 trait**
25 ml	**coriandre fraîche ou persil frais haché**	**2 c. à table**

1. Chauffer l'huile dans une grande casserole ou un faitout. Ajouter l'oignon et l'ail et faire revenir jusqu'à ce que le tout soit tendre et odorant, soit environ 5 minutes. Ajouter la poudre de cari et faire cuire 30 secondes.
2. Ajouter la carotte, le céleri et la pomme de terre et bien mélanger. Ajouter les lentilles et le bouillon en brassant. Porter à ébullition. Ajouter le poivre et le sel. Couvrir et laisser mijoter à feu doux pendant 30 minutes.
3. Servir le potage tel quel ou réduire en une purée bien lisse. Ajouter le jus de citron et la sauce piquante au piment. Rectifier l'assaisonnement au besoin. Parsemer de coriandre fraîche au moment de servir.

APPORT NUTRITIONNEL PAR PORTION

192	calories
28 g	glucides
5 g	fibres
4 g	matières grasses
1 g	gras saturés
13 g	protéines

Excellente source de : vitamine A, niacine, fer et acide folique
Bonne source de : thiamine et vitamine B_6

1 mg	cholestérol
40 mg	sodium
649 mg	potassium

Paella aux légumes *(page 116)* ▶

Soupe de champignons aux haricots et à l'orge

Vous éclaircirez cette soupe avec de l'eau car elle épaissit en restant au réfrigérateur. On peut utiliser une boîte de 540 ml (19 oz) de haricots blancs rincés et égouttés au lieu des haricots secs ; ajoutez-les à l'étape 4, après que la soupe ait cuit 30 minutes.

Donne de 12 à 14 portions

250 g	**haricots blancs ou petits haricots blancs secs, soit environ 250 ml (1 tasse)**	**1/2 lb**
1	**paquet de 15 g (1/2 oz) de champignons sauvages déshydratés**	**1**
150 ml	**orge perlé rincé**	**2/3 tasse**
2,5 l	**bouillon de poulet maison (p. 59) ou 1 boîte de 284 ml (10 oz) de bouillon de poulet et de l'eau pour compléter**	**10 tasses**
1	**oignon haché**	**1**
2	**carottes coupées en dés**	**2**
2	**branches de céleri coupées en dés**	**2**
3	**gousses d'ail émincées**	**3**
250 g	**champignons frais tranchés**	**1/2 lb**
2 ml	**poivre**	**1/2 c. à thé**
	sel au goût	
50 ml	**persil frais haché**	**1/4 tasse**

1. Couvrir les haricots d'une généreuse quantité d'eau et laisser tremper pendant quelques heures à la température ambiante ou toute la nuit au réfrigérateur. Rincer et égoutter.
2. Couvrir les champignons sauvages déshydratés de 250 ml (1 tasse) d'eau chaude et laisser reposer 30 minutes. Passer le liquide dans un tamis doublé d'une serviette en papier et réserver. Rincer les champignons un par un car ils peuvent contenir beaucoup de sable. Hacher les champignons déshydratés et réserver.
3. Mettre l'orge, les haricots, le jus de champignons réservé et le bouillon dans une grande casserole. Porter à ébullition. Écumer avec soin.
4. Ajouter l'oignon, les carottes, le céleri, l'ail, les champignons frais et les champignons déshydratés. Faire cuire pendant 1 heure, jusqu'à ce que les haricots soient tendres et que la soupe épaississe. Brasser de temps à autre. Ajouter le poivre et le sel. Si la soupe est trop épaisse, ajouter de l'eau. Rectifier l'assaisonnement au besoin. Parsemer de persil au moment de servir.

LES CHAMPIGNONS SAUVAGES

Les champignons sauvages peuvent être assez dispendieux, mais ils ajoutent beaucoup de saveur à un plat. Les champignons sauvages frais comprennent les portobellos (des bolets ou cèpes cultivés), les shiitakes, les pleurotes en forme d'huître, les trompettes-de-la-mort, les morilles et les enokis. On peut les conserver pendant quelques jours en les étalant sur un plat couvert d'un linge humide.

Les champignons sauvages déshydratés sont plus facilement disponibles que les frais et, si une quinzaine de grammes peut coûter quelques dollars, ils ajoutent souvent plus de saveur que 500 g de champignons frais. Pour réhydrater les champignons, faites-les tremper dans 250 ml (1 tasse) d'eau chaude pendant 30 minutes. Tamisez le liquide à travers un tamis doublé d'une mousseline, d'une serviette en papier ou d'un filtre à café. Réservez le liquide ainsi tamisé et rincez les champignons un par un avant de les hacher. Le liquide de trempage est très parfumé et devrait être intégré au liquide à utiliser dans la recette, ou encore on peut le congeler et l'utiliser plus tard.

APPORT NUTRITIONNEL PAR PORTION

154	calories
26 g	glucides
8 g	fibres
2 g	matières grasses
trace	gras saturés
10 g	protéines

Excellente source de : vitamine A, niacine et acide folique
Bonne source de : fer

1 mg	cholestérol
43 mg	sodium
522 mg	potassium

◀ Muffuletta végétarienne *(page 117)*

SOUPE MAROCAINE AUX LENTILLES ET AUX PÂTES

Cette soupe au goût exotique est pourtant facile à préparer. Le garam masala est un mélange d'épices. On en trouve dans le commerce, spécialement dans les épiceries d'importation spécialisées ou les marchés indonésiens ; cependant, si vous n'en trouvez pas, remplacez-le par un mélange de 1 ml (1/4 c. à thé) chacun de cannelle, de clou de girofle ou de piment de la Jamaïque moulu, de graines de coriandre moulues, de cardamome et d'une pincée de muscade.

Donne de 8 à 10 portions

15 ml	**huile d'olive**	**1 c. à table**
2	**oignons hachés**	**2**
2	**gousses d'ail hachées finement**	**2**
15 ml	**gingembre frais haché finement**	**1 c. à table**
5 ml	**garam masala**	**1 c. à thé**
2 ml	**curcuma**	**1/2 c. à thé**
1 ml	**piment de Cayenne**	**1/4 c. à thé**
175 ml	**lentilles rouges sèches rincées**	**3/4 tasse**
1	**boîte de 796 ml (28 oz) de tomates italiennes non égouttées**	**1**
2 l	**bouillon de poulet maison (p. 59) ou 1 boîte de 284 ml (10 oz) de bouillon de poulet et de l'eau pour compléter**	**8 tasses**
1	**boîte de 540 ml (19 oz) de pois chiches rincés et égouttés ou 500 ml (2 tasses) de pois chiches cuits**	**1**
1	**boîte de 540 ml (19 oz) de haricots blancs rincés et égouttés ou 500 ml (2 tasses) de haricots blancs cuits**	**1**
125 ml	**vermicelles cassés**	**1/2 tasse**
45 ml	**jus de citron**	**3 c. à table**
1 ml	**poivre**	**1/4 c. à thé**
	sel au goût	
75 ml	**coriandre fraîche ou persil frais haché**	**1/3 tasse**

LES GARNITURES DE SOUPE

- fines herbes fraîches hachées
- tourbillons de fromage de yogourt crémeux, nature ou assaisonné (p.228)
- miettes de croustilles de maïs cuites au four
- croûtons
- épices (paprika, poivre du moulin, cari, cumin)
- graines (sésame, pavot, cumin, carvi)
- petite quantité de fromage à teneur réduite en matières grasses râpé
- petite quantité de noix rôties hachées finement
- salade ou salsa hachée finement
- riz cuit
- pommes de terre ou autres légumes cuits coupés en dés
- petites pâtes à soupe cuites
- fleurs comestibles (p. 72)
- pelures de pommes de terre cuites au four (p. 214)
- pois chiches cuits hachés

1. Chauffer l'huile dans une grande casserole ou un faitout. Ajouter les oignons, l'ail et le gingembre. Cuire à feu doux quelques minutes jusqu'à ce que les oignons ramollissent.
2. Ajouter le garam masala, le curcuma et le piment de Cayenne. Cuire de 2 à 3 minutes ; si le mélange commence à coller ou à brûler, ajouter 125 ml (1/2 tasse) d'eau.
3. Ajouter les lentilles, les tomates et le bouillon en brassant. Porter à ébullition, réduire le feu et laisser mijoter à feu doux pendant 20 minutes.
4. Ajouter les pois chiches et les haricots et laisser mijoter pendant 20 minutes. Réduire en purée le tiers environ du mélange de soupe et remettre dans la casserole. Si la soupe est trop épaisse, ajouter un peu d'eau.
5. Ajouter les vermicelles et laisser cuire pendant 15 minutes ou jusqu'à ce qu'ils soient très tendres. Ajouter en brassant le jus de citron, le poivre et le sel. Rectifier l'assaisonnement au besoin. Parsemer de coriandre fraîche au moment de servir.

APPORT NUTRITIONNEL PAR PORTION

302	calories
47 g	glucides
10 g	fibres
5 g	matières grasses
1 g	gras saturés
19 g	protéines

Excellente source de : niacine, fer, vitamine B_6 et acide folique
Bonne source de : thiamine

1 mg	cholestérol
407 mg	sodium
935 mg	potassium

SOUPE DE HARICOTS NOIRS AU YOGOURT ET À LA SALSA ÉPICÉE

La soupe de haricots noirs se sert aussi bien comme plat de résistance qu'en entrée. Assurez-vous d'avoir en mains les haricots noirs secs et non les haricots noirs fermentés que l'on utilise en cuisine orientale. Les haricots noirs en conserve conviennent également pour cette soupe ; dans ce cas, utilisez deux boîtes de 540 ml (19 oz) de haricots rincés et égouttés, et faites cuire la soupe pendant 30 minutes après les avoir ajoutés.

Donne de 8 à 10 portions

500 g	**haricots noirs secs, soit environ 500 ml (2 tasses)**	**1 lb**
10 ml	**huile d'olive**	**2 c. à thé**
1	**oignon haché**	**1**
6	**gousses d'ail hachées finement**	**6**
15 ml	**cumin moulu**	**1 c. à table**
15 ml	**paprika**	**1 c. à table**
2 ml	**piment de Cayenne**	**1/2 c. à thé**
2 l	**bouillon de poulet maison (p. 59) ou 1 boîte de 284 ml (10 oz) de bouillon de poulet et de l'eau pour compléter**	**8 tasses**
1	**piment chipotle ou jalapeño haché (facultatif)**	**1**
	sel au goût	

Salsa épicée :

25 ml	**oignon haché, rouge de préférence**	**2 c. à table**
1	**tomate épépinée et coupée en dés**	**1**
1	**piment jalapeño haché**	**1**
1	**petite gousse d'ail émincée**	**1**
50 ml	**coriandre fraîche ou persil frais haché**	**1/4 tasse**
125 ml	**yogourt à faible teneur en matières grasses**	**1/2 tasse**

LES HARICOTS NOIRS

Les haricots noirs (Black turtle) secs ou en conserve, habituellement utilisés en grandes quantités, entrent dans la composition de divers plats mexicains ou du sud-ouest américain, particulièrement des soupes et des salades. Ne les confondez pas avec les haricots noirs fermentés utilisés en petites quantités comme assaisonnement en cuisine orientale (p. 156).

Pour préparer les haricots noirs secs, faites tremper 500 g (1 lb), soit 500 ml (2 tasses) de haricots secs dans l'eau froide pendant quelques heures à la température ambiante ou toute la nuit au réfrigérateur. Égouttez et rincez les haricots et mettez-les dans une casserole en les couvrant d'une généreuse quantité d'eau. Ajoutez 1 oignon pelé et coupé en quartiers. Portez à ébullition, écumez, couvrez et laissez cuire à feu doux de 1 heure à 1 1/2 heure ou jusqu'à ce que les haricots soient tendres. Retirez l'oignon. Rincez et égouttez bien les haricots. Ceux-ci se congèlent bien. Vous trouverez plus de détails concernant la cuisson d'autres variétés de haricots secs à la p. 129.

Donne environ 1 litre (4 tasses) de haricots cuits.

1. Couvrir les haricots d'eau et laisser tremper pendant quelques heures à la température ambiante ou toute la nuit au réfrigérateur. Rincer et égoutter. Réserver.
2. Chauffer l'huile dans une grande casserole ou un faitout. Ajouter l'oignon et l'ail et faire revenir à feu doux jusqu'à ce que le tout soit bien odorant. Ajouter le cumin, le paprika et le piment de Cayenne. Faire cuire environ 30 secondes.
3. Ajouter le bouillon, le piment chipotle et les haricots. Porter à ébullition. Couvrir, réduire le feu et laisser mijoter jusqu'à ce que les haricots soient très tendres, soit 1 1/2 heure ou plus.
4. Réduire en purée jusqu'à l'obtention d'une consistance lisse. Ajouter le sel. Rectifier l'assaisonnement au besoin.
5. Pour préparer la salsa, mélanger l'oignon, la tomate, le piment jalapeño, l'ail et la coriandre fraîche.
6. Servir dans des assiettes creuses. Déposer sur chaque portion une cuillerée de yogourt puis une cuillerée de salsa. (Pour une présentation plus recherchée, éclaircir le yogourt d'un peu de lait si nécessaire et projeter à l'atomiseur à la surface de la soupe. Déposer une cuillerée de salsa au centre de chaque portion.)

LA CONGÉLATION DU BOUILLON

Si vous ne disposez pas d'un volume important pour la congélation, faites vos propres cubes de bouillon maison concentré et congelé. Laissez bouillir et diminuer le bouillon jusqu'à ce qu'il ne reste plus que le huitième de la quantité initiale. Faites congeler dans des bacs à glaçons et conservez les cubes ainsi obtenus dans des sacs à congélation que vous aurez soin d'identifier clairement. Au moment d'utiliser, diluez chaque cube dans 250 ml (1 tasse) d'eau.

APPORT NUTRITIONNEL PAR PORTION

273	calories
41 g	glucides
10 g	fibres
4 g	matières grasses
1 g	gras saturés
20 g	protéines

Excellente source de : thiamine, niacine, fer et acide folique
Bonne source de : vitamine B_{12}

2 mg	cholestérol
48 mg	sodium
875 mg	potassium

SOUPE AUX POIS CASSÉS À L'ANETH

Voici l'une des soupes préférées de ma famille. Les pois cassés ne requièrent pas de trempage, aussi cette soupe se prépare plus rapidement que la plupart des soupes à base de légumineuses.

Si vous la préparez une journée à l'avance, elle épaissira davantage. Allongez-la donc simplement, au besoin, d'un peu d'eau au moment de la réchauffer.

Donne de 8 à 10 portions

15 ml	**huile végétale**	**1 c. à table**
2	**oignons coupés en dés**	**2**
2	**gousses d'ail hachées finement**	**2**
2	**carottes coupées en dés**	**2**
2	**panais pelés et coupés en dés**	**2**
1	**grosse pomme de terre pelée et coupée en dés**	**1**
250 ml	**pois verts cassés rincés**	**1 tasse**
2 l	**bouillon de poulet maison (p. 59) ou 1 boîte de 284 ml (10 oz) de bouillon de poulet et de l'eau pour compléter**	**8 tasses**
250 ml	**spaghetti cassés**	**1 tasse**
25 ml	**aneth frais haché**	**2 c. à table**
1 ml	**poivre**	**1/4 c. à thé**
	sel au goût	

1. Chauffer l'huile dans une grande casserole ou un faitout. Ajouter les oignons et l'ail et faire revenir pendant 5 minutes ou jusqu'à ce que le tout soit tendre et odorant. Ne pas laisser brunir.
2. Ajouter les carottes, les panais et la pomme de terre et bien incorporer. Poursuivre la cuisson pendant 5 minutes.
3. Ajouter les pois et le bouillon. Porter à ébullition, réduire le feu, couvrir et laisser cuire à feu doux pendant 1 heure ou jusqu'à ce que les pois soient tendres et que la soupe soit très épaisse. (Il ne sera probablement pas nécessaire de réduire la soupe en purée.) Allonger d'un peu d'eau au besoin.
4. Ajouter les spaghetti et faire cuire de 10 à 15 minutes, jusqu'à ce qu'ils soient très tendres. Éclaircir de nouveau la soupe au besoin.
5. Ajouter l'aneth, le poivre et le sel en brassant. Rectifier l'assaisonnement au besoin.

LES POIS CASSÉS

Je mets souvent des pois cassés dans les soupes et je ne les fais pas tremper au préalable. Je choisis généralement les pois verts, mais les jaunes sont également délicieux et servent à la préparation de la traditionnelle soupe aux pois québécoise de même qu'à la préparation de recettes indonésiennes et scandinaves.

APPORT NUTRITIONNEL PAR PORTION

273	calories
45 g	glucides
7 g	fibres
4 g	matières grasses
1 g	gras saturés
15 g	protéines

Excellente source de : vitamine A, niacine et acide folique
Bonne source de : thiamine et fer

1 mg	cholestérol
51 mg	sodium
764 mg	potassium

LES SALADES ET LES VINAIGRETTES

TABOULÉ

Cette merveilleuse salade traditionnelle qui nous vient du Moyen-Orient peut se servir en entrée, comme plat d'accompagnement ou comme plat de résistance. Je lui ajoute parfois des pois chiches ou des restes de poulet cuit. J'en farcis même des pitas pour en faire des sandwiches végétariens.

Cette salade se conserve bien au réfrigérateur pendant quelques jours.

Donne 8 portions

375 ml	**boulghour**	**1 1/2 tasse**
250 ml	**persil frais haché**	**1 tasse**
125 ml	**ciboulette fraîche ou oignons verts hachés**	**1/2 tasse**
50 ml	**menthe fraîche hachée**	**1/4 tasse**
3	**tomates épépinées et hachées**	**3**
90 g	**fromage feta émietté**	**3 oz**
75 ml	**jus de citron**	**1/3 tasse**
15 ml	**huile d'olive**	**1 c. à table**
1	**gousse d'ail émincée**	**1**
2 ml	**poivre**	**1/2 c. à thé**
1	**concombre anglais coupé en tranches minces**	**1**
1	**citron coupé en tranches minces**	**1**
25 ml	**olives noires hachées**	**2 c. à table**
	sel au goût	

1. Mettre le boulghour dans un grand bol et couvrir généreusement d'eau bouillante. Laisser tremper jusqu'à ce qu'il refroidisse (environ 45 minutes). Égoutter et presser pour en extraire l'excès d'eau. Séparer les grains.
2. Ajouter le persil, la ciboulette, la menthe, les tomates et le feta.
3. Pour préparer la vinaigrette, battre au fouet le jus de citron, l'huile, l'ail, le poivre et le sel. Verser sur la salade et remuer. Rectifier l'assaisonnement au besoin.
4. Former la salade en monticule sur une assiette à service et entourer de tranches de concombre et de citron. Parsemer d'olives.

GARNITURES À SALADE

- croûtons (p. 60)
- croustilles de maïs ou croustilles de tortillas de farine blanche (p. 87)
- fines herbes
- fleurs comestibles (fleurs de ciboulette, chrysanthèmes, pissenlits, soucis, capucines, pensées, roses, impatientes, fleurs de courges en boutons et violettes. Il existe d'autres fleurs comestibles, mais vérifiez bien avant de les employer.)
- croûtons de fromage (p. 56)
- noix rôties hachées finement
- céréales croustillantes
- cerises ou canneberges déshydratées
- fromage à teneur réduite en matières grasses râpé ou émietté
- croûtons de pain de maïs
- dés de frittata, d'omelette ou de soufflé refroidi
- pelures de pommes de terre au four (p. 214)
- pois chiches

APPORT NUTRITIONNEL PAR PORTION

159	calories
26 g	glucides
6 g	fibres
5 g	matières grasses
2 g	gras saturés
6 g	protéines

Bonne source de : vitamine C, fer et acide folique

10 mg	cholestérol
155 mg	sodium
305 mg	potassium

SALADE DE CÉRÉALES VARIÉES

Cette salade est si délicieuse que vous ne devriez pas attendre d'avoir en main toutes les variétés de céréales pour la préparer. Utilisez une seule variété de riz ou les variétés de céréales que vous avez sous la main. Les pois chiches ou les haricots noirs cuits constituent également un merveilleux complément.

Donne 8 portions

125 ml	**riz brun à grains longs, basmati de préférence**	**1/2 tasse**
125 ml	**riz wehani**	**1/2 tasse**
125 ml	**orge perlé**	**1/2 tasse**
125 ml	**quinoa rincé à fond**	**1/2 tasse**
250 ml	**maïs en grains cuit**	**1 tasse**
1	**poivron rouge rôti (p. 154) pelé et coupé en dés**	**1**
1	**boîte de 114 ml (4 oz) de poivrons verts rincés, égouttés et hachés**	**1**
1	**petit piment jalapeño haché finement**	**1**
25 ml	**pignons grillés (p. 245)**	**2 c. à table**
50 ml	**coriandre fraîche ou persil frais haché**	**1/4 tasse**
50 ml	**ciboulette fraîche ou oignons verts hachés**	**1/4 tasse**
50 ml	**persil frais haché**	**1/4 tasse**
50 ml	**vinaigre de riz**	**1/4 tasse**
25 ml	**huile d'olive**	**2 c. à table**
1	**gousse d'ail émincée**	**1**
2 ml	**cumin moulu**	**1/2 c. à thé**
1 ml	**poivre**	**1/4 c. à thé**
	sel au goût	

1. Faire bouillir de l'eau dans une grande marmite. Ajouter le riz brun, le riz wehani et l'orge. Faire cuire pendant 25 minutes ou jusqu'à ce que le tout soit tendre.
2. Pendant ce temps, cuire le quinoa dans une autre marmite d'eau bouillante pendant environ 10 minutes ou jusqu'à ce qu'il soit tendre.
3. Égoutter les céréales et incorporer le maïs, le poivron rouge, les poivrons verts, le jalapeño, les pignons, la coriandre fraîche, la ciboulette et le persil.
4. Préparer la vinaigrette en battant ensemble au fouet le vinaigre, l'huile, l'ail, le cumin, le poivre et le sel. Verser sur les céréales et remuer. Rectifier l'assaisonnement au besoin.

LA MANIPULATION DES PIMENTS

Une grande partie de la force de tous les piments se situe dans les membranes (les graines sont également très piquantes parce qu'elles touchent aux membranes). C'est pourquoi, si vous préférez les piments peu piquants, retirez les membranes et les graines. Plusieurs ouvrages recommandent aux personnes qui ont la peau sensible d'enfiler des gants de caoutchouc. De plus, il ne faut jamais se toucher les yeux, la bouche ou le nez durant ou après la manipulation des piments. Si toutefois vous ressentez une sensation de brûlure, essayez de laver la région affectée avec du lait pour calmer le malaise.

APPORT NUTRITIONNEL PAR PORTION

241	calories
43 g	glucides
5 g	fibres
6 g	matières grasses
1 g	gras saturés
6 g	protéines

Excellente source de : vitamine C

Bonne source de : niacine, fer et vitamine B_6

0 mg	cholestérol
147 mg	sodium
275 mg	potassium

Salade de haricots noirs, de maïs et de riz

Voir photo à la page 33.

Chaque bouchée de cette magnifique salade est une explosion de parfums de fines herbes et constitue un merveilleux mélange de textures.

Donne 8 portions

250 ml	**haricots noirs secs**	**1 tasse**
250 ml	**riz à grains longs, basmati de préférence**	**1 tasse**
500 ml	**maïs en grains cuit**	**2 tasses**
2	**poivrons rouges rôtis (p. 154) pelés et coupés en dés**	**2**
1	**piment jalapeño coupé en dés**	**1**
1	**botte de roquette ou de cresson paré et haché**	**1**
75 ml	**coriandre fraîche ou persil frais haché**	**1/3 tasse**
75 ml	**basilic frais haché**	**1/3 tasse**
25 ml	**menthe fraîche hachée**	**2 c. à table**
25 ml	**ciboulette fraîche ou oignons verts hachés**	**2 c. à table**
45 ml	**vinaigre de vin rouge**	**3 c. à table**
2 ml	**poivre**	**1/2 c. à thé**
1	**gousse d'ail émincée**	**1**
45 ml	**huile d'olive**	**3 c. à table**
	sel au goût	

1. Faire tremper les haricots dans l'eau froide pendant plusieurs heures à la température ambiante ou toute la nuit au réfrigérateur. Rincer et bien égoutter.
2. Dans une grande marmite, couvrir les haricots d'une généreuse quantité d'eau. Porter à ébullition, réduire le feu et laisser mijoter à feu doux de 1 heure à 1 1/2 heure ou jusqu'à ce que les haricots soient tendres. Bien égoutter. Réserver dans un grand bol.
3. Pendant ce temps, laver le riz à fond. Porter une grande marmite d'eau à ébullition. Ajouter le riz et cuire pendant 12 minutes ou jusqu'à ce qu'il soit tendre. Bien égoutter. Incorporer aux haricots.
4. Ajouter à la salade le maïs, les poivrons, le piment jalapeño, la roquette, la coriandre fraîche, le basilic, la menthe et la ciboulette.
5. Pour préparer la vinaigrette, battre au fouet le vinaigre, le poivre, l'ail et le sel. Incorporer l'huile en battant.
6. Verser la vinaigrette sur la salade et remuer. Rectifier l'assaisonnement au besoin.

LES VINAIGRETTES ET SAUCES À SALADE

Toute vinaigrette ou sauce à salade qui contient de l'huile aura vraisemblablement un pourcentage élevé d'énergie dues aux matières grasses, puisque la plupart des calories sont dans l'huile. Cependant, quand la vinaigrette est mélangée avec la salade, le pourcentage total de matières grasses diminue, suivant les ingrédients qui composent la salade.

Les vinaigrettes proposées dans cet ouvrage sont absolument succulentes tout en étant naturelles et d'une faible teneur en matières grasses lorsqu'elles sont incorporées à une salade.

APPORT NUTRITIONNEL PAR PORTION

265	calories
45 g	glucides
6 g	fibres
6 g	matières grasses
1 g	gras saturés
10 g	protéines

Excellente source de : vitamine C et acide folique

Bonne source de : vitamine A, thiamine et vitamine B_6

0 mg	cholestérol
10 mg	sodium
485 mg	potassium

SALADE SUSHI

Voici une version maison des sushis que servent les restaurants japonais. La vinaigrette ne contient absolument aucune matière grasse, et on peut varier la recette de plusieurs façons. Le riz et le vinaigre assaisonné sont les seuls ingrédients essentiels ; vous pourrez ajouter des restes de poulet ou des crevettes, du maïs, des courgettes, des haricots verts, des oignons verts, etc.

Donne de 6 à 8 portions

375 ml	**riz à grains courts, japonais de préférence**	**1 1/2 tasse**
425 ml	**eau froide**	**1 3/4 tasse**
125 g	**pois mange-tout parés**	**1/4 lb**
50 ml	**vinaigre de riz**	**1/4 tasse**
2	**feuilles de nori, rôties de préférence, brisées grossièrement**	**2**
25 ml	**gingembre rose mariné coupé en dés**	**2 c. à table**
1	**carotte râpée**	**1**
125 ml	**petits pois cuits**	**1/2 tasse**
25 ml	**graines de sésame rôties (p. 34)**	**2 c. à table**
25 ml	**aneth frais haché**	**2 c. à table**
25 ml	**ciboulette fraîche ou oignons verts hachés**	**2 c. à table**
25 ml	**coriandre fraîche ou persil frais haché**	**2 c. à table**

1. Déposer le riz dans un tamis et rincer jusqu'à ce que l'eau soit claire. Mettre le riz dans une casserole de grandeur moyenne et ajouter l'eau froide. Couvrir. Porter à forte ébullition et faire cuire pendant 5 minutes. Réduire le feu et poursuivre la cuisson de 5 à 8 minutes, jusqu'à ce que l'eau soit absorbée. Retirer du feu et laisser reposer 10 minutes.
2. Blanchir les pois mange-tout en les plongeant dans l'eau bouillante pendant 30 secondes. Égoutter et rincer à l'eau froide. Trancher en diagonale.
3. Transférer le riz dans un grand bol. Remuer délicatement le riz en l'éventant pour l'empêcher d'être trop collant. Tout en éventant, ajouter graduellement le vinaigre en remuant délicatement jusqu'à ce qu'il soit absorbé.
4. Ajouter les pois mange-tout, le nori, le gingembre, la carotte, les petits pois, les graines de sésame, l'aneth, la ciboulette et la coriandre fraîche. Remuer et servir à la température ambiante.

LE VINAIGRE DE RIZ

Le vinaigre de riz est très doux. Souvent, j'en arrose les salades sans ajouter la moindre goutte d'huile. Si vous ne disposez pas de vinaigre de riz, remplacez-le par du vinaigre de cidre, dont le goût sera un peu plus acide.

Vous pourrez également choisir du vinaigre de riz assaisonné (sushi su) qui contient du sel et du sucre. C'est le vinaigre utilisé pour parfumer le riz des sushis, mais il est également délicieux avec les salades. Si vous ne trouvez pas de sushi su, employez le vinaigre de riz ordinaire en y ajoutant ou non un peu de sel et de sucre.

APPORT NUTRITIONNEL PAR PORTION

226	calories
46 g	glucides
2 g	fibres
2 g	matières grasses
trace	gras saturés
6 g	protéines

Excellente source de :
vitamine A

0 mg	cholestérol
20 mg	sodium
189 mg	potassium

Salade de tomates et de concombre

Voici une salade légère et rafraîchissante que prépare ma mère. On peut la préparer une journée à l'avance et la laisser mariner toute la nuit au réfrigérateur.

Donne de 6 à 8 portions

3	**grosses tomates tranchées finement**	**3**
1	**concombre anglais tranché finement**	**1**
1	**gros oignon doux tranché finement**	**1**
125 ml	**persil frais haché**	**1/2 tasse**
45 ml	**vinaigre de vin de riz ou vinaigre de cidre**	**3 c. à table**
25 ml	**sucre granulé**	**2 c. à table**
	sel au goût	

1. Disposer les tranches de tomate, de concombre et d'oignon en rangs superposés. Parsemer de persil.
2. Mélanger ensemble le vinaigre, le sucre et le sel jusqu'à ce que le sucre soit dissous.
3. Verser la vinaigrette sur la salade et laisser mariner au moins 30 minutes à température ambiante avant de servir. Rectifier l'assaisonnement au besoin.

LES CONCOMBRES

La peau des concombres anglais n'est pas cirée, et ils contiennent moins de graines que les concombres ordinaires. Habituellement, lorsque j'emploie des concombres dans une salade, je les coupe en tranches, les sale et les laisse dégorger dans une passoire ou un tamis. Puis je les rince et les éponge. Ayant ainsi rendu leur excès d'eau, les concombres peuvent être mélangés à du yogourt dans un tzatziki (p. 39) ou utilisés dans une autre sauce à salade sans produire trop de liquide (goûter avant d'ajouter du sel).

APPORT NUTRITIONNEL PAR PORTION

55	calories
13 g	glucides
2 g	fibres
trace	matières grasses
trace	gras saturés
2 g	protéines

Bonne source de : vitamine C et acide folique

0 mg	cholestérol
12 mg	sodium
368 mg	potassium

Voir photo à la page 97.

SALADE DE CHOU À L'ORIENTALE

Les salades de chou préparées avec des ingrédients exotiques deviennent très populaires dans les restaurants haut de gamme, mais elles sont faciles à préparer à la maison, ne coûtent pas cher et ont une faible teneur en matières grasses ! Vous pouvez, si vous préférez, utiliser le chou et les carottes crus plutôt que de les blanchir à l'eau bouillante.

Donne de 6 à 8 portions

1/2	**chou chinois (napa) ou chou vert coupé en fines lanières**	**1/2**
1/2	**petit chou rouge coupé en fines lanières**	**1/2**
4	**carottes râpées**	**4**
3	**oignons verts hachés**	**3**
125 ml	**coriandre fraîche ou persil frais haché**	**1/2 tasse**

Vinaigrette :

45 ml	**jus de citron**	**3 c. à table**
45 ml	**vinaigre de riz**	**3 c. à table**
45 ml	**miel**	**3 c. à table**
15 ml	**sauce soja**	**1 c. à table**
2 ml	**pâte de piment fort (facultatif)**	**1/2 c. à thé**
2	**gousses d'ail émincées**	**2**
5 ml	**gingembre frais émincé**	**1 c. à thé**
15 ml	**huile de sésame**	**1 c. à table**

1. Mettre le chou vert, le chou rouge et les carottes dans un grand bol. Couvrir d'eau bouillante. Bien égoutter. Rincer à l'eau froide et bien égoutter à nouveau.
2. Ajouter au chou les oignons verts et la coriandre fraîche et remuer.
3. Pour préparer le vinaigrette, mélanger ensemble le jus de citron, le vinaigre de riz, le miel, la sauce soja, la pâte de piment fort, l'ail, le gingembre et l'huile de sésame. Verser sur le mélange de chou et remuer. Rectifier l'assaisonnement au besoin.

Salade de chou paysanne : Réduisez en fines lanières 1 chou vert et 1 carotte. Ajoutez une vinaigrette faite de 125 ml (1/2 tasse) de vinaigre de riz, 25 ml (2 c. à table) de sucre granulé, 1 gousse d'ail émincée, 5 oignons verts hachés et du sel au goût. Rectifiez l'assaisonnement au besoin.

APPORT NUTRITIONNEL PAR PORTION

109	calories
22 g	glucides
4 g	fibres
3 g	matières grasses
trace	gras saturés
3 g	protéines

Excellente source de : vitamine A, vitamine C et acide folique
Bonne source de : vitamine B_6

0 mg	cholestérol
174 mg	sodium
528 mg	potassium

SALADE NIÇOISE

Voir photo à la page 33.

Si vous pouvez trouver du thon frais, utilisez-le dans cette recette. Coupez-le en diagonale et disposez les tranches sur les pommes de terre.

Donne de 6 à 8 portions

Vinaigrette niçoise :

25 ml	**vinaigre de vin rouge**	**2 c. à table**
5 ml	**moutarde de Dijon**	**1 c. à thé**
1	**gousse d'ail émincée**	**1**
2	**anchois réduits en purée**	**2**
1 ml	**poivre**	**1/4 c. à thé**
50 ml	**jus de tomate ou jus de légumes**	**1/4 tasse**
25 ml	**huile d'olive**	**2 c. à table**
25 ml	**olives noires dénoyautées hachées**	**2 c. à table**

Salade :

1 kg	**pommes de terre rouges coupées en morceaux de 5 cm (2 po)**	**2 lb**
500 g	**haricots verts parés**	**1 lb**
1	**petite laitue romaine ou en feuilles**	**1**
250 ml	**tomates cerises**	**1 tasse**
2	**boîtes de 198 g (7 oz) de thon blanc dans l'eau, égoutté et défait en flocons**	**2**
25 ml	**persil frais haché**	**2 c. à table**
25 ml	**ciboulette fraîche ou oignons verts hachés**	**2 c. à table**
15 ml	**estragon frais haché ou 2 ml (1/2 c. à thé) d'estragon séché**	**1 c. à table**

1. Pour préparer la vinaigrette, battre au fouet le vinaigre, la moutarde, l'ail, les anchois, le poivre et le jus de tomate. Incorporer en battant l'huile et les olives. Rectifier l'assaisonnement au besoin.
2. Mettre les pommes de terre dans l'eau bouillante. Cuire 20 minutes ou jusqu'à ce qu'elles soient tendres. Pendant que les pommes de terre cuisent, ajouter les haricots à l'eau bouillante et laisser cuire 5 minutes. Retirer les haricots à l'aide de pinces et rincer à l'eau froide pour arrêter la cuisson. Éponger et réserver. Lorsque les pommes de terre sont cuites, égoutter et couper en cubes de 2,5 cm (1 po).
3. Recouvrir de laitue le fond d'un grand bol à salade et disposer les pommes de terre au milieu. Entourer les pommes de terre d'une couronne de haricots verts et de tomates cerises. Verser la vinaigrette sur les légumes. Disposer le thon sur les pommes de terre. Parsemer la salade de persil, de ciboulette et d'estragon.

LES OLIVES

Même si les olives sont riches en matières grasses et en sodium, elles ont une saveur prononcée ; aussi il en faut très peu pour ajouter beaucoup de goût. Plutôt que de présenter de pleins bols d'olives à grignoter, employez-en de petites quantités comme assaisonnement dans les salades et les sauces pour pâtes.

Les meilleures olives ont généralement leur noyau. Détachez la chair du noyau à l'aide d'un couteau bien affûté, ou placez les olives sur une planche à découper et écrasez-les d'un coup sec donné avec le plat d'un couteau ou avec un attendrisseur à viande ; dans la plupart des cas, les noyaux seront expulsés.

APPORT NUTRITIONNEL PAR PORTION

265	calories
34 g	glucides
5 g	fibres
7 g	matières grasses
1 g	gras saturés
19 g	protéines

Excellente source de : vitamine C, niacine, vitamine B_6, acide folique et vitamine B_{12}
Bonne source de : vitamine A, thiamine et fer

23 mg	cholestérol
339 mg	sodium
1079 mg	potassium

SALADE DE BETTERAVES

Quel dommage que la betterave soit si souvent ignorée, car ce légume est un délice! Choisissez des betteraves de taille semblable; ainsi elles cuiront également. Bien que l'on puisse les couper et les faire bouillir, elle garderont davantage leur couleur si vous les faites cuire au four tel qu'il est suggéré ci-dessous. De plus, leur saveur sera plus prononcée de cette manière.

Vous pouvez également faire cuire les betteraves au four à micro-ondes. Percez-les en plusieurs endroits et placez-les dans un plat allant au four à micro-ondes dans lequel vous aurez mis 1/4 tasse (50 ml) d'eau. Couvrez et faites cuire à haute intensité (100 %), de 10 à 14 minutes ou jusqu'à ce qu'elles soient tendres.

LA CORIANDRE FRAÎCHE
La coriandre fraîche, ou feuilles de coriandre, est aussi appelée cilantro ou persil chinois. Ses adeptes adorent son goût frais et net. Si vous n'en trouvez pas, utilisez du persil.

Donne de 4 à 6 portions

1 kg	**betteraves**	**2 lb**
25 ml	**jus de citron**	**2 c. à table**
50 ml	**coriandre fraîche ou persil frais haché**	**1/4 tasse**
5 ml	**miel**	**1 c. à thé**
2 ml	**cumin moulu**	**1/2 c. à thé**
1 ml	**poivre**	**1/4 c. à thé**
	sel au goût	

1. Parer les betteraves, mais ne pas les peler. Préparer des papillotes en plaçant les betteraves côte à côte dans du papier d'aluminium. Placer les betteraves de taille semblable ensemble. Faire cuire au four préchauffé à 200 °C (400 °F) pendant une heure ou jusqu'à ce qu'elles soient tendres sous la pointe d'un couteau. Laisser refroidir, peler, couper en dés et placer dans un grand bol.
2. Battre ensemble au fouet le jus de citron, la coriandre fraîche, le miel, le cumin, le poivre et le sel.
3. Ajouter la vinaigrette aux betteraves et remuer. Rectifier l'assaisonnement au besoin. Servir à la température ambiante.

APPORT NUTRITIONNEL PAR PORTION

63	calories
14 g	glucides
4 g	fibres
trace	matières grasses
0 g	gras saturés
2 g	protéines

Excellente source de:
acide folique

0 mg	cholestérol
88 mg	sodium
572 mg	potassium

SALADE DE POMMES DE TERRE

Le vinaigre donne aux pommes de terre une saveur discrète mais délicieuse ; de plus, il se forme en surface une pellicule qui les empêche de se défaire dans les salades.

Je remplace parfois la vinaigrette proposée dans cette recette par une vinaigrette à l'ail (p. 93) ou par une vinaigrette au poivron rouge rôti (p. 96).

Donne 6 portions

75 ml	**vinaigre de vin rouge**	**1/3 tasse**
1 kg	**petites pommes de terre rouges grattées**	**2 lb**
2	**poivrons rouges, rôtis de préférence (p. 154), pelés et coupés en dés**	**2**

Vinaigrette :

25 ml	**vinaigre de vin rouge**	**2 c. à table**
2	**gousses d'ail émincées**	**2**
2 ml	**poivre**	**1/2 c. à thé**
25 ml	**huile d'olive**	**2 c. à table**
50 ml	**ciboulette ou oignons verts frais hachés**	**1/4 tasse**
	sel au goût	

1. Faire bouillir de l'eau dans une grande marmite. Ajouter 1/3 tasse (75 ml) de vinaigre. Couper les pommes de terre en morceaux de 5 cm (2 po) si elles sont grosses. Faire cuire de 15 à 20 minutes ou jusqu'à ce qu'elles soient tendres. Bien égoutter.
2. Mélanger les pommes de terre et les poivrons dans un grand bol.
3. Pour préparer la vinaigrette, battre ensemble au fouet 25 ml (2 c. à table) de vinaigre, l'ail, le poivre, le sel et l'huile d'olive. Arroser les pommes de terre avec la vinaigrette et remuer, puis incorporer la ciboulette. Rectifier l'assaisonnement au besoin. Servir tiède ou à la température ambiante.

Salade de purée de pommes de terre : Peler 1 kg (2 lb) de pommes de terre et cuire dans une grande marmite d'eau bouillante (omettre le vinaigre). Lorsque les pommes de terre sont tendres, bien égoutter (en réservant l'eau de cuisson) et réduire en purée. Ajouter la vinaigrette et environ 125 ml (1/2 tasse) d'eau de cuisson et mélanger en brassant bien. Servir tiède ou à la température ambiante.

Salade de pommes de terre crémeuse : Ajouter à la vinaigrette 125 ml (1/2 tasse) de fromage de yogourt crémeux (p. 228) ou de yogourt ferme.

APPORT NUTRITIONNEL PAR PORTION

164	calories
29 g	glucides
3 g	fibres
5 g	matières grasses
1 g	gras saturés
3 g	protéines

Excellente source de : vitamine C et vitamine B_6
Bonne source de : vitamine A

0 mg	cholestérol
7 mg	sodium
571 mg	potassium

Salade de pain grillé et de tomates cerises

Il arrive à tout le monde d'avoir des restes de pain qu'il est dommage de perdre. En Toscane, on utilise ces restes pour en faire des salades et, même si l'idée est inhabituelle, le résultat est tout à fait délicieux. (Imaginez une salade où il y aurait plus de croûtons que de laitue !) Pour cette recette, vous pouvez utiliser des tomates cerises rouges ou jaunes, ou un mélange des deux.

Donne 6 portions

1	**petite gousse d'ail émincée**	**1**
75 ml	**vinaigre balsamique**	**1/3 tasse**
20 ml	**huile d'olive**	**4 c. à thé**
1 ml	**poivre**	**1/4 c. à thé**
25 ml	**ciboulette fraîche ou oignons verts hachés**	**2 c. à table**
75 ml	**basilic ou persil frais haché**	**1/3 tasse**
6	**tranches de pain français ou italien de 2 cm (3/4 po) d'épaisseur**	**6**
1 l	**tomates cerises coupées en deux**	**4 tasses**
	sel au goût	

1. Dans un petit bol, battre au fouet l'ail, le vinaigre, l'huile, le poivre et le sel. Ajouter la ciboulette et le basilic en brassant. Réserver.
2. Faire griller le pain au barbecue ou au grille-pain. Couper chaque tranche en carrés de 4 cm (1 1/2 po).
3. Mettre le pain, les tomates cerises et la vinaigrette et remuer. Rectifier l'assaisonnement au besoin.

L'HUILE D'OLIVE
J'utilise volontiers l'huile d'olive, d'abord parce que c'est une huile monoinsaturée, mais aussi parce qu'elle est délicieuse et rappelle fortement le goût de l'olive. L'huile d'olive extra vierge est moins acide que l'huile d'olive courante ; elle provient d'olives mûres dont elle est extraite sans chauffage ni utilisation de produits chimiques.

L'huile d'olive ne se conserve pas indéfiniment, aussi il vaut mieux l'acheter en petit format. Une fois ouvert, gardez le contenant au réfrigérateur (l'huile peut figer et devenir opaque, mais elle reprendra ses qualités à la température ambiante).

Quand je veux éviter qu'un plat ait le goût de l'olive, j'emploie habituellement une huile de canola, de tournesol ou de maïs.

LES HUILES D'OLIVE LÉGÈRES
Les huiles d'olive soi-disant « légères » sont décevantes. La plupart des consommateurs croient, à tort, que ces huiles contiennent moins de calories, alors que tout ce qu'elles ont en moins (jusqu'à maintenant du moins), c'est le goût.

APPORT NUTRITIONNEL PAR PORTION

134	calories
22 g	glucides
2 g	fibres
4 g	matières grasses
1 g	gras saturés
4 g	protéines
0 mg	cholestérol
183 mg	sodium
232 mg	potassium

Spaghettini aux légumes verts

Voir photo à la page 33.

Ces pâtes rafraîchissantes apprêtées en salade peuvent être servies tièdes ou à la température de la pièce. Si vous ne trouvez ni roquette ni radicchio, utilisez les verdures que vous préférez ; il vous faudra environ 1 litre (4 tasses) de légumes verts hachés.

Donne 8 portions

500 g	**spaghettini**	**1 lb**
5	**tomates épépinées et coupées en dés**	**5**
1	**botte de roquette ou de cresson haché grossièrement**	**1**
1	**laitue radicchio ou en feuilles hachée grossièrement**	**1**
2	**gousses d'ail émincées**	**2**
1 ml	**flocons de piment fort**	**1/4 c. à thé**
2 ml	**poivre**	**1/2 c. à thé**
	sel au goût	
25 ml	**huile d'olive**	**2 c. à table**
25 ml	**vinaigre balsamique**	**2 c. à table**
50 ml	**olives noires hachées**	**1/4 tasse**

1. Faire bouillir de l'eau dans une grande marmite. Ajouter les spaghettini et cuire jusqu'à ce qu'ils soient *al dente.*
2. Pendant ce temps, dans un grand plat peu profond, mélanger les tomates, la roquette et le radicchio. Ajouter l'ail, les flocons de piment fort, le poivre et le sel en brassant. Ajouter ensuite toujours en brassant l'huile, le vinaigre et les olives.
3. Bien égoutter les pâtes et incorporer immédiatement à la garniture. Rectifier l'assaisonnement au besoin.

LES VERDURES

On peut se procurer de nombreuses variétés de laitues, chicorées et autres verdures pour la salade. Les variétés amères, comme la roquette, le radicchio et l'endive, sont particulièrement appréciées, soit seules, soit mélangées à des variétés plus douces comme les laitues romaines et frisées. (J'ai remarqué que, lorsque j'emploie des verdures au goût intéressant, je n'ai pas besoin de mettre autant de vinaigrette dans la salade.) Les épinards sont également excellents dans les salades, à condition de les laver avec soin (p. 207).

Lavez les verdures avec soin et épongez-les. Enveloppez-les dans des essuie-tout et conservez-les dans des sacs ou des contenants hermétiques. Les essuie-tout absorbent l'excédent d'humidité, et les verdures restent fraîches plus longtemps.

APPORT NUTRITIONNEL PAR PORTION

271	calories
48 g	glucides
4 g	fibres
5 g	matières grasses
1 g	gras saturés
9 g	protéines

Bonne source de : vitamine A, vitamine C et acide folique

0 mg	cholestérol
49 mg	sodium
365 mg	potassium

SALADE DE SPAGHETTI AU THON

On peut se procurer des poivrons rôtis en pot pour rendre cette salade encore plus simple à réaliser. Si vous ne trouvez pas de basilic frais, ajoutez un peu plus de persil ou d'oignons verts.

Si vous désirez préparer cette recette à l'avance, conservez-la au réfrigérateur et laissez-la revenir à la température ambiante avant de servir.

Donne 6 portions

375 g	**spaghetti**	**3/4 lb**
25 ml	**huile d'olive**	**2 c. à table**
2	**gousses d'ail émincées**	**2**
1 ml	**flocons de piment fort (facultatif)**	**1/4 c. à thé**
2 ml	**poivre**	**1/2 c. à thé**
2	**tomates épépinées et coupées en dés**	**2**
2	**poivrons rouges ou jaunes, rôtis de préférence (p. 154), pelés et coupés en dés**	**2**
2	**boîtes de 198 ml (7 oz) de thon blanc dans l'eau, égoutté et défait en flocons**	**2**
25 ml	**olives noires hachées**	**2 c. à table**
50 ml	**persil frais haché**	**1/4 tasse**
50 ml	**basilic frais haché**	**1/4 tasse**
2	**oignons verts hachés**	**2**
	sel au goût	

1. Faire cuire les spaghetti dans une grande marmite d'eau bouillante jusqu'à ce qu'ils soient *al dente.*
2. Pendant ce temps, mélanger dans un grand bol l'huile d'olive avec l'ail, les flocons de piment fort, le poivre et le sel. Ajouter les tomates, les poivrons, le thon et les olives et bien mélanger. Ajouter le persil, le basilic et les oignons verts.
3. Lorsque les spaghetti sont prêts, bien égoutter, ajouter le mélange et remuer. Rectifier l'assaisonnement au besoin. Servir tiède ou à la température ambiante.

PELER ET ÉPÉPINER LES TOMATES

Il n'est pas nécessaire de peler les tomates si on les mange crues mais, dans les plats cuisinés, la peau se détache et ne donne pas bonne apparence, en plus de donner une consistance douteuse au plat une fois terminé. Pour les peler facilement, incisez en croix la base des tomates et plongez-les dans l'eau bouillante de 10 à 15 secondes. Lorsque les tomates seront suffisamment refroidies pour que vous puissiez les manipuler, la peau devrait s'enlever facilement. Quant aux tomates crues, vous pouvez les épépiner lorsque vous voulez empêcher un mélange de devenir trop liquide. Coupez la tomate en deux horizontalement et expulsez les graines en pressant délicatement.

APPORT NUTRITIONNEL PAR PORTION

347	calories
48 g	glucides
4 g	fibres
7 g	matières grasses
1 g	gras saturés
22 g	protéines

Excellente source de : vitamine C, niacine et vitamine B_{12}
Bonne source de : vitamine A, vitamine B_6 et acide folique

22 mg	cholestérol
235 mg	sodium
382 mg	potassium

SALADE THAÏE AU POULET ET AUX NOUILLES

Je prépare cette salade aussi bien avec des nouilles de riz qu'avec des spaghetti ordinaires. Si vous utilisez des nouilles de riz, recherchez celles qui sont importées de Chine ; chose curieuse, elles ont une consistance plus agréable que celles qui viennent de la Thaïlande. Si vous ne trouvez pas toutes les herbes fraîches indiquées, augmentez simplement la quantité de persil et d'oignons verts.

Donne de 8 à 10 portions

500 g	**chair de poulet blanche(poitrine)**	**1 lb**
45 ml	**sauce hoisin**	**3 c. à table**
15 ml	**jus de lime**	**1 c. à table**
5 ml	**poivre**	**1 c. à thé**
375 g	**vermicelles de riz ou spaghettini**	**3/4 lb**
50 ml	**huile végétale**	**1/4 tasse**
6	**gousses d'ail hachées finement**	**6**
1	**concombre anglais**	**1**
125 ml	**coriandre fraîche ou persil frais haché**	**1/2 tasse**
125 ml	**menthe fraîche hachée**	**1/2 tasse**
125 ml	**basilic frais haché**	**1/2 tasse**
6	**oignons verts hachés**	**6**
1	**poivron rouge, rôti de préférence (p. 154), pelé et coupé en dés**	**1**

Vinaigrette thaïe :

50 ml	**jus de citron**	**1/4 tasse**
50 ml	**jus de lime**	**1/4 tasse**
50 ml	**eau**	**1/4 tasse**
25 ml	**sauce de poisson thaïe (nam pla) ou sauce soja**	**2 c. à table**
1 ml	**flocons de piment fort**	**1/4 c. à thé**
25 ml	**sucre granulé**	**2 c. à table**
	sel au goût	
	feuilles de laitue	

LA SAUCE DE POISSON THAÏE

La sauce de poisson thaïe est une sauce fermentée qui est l'équivalent thaï et vietnamien de la sauce soja. Pour fabriquer cette sauce, on superpose des couches successives de poisson (habituellement des anchois, mais parfois aussi du crabe ou des crevettes) et de sel. La variante thaïe s'appelle nam pla et la variante vietnamienne, nuoc nam. Cette sauce ne coûte pas cher et se conserve longtemps ; cependant, tout comme la sauce soja, sa teneur en sel est élevée, aussi faut-il l'utiliser avec modération.

1. Incorporer au poulet la sauce hoisin, le jus de lime et le poivre. Réfrigérer pendant 6 heures ou toute la nuit.
2. Mettre le poulet à cuire sous le gril du four ou au barbecue, jusqu'à ce qu'ils soient cuits à point, environ de 4 à 6 minutes de chaque côté selon l'épaisseur. Laisser refroidir et trancher finement et en diagonale.
3. Si vous utilisez des vermicelles de riz, recouvrir ceux-ci d'eau bouillante et laisser tremper de 5 à 7 minutes ou jusqu'à ce qu'ils soient tendres. Bien égoutter (ils ne requièrent aucune cuisson additionnelle). Si vous utilisez des spaghettini, les cuire dans une grande marmite d'eau bouillante jusqu'à ce qu'elles soient *al dente*. Égoutter et refroidir sous le jet du robinet d'eau froide.
4. Pendant ce temps, chauffer dans une petite poêle l'huile à feu doux . Ajouter l'ail et faire revenir jusqu'à ce qu'il soit tendre et odorant sans toutefois laisser brunir. Ajouter le mélange aux nouilles.
5. Couper le concombre en quatre dans le sens de la longueur, puis trancher finement.
6. Ajouter aux nouilles le poulet, le concombre, la coriandre fraîche, la menthe, le basilic, les oignons verts et le poivron rouge et bien remuer.
7. Pour préparer la vinaigrette, battre au fouet le jus de citron, le jus de lime, l'eau, la sauce de poisson, les flocons de piment fort, le sucre et le sel. Verser la vinaigrette et remuer. Rectifier l'assaisonnement au besoin. Servir sur un lit de laitue.

APPORT NUTRITIONNEL PAR PORTION

348	calories
45 g	glucides
2 g	fibres
9 g	matières grasses
1 g	gras saturés
22 g	protéines

Excellente source de :
vitamine C, niacine et vitamine B_6

48 mg	cholestérol
345 mg	sodium
382 mg	potassium

SALADE DE POULET GRILLÉ SAUCE À L'ARACHIDE

Voici mon interprétation d'une salade que j'ai goûtée en Floride et qui est devenue l'une de mes préférées. Elle est facile à réaliser et le poulet peut être cuit au four plutôt que grillé. On peut aussi utiliser des restes de poulet tranché ou du poulet fumé, en mesurant de 750 ml à 1 litre (de 3 à 4 tasses) de poulet. Les portions paraissent très généreuses à cause du volume de laitue mais, n'ayez crainte, elles sont raisonnables.

Cette salade peut être servie fraîche et croquante, mais elle est également excellente lorsqu'elle est légèrement ramollie. Si vous n'avez pas de tortillas de maïs, remplacez par environ 250 ml (1 tasse) de croustilles de maïs commerciales cuites au four, que vous aurez cassées grossièrement.

Donne de 6 à 8 portions

750 g	**poitrines de poulet désossées**	**1 1/2 lb**
15 ml	**moutarde au miel**	**1 c. à table**
5 ml	**huile de sésame**	**1 c. à thé**
1	**gousse d'ail émincée**	**1**

Vinaigrette à la lime et au miel :

50 ml	**jus de lime**	**1/4 tasse**
10 ml	**moutarde au miel**	**2 c. à thé**
25 ml	**miel**	**2 c. à table**
25 ml	**huile d'olive**	**2 c. à table**
2 ml	**poivre**	**1/2 c. à thé**
1	**petite gousse d'ail émincée**	**1**
	sel au goût	

Sauce à l'arachide :

25 ml	**beurre d'arachide**	**2 c. à table**
25 ml	**miel**	**2 c. à table**
25 ml	**sauce soja**	**2 c. à table**
25 ml	**eau chaude**	**2 c. à table**

PRODUITS MAISON « LÉGERS »

Les produits « légers » n'ont pas nécessairement une faible teneur en matières grasses. Certains ont un goût léger (les huiles d'olive légères) ou en sel (sauce soja), c'est pourquoi il faut lire les étiquettes attentivement. N'achetez les produits légers que si vous en aimez le goût. Sinon, préparez vos propres variantes allégées :

- Préparez une sauce soja à teneur réduite en sodium en mélangeant votre sauce soja habituelle avec une quantité égale d'eau.
- Préparez une huile d'olive au goût moins prononcé en mélangeant une bonne huile d'olive extra vierge avec une huile sans saveur comme l'huile de canola ou de tournesol.
- Préparez votre propre fromage cottage à teneur réduite en matières grasses en mélangeant un fromage à teneur normale en matières grasses de votre choix avec du fromage blanc (cottage) à faible teneur en matières grasses ou du fromage de yogourt ferme (p. 228).
- Préparez une mayonnaise à teneur réduite en matières grasses en mélangeant de la mayonnaise ordinaire avec du fromage de yogourt crémeux.

1	**grosse laitue romaine**	1
1	**pomme de laitue radicchio**	1
2	**carottes râpées**	2
1	**poivron rouge, rôti de préférence (p. 154), pelé et coupé en fines lanières**	1
4	**tortillas de maïs**	4
1	**botte de coriandre fraîche ou de persil frais haché**	1

1. Éponger les poitrines de poulet. Dans un petit bol, mélanger la moutarde, l'huile de sésame et l'ail. Badigeonner le poulet de ce mélange. Cuire le poulet sous le gril du four préchauffé ou au barbecue jusqu'à ce qu'il soit à point. Laisser refroidir, puis couper en fines tranches diagonales. Réserver.
2. Pour préparer la sauce à salade à la lime et au miel, mélanger le jus de lime, la moutarde, le miel, l'huile d'olive, le poivre, l'ail et le sel. Réserver.
3. Pour préparer la sauce à l'arachide, mélanger le beurre d'arachide, le miel, la sauce soja et l'eau chaude. Réserver.
4. Déchiqueter la laitue romaine et le radicchio dans un grand bol et remuer. Ajouter les carottes et le poivron rouge.
5. Couper les tortillas en languettes minces. Disposer en une seule couche sur une plaque à pâtisserie. Faire cuire au four préchauffé à 200 °C (400 °F), environ 8 minutes, ou jusqu'à ce que les languettes de tortillas soient croustillantes. Ajouter à la salade, ainsi que le poulet et la coriandre fraîche.
6. Ajouter la vinaigrette à la lime et au miel et remuer. Verser la sauce à l'arachide sur le tout.

CROUSTILLES DE MAÏS

Coupez en pointes quatre tortillas de maïs de 20 cm (8 po) (des ciseaux font très bien l'affaire ici) et disposez les pointes côte à côte sur une plaque à pâtisserie. Faites cuire au four préchauffé à 200 °C (400 °F), environ 8 minutes, ou jusqu'à ce que les pointes de tortillas soient légèrement dorées et croustillantes. Vous pouvez également préparer des croustilles de tortillas de farine blanche en suivant la même méthode.

Donne environ 750 ml (3 tasses).

APPORT NUTRITIONNEL PAR PORTION

328	calories
29 g	glucides
4 g	fibres
11 g	matières grasses
2 g	gras saturés
31 g	protéines

Excellente source de : vitamine A, vitamine C, niacine, vitamine B_6 et acide folique
Bonne source de : thiamine, riboflavine, fer et vitamine E

70 mg	cholestérol
411 mg	sodium
865 mg	potassium

SALADE DE POULET GRILLÉ HACHÉ

Dans cette salade, de nombreux ingrédients sont hachés. Chaque bouchée est riche en saveurs et textures. Vous pouvez également remplacer le poulet par 500 g (1 lb) de crevettes ou 375 g (3/4 lb) de bœuf. Vous pouvez faire rôtir le poulet et les légumes au lieu de les faire griller .

Cette salade est également sensationnelle lorsqu'elle est apprêtée avec une vinaigrette au sésame et au gingembre (p. 95).

Donne de 6 à 8 portions

15 ml	**moutarde de Dijon**	**1 c. à table**
15 ml	**sauce soja**	**1 c. à table**
1 ml	**poivre**	**1/4 c. à thé**
500 g	**poitrines de poulet désossées**	**1 lb**
2	**poivrons jaunes**	**2**
2	**poivrons rouges**	**2**
500 g	**aubergine coupée en tranches de 5 mm (1/4 po) d'épaisseur**	**1 lb**
2	**petites courgettes coupées en deux dans le sens de la longueur**	**2**
1	**gros oignon rouge, coupé en tranches de 2,5 cm (1 po) d'épaisseur**	**1**
2	**épis de maïs parés**	**2**
250 g	**asperges parées**	**1/2 lb**
2	**tomates épépinées et hachées**	**2**
50 ml	**olives noires hachées**	**1/4 tasse**
50 ml	**basilic ou persil frais haché**	**1/4 tasse**
50 ml	**ciboulette fraîche ou oignons verts hachés**	**1/4 tasse**

COMMENT ACHETER LES TOMATES

Si vous ne trouvez pas de belles tomates rondes bien mûres, essayez les tomates italiennes (aussi appelées tomates oblongues ou Roma) fraîches, ou encore utilisez les tomates italiennes en conserve.

On peut faire mûrir des tomates en les plaçant dans un sac perforé qu'on laissera sur le comptoir pendant quelques jours. Ne conservez jamais les tomates au réfrigérateur car elles prendraient une consistance farineuse.

LES TOMATES SÉCHÉES AU SOLEIL

Pour préparer vos propres tomates séchées « au soleil », coupez des tomates italiennes en deux ou en tranches et placez côte à côte sur une grille au-dessus d'une plaque à pâtisserie. Faites cuire au four à 100 °C (200 °F) de 6 à 24 heures ou jusqu'à ce que les tomates soient séchées. Conservez au congélateur.

Vinaigrette :

45 ml	**vinaigre de vin rouge**	**3 c. à table**
45 ml	**vinaigre balsamique**	**3 c. à table**
1	**gousse d'ail émincée**	**1**
2 ml	**poivre**	**1/2 c. à thé**
45 ml	**huile d'olive**	**3 c. à table**
1,5 l	**mélange de laitues et chicorées hachées (roquette, radicchio, feuille de chêne rouge, chicorée frisée, etc.)**	**6 tasses**
	sel au goût	

1. Dans un plat peu profond, mélanger la moutarde, la sauce soja et le poivre. Recouvrir les morceaux de poulet de ce mélange et laisser mariner au réfrigérateur toute la nuit.
2. Préchauffer le gril du four ou le barbecue. Faire griller les poivrons jusqu'à ce que la peau soit carbonisée (p. 154). Laisser refroidir, peler et couper en morceaux de 2,5 cm (1 po).
3. Faire griller le poulet de 6 à 8 minutes de chaque côté ou jusqu'à ce qu'il soit bien cuit. Couper en morceaux de 2,5 cm (1 po).
4. Faire griller l'aubergine, les courgettes, l'oignon et les asperges jusqu'à ce qu'ils soient tout juste cuits. Découper l'aubergine, les courgettes, l'oignon et les asperges en morceaux de 2,5 cm (1 po). Détacher les grains de maïs des épis à l'aide d'un couteau.
5. Dans un grand bol, mélanger le poulet, les légumes grillés, les tomates, les olives, le basilic et la ciboulette.
6. Pour préparer la vinaigrette, battre, au fouet, le vinaigre de vin, le vinaigre balsamique, l'ail, le poivre et le sel. Incorporer l'huile en continuant de battre. Rectifier l'assaisonnement au besoin.
7. Ajouter la vinaigrette au mélange de poulet et de légumes et remuer. Au moment de servir, ajouter le mélange de laitues et chicorées et remuer de nouveau.

L'AUBERGINE

Habituellement, je préfère utiliser l'aubergine japonaise mince, en forme de courgette, mais si vous ne trouvez que des aubergines dodues, choisissez les plus longues et les plus minces car elles contiennent moins de pépins, lesquels peuvent avoir un goût amer.

Certaines personnes ont l'habitude de saler les grosses aubergines (les aubergines japonaises, plus petites, ne requièrent pas de salage) afin de leur faire rendre leur amertume et leur excès de liquide. Saupoudrez les tranches de sel et laissez dégorger dans une passoire environ 30 minutes. Rincez et épongez.

Traditionnellement, on fait frire l'aubergine en utilisant beaucoup d'huile mais, si vous la faites griller au four ou au barbecue, vous pourrez la faire cuire sans huile ou légèrement badigeonnée pour en relever la saveur et pour l'empêcher d'adhérer à la grille de cuisson.

APPORT NUTRITIONNEL PAR PORTION

295	calories
34g	glucides
8 g	fibres
10 g	matières grasses
1 g	gras saturés
23 g	protéines

Excellente source de : vitamine A, vitamine C, thiamine, niacine, vitamine B_6 et acide folique
Bonne source de : riboflavine et fer

47 mg	cholestérol
232 mg	sodium
1099 mg	potassium

SALADE DE NOUILLES DE LETTY

Selon Letty Lastima, aux Philippines, cette salade est courante et n'a rien d'extraordinaire. Maintenant, nous la servons couramment nous aussi mais, à notre avis, elle n'a rien d'ordinaire.

Donne 6 portions

500 g	**vermicelles de riz ou vermicelles ordinaires**	**1 lb**
15 ml	**huile végétale**	**1 c. à table**
3	**gousses d'ail hachées finement**	**3**
15 ml	**gingembre frais haché finement**	**1 c. à table**
1 ml	**flocons de piment fort**	**1/4 c. à thé**
1	**oignon tranché finement**	**1**
1	**carotte taillée en juliennes**	**1**
500 ml	**poulet ou porc cuit coupé en dés**	**2 tasses**
2	**branches de céleri tranchées**	**2**
125 g	**pois mange-tout parés**	**1/4 lb**
500 ml	**chou chinois (napa) coupé en dés**	**2 tasses**
375 ml	**bouillon de poulet maison (p. 59) ou eau**	**1 1/2 tasse**
45 ml	**sauce d'huîtres**	**3 c. à table**
15 ml	**huile de sésame**	**1 c. à table**
3	**oignons verts hachés**	**3**
50 ml	**coriandre fraîche ou persil frais haché**	**1/4 tasse**

1. Si vous utilisez les vermicelles de riz, faire tremper ceux-ci dans l'eau bouillante pendant 5 minutes. Égoutter et rincer à l'eau froide. Si vous utilisez les vermicelles ordinaires, porter à ébullition une grande marmite d'eau. Ajouter les nouilles et faire cuire jusqu'à ce qu'elles soient à peine tendres. Rincer et bien égoutter. Réserver.
2. Entre-temps, faire chauffer l'huile végétale dans une grande poêle profonde ou au wok. Ajouter l'ail, le gingembre, les flocons de piment fort et l'oignon. Faire revenir à feu doux jusqu'à ce que le tout soit très odorant. Ajouter les carottes et le poulet dans la poêle. Faire cuire pendant quelques minutes.
3. Ajouter au contenu de la poêle les nouilles, le céleri, les mange-tout, le chou et le bouillon et bien incorporer. Laisser cuire 10 minutes.
4. Ajouter la sauce d'huîtres et l'huile de sésame en brassant. Laisser cuire une minute additionnelle. Rectifier l'assaisonnement au besoin. Parsemer d'oignons verts et de coriandre fraîche. Servir tiède, à la température ambiante ou froid.

LE CHOU

Le chou contient peu de calories et est une bonne source de vitamine C. Le chou de Savoie ressemble au chou blanc-vert commun, mais sa couleur est plus vive et ses feuilles sont gaufrées. Le napa (appelé aussi chou de chinois) a une forme allongée et un goût délicat. (Lorsque vous achetez un chou napa, assurez-vous que ses feuilles ne soient pas piquées de taches de moisissure. Le bok-choy, un autre légume vert chinois, est lui aussi une espèce de chou mais, en général, on le sert cuit.

Lorsque vous préparez une salade de chou, vous pouvez réduire tout éventuel goût âcre en recouvrant d'eau bouillante pendant une minute ou deux le chou coupé en fines lanières puis en l'égouttant bien. Ou, au contraire, vous pouvez rendre le chou plus croustillant en le coupant en lanières puis en le faisant tremper dans l'eau glacée pendant 30 minutes avant de l'égoutter.

APPORT NUTRITIONNEL PAR PORTION

448	calories
67 g	glucides
3 g	fibres
9 g	matières grasses
2 g	gras saturés
22 g	protéines

Excellente source de : vitamine A, niacine et vitamine B_6

Bonne source de : vitamine C, fer et acide folique

42 mg	cholestérol
492 mg	sodium
498 mg	potassium

Vinaigrette Spa au vinaigre balsamique

On peut également préparer cette vinaigrette avec des vinaigres doux tels que les vinaigres de framboise, de xérès et de champagne ou un bon vinaigre de vin rouge.

Donne environ 425 ml (1 3/4 tasse)

125 ml	**vinaigre balsamique**	**1/2 tasse**
25 ml	**jus de citron**	**2 c. à table**
15 ml	**moutarde de Dijon**	**1 c. à table**
25 ml	**huile d'olive**	**2 c. à table**
10 ml	**sauce Worcestershire**	**2 c. à thé**
1	**gousse d'ail émincée**	**1**
1 ml	**poivre**	**1/4 c. à thé**
250 ml	**eau**	**1 tasse**
5 ml	**miel (facultatif)**	**1 c. à thé**
1 ml	**sel (facultatif)**	**1/4 c. à thé**

1. Battre au fouet le vinaigre, le jus de citron, la moutarde, l'huile, la sauce Worcestershire, l'ail et le poivre. Incorporer l'eau au fouet.
2. Goûter et ajouter du miel et du sel si désiré seulement.

LE VINAIGRE BALSAMIQUE

Aucun vinaigre n'a un goût plus délicat que le vinaigre balsamique. Il est fait à partir de jus de raisin trebbiano vieilli dans diverses essences de bois. Celles-ci, de même que la période de temps et l'ordre dans lequel on y fait séjourner le vinaigre, expliquent en partie pourquoi les vinaigres balsamiques ont des goûts si différents.

Les prix des vinaigres balsamiques s'échelonnent de 3 $ à 250 $ la bouteille. En général, plus le vinaigre est vieux, moins il est acide. Un bon vinaigre balsamique, même certaines variétés vendues autour de dix dollars, peut être utilisé tel quel sur la salade, sans huile. Si votre vinaigre balsamique a un goût âcre, mélangez dans une casserole 500 ml (2 tasses) de vinaigre et 25 ml (2 c. à table) de cassonade. Laissez mijoter à découvert et réduire à 250 ml (1 tasse).

APPORT NUTRITIONNEL PAR PORTION DE
15 ml (1 c. à table)

10	calories
trace	glucides
0 g	fibres
1 g	matières grasses
trace	gras saturés
trace	protéines
0 mg	cholestérol
12 mg	sodium
8 mg	potassium

VINAIGRETTE À LA MOUTARDE ET AU POIVRE

Voici une succulente vinaigrette crémeuse tout usage que vous pourrez utiliser dans les salades ou sur les viandes rôties. Faites-en l'essai dans la salade de pommes de terre (p. 80).

Donne 175 ml (3/4 tasse)

25 ml	**vinaigre de vin rouge**	**2 c. à table**
1	**gousse d'ail émincée**	**1**
15 ml	**moutarde de Dijon**	**1 c. à table**
5 ml	**poivre**	**1 c. à thé**
	sel au goût	
10 ml	**miel**	**2 c. à thé**
125 ml	**fromage de yogourt crémeux (p. 228), yogourt ferme, bouillon de poulet ou jus de tomate**	**1/2 tasse**
25 ml	**huile d'olive**	**2 c. à table**

1. Battre au fouet le vinaigre, l'ail, la moutarde, le poivre et le sel.
2. Incorporer en brassant le miel, le fromage de yogourt et l'huile d'olive. Rectifier l'assaisonnement au besoin.

VINAIGRETTES À TENEUR RÉDUITE EN MATIÈRES GRASSES

- vinaigre de riz (p. 75)
- vinaigre balsamique, tel quel ou réduit (p. 91)
- filet de jus de citron
- jus d'orange ou d'ananas
- yogourt ou fromage de yogourt (p. 228)
- salsa (p. 43)
- coulis de tomates rôties
- purée de poivron rouge rôti (p. 154)
- reste de potage à la température ambiante
- sauce tomage (p. 102)
- vinaigrette ponzu (p. 96)
- vinaigrette thaïe (p. 96)

APPORT NUTRITIONNEL PAR PORTION DE 15 ml (1 c. à table)

36	calories
2 g	glucides
0 g	fibres
3 g	matières grasses
1 g	gras saturés
1 g	protéines
1 mg	cholestérol
26 mg	sodium
39 mg	potassium

Vinaigrette à l'ail

Cette vinaigrette exceptionnelle est délicieusement douce. La plupart des gens seraient grandement surpris s'ils savaient la quantité d'ail qu'elle contient. Utilisez-la sur les salades vertes ou la salade de pommes de terre (p. 80), comme garniture sur les pommes de terre au four, comme trempette pour légumes ou comme sauce sur les viandes, volailles ou poissons rôtis. Vous pouvez également servir cette vinaigrette, avec ou sans le fromage de yogourt, sur des bruschettas ou des pitas, sur lesquels vous ajouterez un peu de salsa. Pour obtenir un plat de pâtes digne de mention, ajoutez à la vinaigrette 90 g (3 oz) de fromage de chèvre émietté, 250 g (1/2 lb) de pâtes cuites et 50 ml (1/4 tasse) de basilic ou de persil frais haché. Assaisonnez de sel et de poivre au goût.

Donne environ 125 ml (1/2 tasse)

1	**tête d'ail (environ 12 gousses)**	**1**
250 ml	**bouillon de poulet maison (p. 59) ou eau**	**1 tasse**
5 ml	**miel**	**1 c. à thé**
pincée	**romarin frais haché ou séché**	**pincée**
pincée	**thym frais haché ou séché**	**pincée**
25 ml	**vinaigre balsamique**	**2 c. à table**
15 ml	**huile d'olive**	**1 c. à table**
1 ml	**poivre**	**1/4 c. à thé**
50 ml	**fromage de yogourt crémeux (p. 228), yogourt ferme, bouillon de poulet ou jus de tomate**	**1/4 tasse**

1. Mettre l'ail pelé dans une petite casserole avec le bouillon de poulet, le miel, le romarin et le thym. Porter à ébullition.
2. Réduire le feu et laisser cuire à feu doux environ 30 minutes ou jusqu'à ce que l'ail soit très tendre et que le liquide ait presque disparu.
3. À l'aide du robot culinaire ou du mélangeur, réduire l'ail en purée avec ce qui reste du liquide de cuisson. En maintenant l'appareil en marche, ajouter le vinaigre, l'huile, le poivre, le sel et le fromage de yogourt. Rectifier l'assaisonnement au besoin.

LES SAUCES À BASE DE MAYONNAISE

Les sauces à base de mayonnaise sont très populaires et ont bon goût. Vous pouvez les préparer à partir d'une mayonnaise à faible teneur en matières grasses mais, quant à moi, je préfère remplacer celle-ci par du fromage de yogourt crémeux à faible teneur en matières grasses auquel j'ajoute une touche de mayonnaise ordinaire pour en relever la saveur.

On peut parfumer la mayonnaise en y ajoutant de la purée d'ail (voir la recette sur cette page), du poivron rouge rôti (p.154), du pistou (p. 45), divers types de moutarde et de salsa (p. 43).

APPORT NUTRITIONNEL PAR PORTION DE
15 ml (1 c. à table)

37	calories
3 g	glucides
trace	fibres
2 g	matières grasses
trace	gras saturés
2 g	protéines
1 mg	cholestérol
11 mg	sodium
71 mg	potassium

Vinaigrette aux agrumes

Voici une vinaigrette qui est non seulement délicieuse dans les salades vertes, mais qui ajoute du prestige au poulet ou au saumon poché ou cuit au four.

Donne environ 250 ml (1 tasse)

1	**petite gousse d'ail émincée**	**1**
5 ml	**gingembre frais émincé**	**1 c. à thé**
15 ml	**miel**	**1 c. à table**
25 ml	**jus de citron**	**2 c. à table**
25 ml	**jus de pamplemousse**	**2 c. à table**
50 ml	**jus d'orange**	**1/4 tasse**
25 ml	**vinaigre de riz**	**2 c. à table**
25 ml	**huile d'olive**	**2 c. à table**
5 ml	**huile de sésame**	**1 c. à thé**
25 ml	**coriandre fraîche ou persil frais haché**	**2 c. à table**
25 ml	**basilic ou persil frais haché**	**2 c. à table**
25 ml	**ciboulette fraîche ou oignons verts hachés**	**2 c. à table**
1 trait	**sauce piquante au piment (facultatif)**	**1 trait**

1. Battre au fouet l'ail, le gingembre, le miel, le jus de citron, le jus de pamplemousse, le jus d'orange, le vinaigre de riz et le sel.
2. Incorporer au mélange l'huile d'olive et l'huile de sésame. Ajouter la coriandre fraîche, le basilic, la ciboulette et la sauce piquante au piment. Rectifier l'assaisonnement au besoin.

LES VINAIGRETTES
Les vinaigrettes sont des sauces à base d'émulsions huile-vinaigre. On avait l'habitude de les réserver aux salades, mais elles accompagnent maintenant souvent le poisson ou la viande. La proportion d'huile utilisée par rapport au vinaigre dans les vinaigrettes était traditionnellement très élevée, mais nous savons maintenant qu'en utilisant un vinaigre de bonne qualité et au goût délicat on peut réduire de beaucoup la quantité d'huile. C'est pourquoi l'huile et le vinaigre que vous choisissez sont tout aussi importants l'un que l'autre.

APPORT NUTRITIONNEL PAR PORTION DE
15 ml (1 c. à table)

25	calories
2 g	glucides
trace	fibres
2 g	matières grasses
trace	gras saturés
trace	protéines
0 mg	cholestérol
1 mg	sodium
21 mg	potassium

VINAIGRETTE AU SÉSAME ET AU GINGEMBRE

Cette vinaigrette regorge de parfums d'herbes fraîches. La petite quantité d'huile de sésame qu'elle contient apporte une touche d'exotisme et de mystère tout en n'introduisant qu'un minimum de matières grasses. On en trouve dans les épiceries orientales, et on doit la conserver au réfrigérateur une fois que le contenant a été ouvert.

Cette vinaigrette est excellente sur les salades de laitues variées, de céréales, de poulet ou de saumon. Ou encore, essayez-la avec la salade de poulet grillé haché (p. 88), à la place de la vinaigrette suggérée.

Donne environ 150 ml (2/3 tasse)

2	**gousses d'ail émincées**	**2**
15 ml	**gingembre frais émincé**	**1 c. à table**
1 ml	**sauce piquante au piment (facultatif)**	**1/4 c. à thé**
10 ml	**moutarde au miel**	**2 c. à thé**
10 ml	**miel**	**2 c. à thé**
25 ml	**jus de citron**	**2 c. à table**
25 ml	**vinaigre balsamique**	**2 c. à table**
15 ml	**sauce soja**	**1 c. à table**
50 ml	**jus d'orange**	**1/4 tasse**
5 ml	**huile de sésame**	**1 c. à thé**
15 ml	**huile d'olive**	**1 c. à table**
50 ml	**coriandre fraîche ou persil frais haché**	**1/4 tasse**
50 ml	**ciboulette fraîche ou oignons verts hachés**	**1/4 tasse**

1. Battre au fouet l'ail, le gingembre, la sauce au piment, la moutarde, le miel, le jus de citron, le vinaigre, la sauce soja, le jus d'orange, l'huile de sésame et l'huile d'olive.
2. Ajouter la coriandre fraîche et la ciboulette et brasser. Rectifier l'assaisonnement au besoin.

COMMENT DIMINUER LA QUANTITÉ D'HUILE DANS LES VINAIGRETTES

Il existe plusieurs façons de réduire le goût âcre du vinaigre de manière à pouvoir diminuer la quantité d'huile utilisée dans une vinaigrette :

- Choisissez des vinaigres doux, tels que le vinaigre balsamique et les vinaigres de framboise, de riz et de xérès.
- Utilisez de l'huile d'olive (les autres huiles à salade ne goûtent rien, tandis qu'une petite quantité d'huile d'olive au goût prononcé suffit).
- Remplacez une partie de l'huile par une purée de légumes, du jus d'orange, du babeurre, du yogourt ou du fromage de yogourt (p. 228).
- Utilisez des fines herbes et des épices fraîches.

APPORT NUTRITIONNEL PAR PORTION DE
15 ml (1 c. à table)

29	calories
3 g	glucides
trace	fibres
2 g	matières grasses
trace	gras saturés
trace	protéines
0 mg	cholestérol
79 mg	sodium
37 mg	potassium

VINAIGRETTE AU POIVRON ROUGE RÔTI

Réduit en purée, le poivron rouge donne de la consistance à cette vinaigrette, et le rôtissage en accentue la saveur toute spéciale ; quant au vinaigre balsamique, il lui ajoute une note de douceur acidulée. Cette vinaigrette convient tout spécialement aux salades de pâtes, de céréales et de légumes coupés. Vous l'utiliserez également avec bonheur comme sauce d'accompagnement sur du poisson, du poulet, de l'agneau ou du bifteck grillé.

Réfrigérée, cette vinaigrette a tendance à former une gelée légère ; ajoutez au besoin un peu d'eau au moment de servir.

Donne 175 ml (3/4 tasse)

1	**poivron rouge**	**1**
1	**gousse d'ail émincée**	**1**
50 ml	**vinaigre balsamique**	**1/4 tasse**
2 ml	**poivre**	**1/2 c. à thé**
25 ml	**basilic frais ou persil frais haché**	**2 c. à table**
15 ml	**huile d'olive**	**1 c. à table**
25 ml	**eau**	**2 c. à table**
	sel au goût	

1. Couper le poivron rouge en deux et retirer les membranes et les graines. Placer les deux moitiés sur une plaque à pâtisserie, le côté coupé vers le bas. Glisser sous le gril préchauffé jusqu'à ce que la peau soit noircie et boursouflée. Laisser refroidir complètement. Détacher la peau et enlever au pinceau les petits bouts carbonisés.
2. À l'aide du robot culinaire ou du mélangeur, réduire en purée le poivron rouge avec l'ail.
3. En maintenant l'appareil en marche, ajouter le vinaigre, le poivre, le sel, le basilic et l'huile. Incorporer l'eau au fouet. Rectifier l'assaisonnement au besoin.

VINAIGRETTE OU TREMPETTE THAÏE

Mélanger 25 ml (2 c. à table) de sauce de poisson thaïe, 15 ml (1 c. à table) de sucre granulé, 15 ml (1 c. à table) de jus de citron, 15 ml (1 c. à table) de vinaigre de riz, 15 ml (1 c. à table) d'eau, 1 petite gousse d'ail émincée et 2 ml (1/2 c. à thé) de pâte de piment fort.

Donne environ 75 ml (1/3 tasse).

VINAIGRETTE OU TREMPETTE PONZU

Mélanger 25 ml (2 c. à table) de sauce soja, 25 ml (2 c. à table) de vin de riz et 25 ml (2 c. à table) de jus de lime.

Donne environ 75 ml (1/3 tasse).

APPORT NUTRITIONNEL PAR PORTION DE
15 ml (1 c. à table)

14	calories
1 g	glucides
trace	fibres
1 g	matières grasses
trace	gras saturés
trace	protéines
0 mg	cholestérol
0 mg	sodium
25 mg	potassium

Quesadillas au fromage de chèvre et aux haricots noirs *(page 120)* ▶

LES PÂTES

Pâtes au poivron rouge et à l'aubergine

Penne arrabbiata

Penne aux pommes de terre et au rappini

Spaghetti puttanesca

Spaghetti de fiston (avec sauce tomate nature)

Spaghettini au maïs

Pâtes aux tomates et aux haricots

Nouilles au tofu et au cumin

Pâtes à la sauce tomate et à la ricotta

Nouilles aux légumes, sauce aux arachides

Linguine aux tomates et aux pétoncles

Spaghettini aux palourdes

Pâtes au saumon grillé et légumes sautés

Linguine aux fruits de mer grillés, sauce tomate au pistou

Rigatoni avec sauce au thon

Spaghetti aux boulettes de viande

◀ Fricadelles de thon ou d'espadon à l'orientale *(page 145)*

Épis de maïs grillé aux fines herbes (page 210)

Salade de chou à l'orientale (page 77)

PÂTES AU POIVRON ROUGE ET À L'AUBERGINE

Dans cette recette, l'aubergine prend la texture de la viande et donne du corps à la sauce. Vous pouvez préparer la sauce à l'avance et la réchauffer à la dernière minute, mais ne cuisez les pâtes qu'au moment de servir.

Donne 6 portions

500 g	**aubergine**	**1 lb**
15 ml	**huile d'olive**	**1 c. à table**
1	**oignon rouge haché**	**1**
3	**gousses d'ail hachées finement**	**3**
1 ml	**flocons de piment fort**	**1/4 c. à thé**
3	**poivrons rouges coupés en morceaux de 4 cm (1 1/2 po)**	**3**
1	**boîte de 796 ml (28 oz) de tomates italiennes non égouttées**	**1**
	sel au goût	
500 g	**rigatoni ou autres pâtes tubulaires**	**1 lb**
125 ml	**fromage parmesan râpé**	**1/2 tasse**
50 ml	**basilic ou persil frais haché**	**1/4 tasse**

1. Parer l'aubergine et la couper en tranches de 5 mm (1/4 po). Couper ensuite chaque tranche en morceaux de 2,5 cm (1 po).
2. Chauffer l'huile dans une grande poêle antiadhésive profonde. Ajouter l'oignon, l'ail et les flocons de piment fort et les faire revenir à feu doux jusqu'à ce qu'ils soient très tendres et odorants, sans laisser brunir.
3. Ajouter les poivrons rouges et l'aubergine. Cuire de 5 à 10 minutes, jusqu'à ce que les légumes soient légèrement ramollis.
4. Incorporer les tomates et les défaire à la cuillère. Cuire de 10 à 15 minutes, ou jusqu'à ce que la sauce ait diminué et légèrement épaissi. Saler au goût.
5. Dans une grande marmite d'eau bouillante, faire cuire les pâtes jusqu'à ce qu'elles soient *al dente*. Bien égoutter et incorporer à la sauce. Rectifier l'assaisonnement au besoin. Saupoudrer de parmesan râpé et de persil. Bien mélanger et servir immédiatement.

APPORT NUTRITIONNEL PAR PORTION

429	calories
77 g	glucides
9 g	fibres
7 g	matières grasses
2 g	gras saturés
16 g	protéines

Excellente source de : vitamine A, vitamine C, niacine et vitamine B_6
Bonne source de : thiamine, calcium, fer et acide folique

7 mg	cholestérol
381 mg	sodium
749 mg	potassium

PENNE ARRABBIATA

Cette sauce épicée (arrabbiata signifie « en colère ») est facile à faire et rapide à préparer. Utilisez plus ou moins de flocons de piment fort, selon votre goût et celui de vos convives pour les plats épicés.

Donne 6 portions

15 ml	**huile d'olive**	**1 c. à table**
4	**gousses d'ail hachées finement**	**4**
2 ml	**flocons de piment fort (ou au goût)**	**1/2 c. à thé**
1	**boîte de 796 ml (28 oz) de tomates italiennes non égouttées, réduites en purée**	**1**
2 ml	**poivre**	**1/2 c. à thé**
75 ml	**basilic ou persil frais haché**	**1/3 tasse**
500 g	**penne ou autres pâtes tubulaires**	**1 lb**
125 ml	**fromage parmesan râpé**	**1/3 tasse**
	sel au goût	

1. Chauffer l'huile dans une grande poêle antiadhésive profonde. Ajouter l'ail et les flocons de piment fort. Faire revenir à feu doux jusqu'à ce qu'ils soient odorants, sans laisser brunir.
2. Incorporer les tomates, le poivre et le sel et cuire de 10 à 15 minutes, jusqu'à ce que la sauce épaississe. Ajouter la moitié du basilic. (On peut préparer la sauce à l'avance jusqu'à cette étape et la réchauffer juste avant que les pâtes soient prêtes.)
3. Dans une grande marmite d'eau bouillante, faire cuire les pâtes jusqu'à ce qu'elles soient *al dente*. Bien égoutter et mettre dans un grand bol. Verser la sauce sur les pâtes et saupoudrer avec le restant de basilic et le fromage. Bien mélanger. Rectifier l'assaisonnement au besoin. Servir immédiatement.

LES ASSAISONNEMENTS PIQUANTS

Bien utilisés, les ingrédients très épicés ajoutent du « piquant » à votre cuisine et lui redonnent une partie de la saveur que l'on perd en réduisant les quantités de sel et de matières grasses.

- Sauce piquante au piment : le tabasco est la sauce piquante que je préfère. Il ne contient que du piment, du sel et du vinaigre, il est moins salé que la plupart des condiments et il est très épicé.
- Flocons de piment fort : on les appelle parfois piment rouge, poudre de piment fort ou flocons de piment rouge.
- Pâte de piment fort : faite avec de l'ail et du piment rouge, cette pâte est piquante et délicieuse. Bien que ce soit un ingrédient asiatique traditionnel, je l'utilise dans les sauces, les trempettes et les tartinades.
- Cayenne : il est fait avec du piment de Cayenne. Comme il est très piquant, il faut l'employer avec modération.

APPORT NUTRITIONNEL PAR PORTION

370	calories
63 g	glucides
5 g	fibres
7 g	matières grasses
2 g	gras saturés
14 g	protéines

Bonne source de : niacine et calcium

7 mg	cholestérol
376 mg	sodium
390 mg	potassium

PENNE AUX POMMES DE TERRE ET AU RAPPINI

Les plats de pâtes les plus nourrissants que je connaisse sont faits avec des légumes. J'aime particulièrement celui-ci car j'adore le goût légèrement amer du rappini. Si vous n'y êtes pas habitué, voici une excellente façon de le connaître car la saveur particulière de ce légume est adoucie par la grande quantité de pâtes. Si vous n'en trouvez pas, remplacez-le par du brocoli.

Si comme moi vous n'aimez pas les anchois nature, essayez-les quand même dans cette recette. Ils donnent du corps et de l'onctuosité à la sauce sans en devenir l'élément dominant. (Les anchois qui restent peuvent être congelés.)

Donne 6 portions

1	**grosse pomme de terre pelée et coupée en dés**	**1**
500 g	**penne**	**1 lb**
1	**grosse botte de rappini ou une grosse tige de brocoli parée et hachée**	**1**
45 ml	**huile d'olive**	**3 c. à table**
4	**gousses d'ail hachées finement**	**4**
4	**anchois hachés**	**4**
1 ml	**flocons de piment fort**	**1/4 c. à thé**
2 ml	**poivre**	**1/2 c. à thé**

1. Dans une grande marmite d'eau bouillante, faire cuire la pomme de terre 5 minutes.
2. Mettre les pâtes dans la même marmite et faire cuire 3 minutes.
3. Ajouter le rappini et poursuivre la cuisson jusqu'à ce que les pâtes soient *al dente*, environ 6 à 10 minutes.
4. Pendant ce temps, mettre l'huile, l'ail, les anchois et les flocons de piment fort dans un poêlon antiadhésif et chauffer légèrement. Ajouter 125 ml (1/2 tasse) de l'eau de cuisson des pâtes. Cuire à feu doux de 3 à 5 minutes, ou jusqu'à ce que les pâtes soient prêtes.
5. Bien égoutter les pâtes et les légumes. Les incorporer à la sauce et ajouter le poivre. Rectifier l'assaisonnement au besoin.

LES ANCHOIS

On peut acheter les anchois en conserve dans l'huile, ou séchés et salés. Rincez-les avant de vous en servir et hachez-les finement. Ainsi, ils donneront du goût à vos plats sans trop les saler ou leur donner un goût de poisson.

APPORT NUTRITIONNEL PAR PORTION

393	calories
66 g	glucides
5 g	fibres
9 g	matières grasses
1 g	gras saturés
13 g	protéines

Excellente source de : vitamine C et acide folique
Bonne source de : niacine et vitamine B_6

2 mg	cholestérol
120 mg	sodium
394 mg	potassium

SPAGHETTI PUTTANESCA

Ce plat se prépare si rapidement que, selon une des légendes qui entourent son origine, les « reines de la nuit », à Rome, pouvaient le préparer en un tournemain, entre deux clients.

Donne de 6 à 8 portions

15 ml	**huile d'olive**	**1 c. à table**
4	**gousses d'ail hachées finement**	**4**
1 ml	**flocons de piment fort**	**1/4 c. à thé**
2	**anchois hachés (facultatif)**	**2**
1	**boîte de 796 ml (28 oz) de tomates italiennes égouttées et hachées**	**1**
50 ml	**olives noires coupées en moitié**	**1/4 tasse**
25 ml	**câpres**	**2 c. à table**
500 g	**spaghetti**	**1 lb**
50 ml	**fromage parmesan râpé (facultatif)**	**1/4 tasse**
25 ml	**persil frais haché**	**2 c. à table**

1. Chauffer l'huile dans une grande poêle antiadhésive profonde. Ajouter l'ail et les flocons de piment fort et les faire revenir à feu doux jusqu'à ce qu'ils soient odorants, sans laisser brunir.
2. Incorporer les anchois et les tomates. Porter à ébullition et cuire 5 minutes. Ajouter les olives et les câpres. Prolonger la cuisson de 3 minutes.
3. Pendant ce temps, faire cuire les spaghetti dans une grande marmite d'eau bouillante jusqu'à ce qu'ils soient *al dente.* Bien égoutter et incorporer à la sauce avec le fromage et le persil. Rectifier l'assaisonnement au besoin.

LA CUISSON DES PÂTES

- Dans une grande marmite, faire bouillir une grande quantité d'eau (au moins 5 litres ou 5 pintes pour chaque livre de pâtes) afin que les nouilles ne collent pas à la marmite ou entre elles.
- N'ajoutez pas d'huile à l'eau de cuisson. C'est du gras superflu qui empêche les pâtes de bien absorber la sauce. Même s'il est vrai que le sel relève le goût des pâtes, ce n'est pas nécessaire d'en ajouter.
- Ne rincez pas les pâtes ; le rinçage enlève l'amidon qui aide la sauce à adhérer aux nouilles.

Toute exception à ces règles de cuisson est précisée dans la recette.

APPORT NUTRITIONNEL PAR PORTION

327	calories
61 g	glucides
4 g	fibres
4 g	matières grasses
1 g	gras saturés
11 g	protéines

Bonne source de : niacine

0 mg	cholestérol
245 mg	sodium
278 mg	potassium

SPAGHETTI DE FISTON (AVEC SAUCE TOMATE NATURE)

Mon fils Mark adore les pâtes, mais uniquement avec une sauce tomate tout ce qu'il y a de plus « nature ». D'autre part, il a le goût très développé. Voici donc la sauce que je prépare pour lui.

Lorsque je sers cette sauce, je laisse chacun ajouter à sa guise fromage râpé, persil haché et flocons de piment fort. Vous pouvez préparer la sauce à l'avance et la réchauffer ; vous pouvez aussi la congeler. (Je la congèle souvent dans un moule à glaçons ; deux cubes donnent une portion parfaite pour un enfant.)

Vous pouvez également ajouter à cette sauce des restes de poulet ou de légumes cuits.

Donne 6 portions

1	**boîte de 796 ml (28 oz) de tomates italiennes non égouttées, réduites en purée**	**1**
1	**petit oignon pelé et coupé en deux**	**1**
2	**gousses d'ail pelées et écrasées mais laissées entières**	**2**
15 ml	**huile d'olive**	**1 c. à table**
1 ml	**poivre (facultatif)**	**1/4 c. à thé**
500 g	**spaghetti**	**1 lb**
50 ml	**fromage parmesan râpé**	**1/4 tasse**
25 ml	**basilic ou persil frais haché**	**2 c. à table**
pincée	**flocons de piment fort (facultatif)**	**pincée**
	sel au goût	

1. Mettre les tomates, l'oignon, l'ail et l'huile dans une poêle de grandeur moyenne. Porter à ébullition, réduire le feu et laisser mijoter à feu très doux, à découvert, de 10 à 20 minutes ou jusqu'à ce que la sauce ait diminué et soit moyennement épaisse.
2. Retirer du feu et enlever l'oignon et l'ail. Ajouter le poivre et le sel.
3. Dans une grande marmite d'eau bouillante, faire cuire les spaghetti jusqu'à ce qu'ils soient *al dente*. Bien égoutter et incorporer à la sauce. Rectifier l'assaisonnement au besoin. Servir et laisser chacun garnir ses pâtes de fromage, de basilic et de flocons de piment fort à sa guise.

LE FROMAGE

On peut maintenant se procurer du bon fromage à teneur réduite en matières grasses. Cependant, certains sont plutôt caoutchouteux et n'ont pas beaucoup de goût. Dans ce livre, je demande d'utiliser du fromage à teneur réduite en matières grasses chaque fois que c'est possible. Goûtez toutefois le fromage avant de l'acheter pour voir si vous l'aimez. Si vous n'en trouvez pas qui soit à votre goût, utilisez du fromage ordinaire et réduisez de moitié la quantité demandée.

APPORT NUTRITIONNEL PAR PORTION

352	calories
64 g	glucides
5 g	fibres
5 g	matières grasses
1 g	gras saturés
13 g	protéines

Bonne source de : niacine

3 mg	cholestérol
298 mg	sodium
387 mg	potassium

SPAGHETTINI AU MAÏS

L'idée de servir des pâtes accompagnées de maïs et de légumes vient de ma cousine Barbara Glickman qui est toujours à l'affût de recettes à la fois savoureuses et faibles en matières grasses. Vous pouvez saupoudrer chaque portion de fromage parmesan grossièrement râpé.

Donne de 6 à 8 portions

15 ml	**huile d'olive**	**1 c. à table**
3	**gousses d'ail hachées finement**	**3**
1	**poireau paré et émincé**	**1**
1	**petit piment jalapeño épépiné et coupé en dés**	**1**
1	**poivron rouge en dés**	**1**
1 l	**maïs en grains frais ou congelé**	**4 tasses**
250 ml	**petits pois frais ou congelés**	**1 tasse**
75 ml	**bouillon de poulet maison (p. 59) ou eau**	**1/3 tasse**
500 ml	**épinards frais hachés**	**2 tasses**
2 ml	**poivre**	**1/2 c. à thé**
500 g	**spaghettini ou spaghetti**	**1 lb**
50 ml	**coriandre fraîche ou persil frais haché**	**1/4 tasse**
25 ml	**ciboulette fraîche ou oignons verts hachés**	**2 c. à table**
25 ml	**basilic ou persil frais haché**	**2 c. à table**
	sel au goût	

1. Chauffer l'huile d'olive dans une grande poêle antiadhésive profonde. Ajouter l'ail et le poireau et faire revenir à feu doux quelques minutes, jusqu'à ce que le tout soit tendre et odorant. Ajouter ensuite le jalapeño et le poivron rouge et prolonger la cuisson de 2 minutes.
2. Incorporer le maïs et les petits pois et bien mélanger. Ajouter le bouillon, les épinards, le poivre et le sel. Porter à ébullition et cuire 2 ou 3 minutes, jusqu'à ce que le maïs soit croquant et les épinards ramollis.
3. Pendant ce temps, faire cuire les spaghettini dans une grande marmite d'eau bouillante jusqu'à ce qu'ils soient *al dente*. Bien égoutter et incorporer à la sauce avec la coriandre, la ciboulette et le basilic. Rectifier l'assaisonnement au besoin.

APPORT NUTRITIONNEL PAR PORTION

424	calories
85 g	glucides
8 g	fibres
4 g	matières grasses
1 g	gras saturés
15 g	protéines

Excellente source de : vitamine A, vitamine C, niacine et acide folique
Bonne source de : thiamine, fer et vitamine B_6

0 mg	cholestérol
44 mg	sodium
421 mg	potassium

PÂTES AUX TOMATES ET AUX HARICOTS

Vous pouvez utiliser des haricots secs au lieu des haricots en conserve. Faites tremper 250 ml (1 tasse) de haricots blancs dans une grande quantité d'eau pendant quelques heures à la température ambiante ou toute la nuit au réfrigérateur. Égouttez, couvrez d'eau et faites cuire une heure ou jusqu'à ce que les haricots soient tendres. Rincez et égouttez avant d'utiliser. Cette sauce se congèle bien.

Donne 6 portions

15 ml	**huile d'olive**	**1 c. à table**
1	**oignon haché**	**1**
3	**gousses d'ail hachées finement**	**3**
1 ml	**flocons de piment fort**	**1/4 c. à thé**
1	**carotte hachée**	**1**
1	**boîte de 796 ml (28 oz) de tomates italiennes non égouttées, broyées ou réduites en purée**	**1**
1	**boîte de 540 ml (19 oz) de haricots blancs rincés et égouttés ou 500 ml (2 tasses) de haricots cuits**	**1**
2 ml	**poivre**	**1/2 c. à thé**
500 g	**penne ou autres pâtes tubulaires**	**1 lb**
50 ml	**fromage parmesan râpé**	**1/4 tasse**
25 ml	**persil frais haché**	**2 c. à table**
	sel au goût	

1. Chauffer l'huile dans une grande poêle antiadhésive profonde. Ajouter l'oignon, l'ail et les flocons de piment fort et cuire à feu doux jusqu'à ce qu'ils soient tendres et odorants, sans laisser brunir.
2. Ajouter la carotte et cuire 5 minutes.
3. Incorporer les tomates et porter à ébullition. Réduire le feu et cuire de 8 à 10 minutes ou jusqu'à épaississement. Remuer de temps en temps pour empêcher la sauce de brûler et de coller.
4. Ajouter les haricots et prolonger la cuisson de 10 minutes. Ajouter le poivre et le sel. (La sauce peut être préparée à l'avance jusqu'à cette étape.)
5. Dans une grande marmite d'eau bouillante, faire cuire les pâtes jusqu'à ce qu'elles soient *al dente.* Bien égoutter et incorporer à la sauce avec le fromage et le persil. Rectifier l'assaisonnement au besoin.

LES DIFFÉRENTES FORMES DE PÂTES

Il ne faut pas servir les différentes formes de pâtes « à toutes les sauces ». Les pâtes qui ressemblent à de gros macaroni, comme les penne et les rigatoni ou encore les coquilles et les boucles, conviennent aux sauces qui contiennent de gros morceaux. De cette façon, on prend des pâtes et des morceaux de sauce à chaque bouchée. En général, on sert les pâtes longues avec une sauce en purée ou avec une sauce qui contient des petits morceaux. La sauce et les petits morceaux adhèrent bien, même lorsqu'on tourne les pâtes autour de la fourchette. Dans les soupes, on utilise les très petites pâtes, de façon à pouvoir les ramasser facilement avec la cuillère.

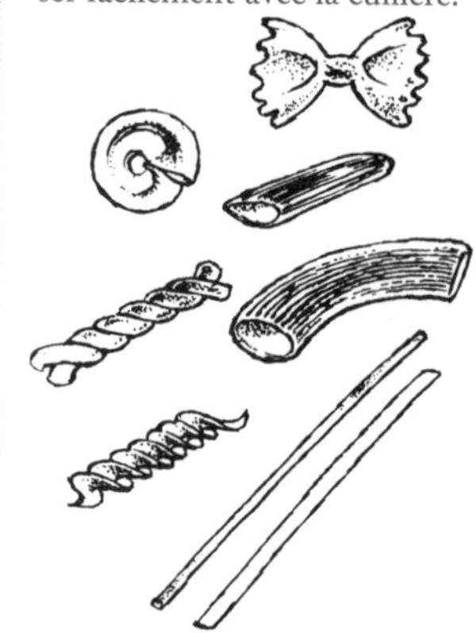

APPORT NUTRITIONNEL PAR PORTION

436	calories
79 g	glucides
11 g	fibres
6 g	matières grasses
1 g	gras saturés
18 g	protéines

Excellente source de : vitamine A, niacine et acide folique

Bonne source de : fer et vitamine B_6

3 mg	cholestérol
513 mg	sodium
588 mg	potassium

NOUILLES AU TOFU ET AU CUMIN

Voici ma version d'une recette de l'actrice Judy McLane. C'est un plat exquis.

Si vous ne trouvez pas de tofu extra-ferme, utilisez du tofu ordinaire et pressez-le environ 30 minutes avant de le couper en cubes (p. 118).

Donne 6 portions

15 ml	**huile d'olive**	**1 c. à table**
3	**gousses d'ail hachées finement**	**3**
1	**petit oignon émincé**	**1**
15 ml	**gingembre frais haché finement**	**1 c. à table**
2 ml	**cumin moulu**	**1 c. à thé**
2 ml	**moutarde sèche**	**1/2 c. à thé**
2 ml	**poivre**	**1/2 c. à thé**
2 ml	**piment de Cayenne**	**1/2 c. àthé**
250 g	**tofu extra-ferme coupé en dés**	**1/2 lb**
500 ml	**petits pois frais ou congelés**	**2 tasses**
250 ml	**maïs en grains frais ou congelé**	**1 tasse**
1	**grosse carotte râpée**	**1**
500 g	**coquilles ou spirales de grosseur moyenne**	**1 lb**

1. Chauffer l'huile dans une grande poêle antiadhésive profonde ou dans un wok. Ajouter l'ail, l'oignon, le gingembre, le cumin, la moutarde, le poivre et le piment de Cayenne. Faire revenir à feu doux quelques minutes sans laisser brunir.
2. Incorporer le tofu, les pois, le maïs et la carotte. Prolonger la cuisson de quelques minutes, ou jusqu'à ce que le mélange soit chaud et les légumes croquants.
3. Pendant ce temps, dans une grande marmite d'eau bouillante, faire cuire les pâtes jusqu'à ce qu'elles soient *al dente.* Bien égoutter et incorporer au mélange au tofu. Rectifier l'assaisonnement au besoin.

APPORT NUTRITIONNEL PAR PORTION

408	calories
73 g	glucides
8 g	fibres
5 g	matières grasses
1 g	gras saturés
19 g	protéines

Excellente source de : vitamine A
Bonne source de : thiamine, niacine, fer et acide folique

0 mg	cholestérol
50 mg	sodium
312 mg	potassium

PÂTES À LA SAUCE TOMATE ET À LA RICOTTA

Vous pouvez préparer la sauce tomate à l'avance, mais faites cuire les pâtes et mélangez-les avec la sauce et la ricotta seulement au moment de servir. Bien que le bacon et la pancetta (bacon italien non fumé) soient deux aliments riches en matières grasses, de petites quantités donnent au plat une saveur unique. On trouve la pancetta dans les épiceries italiennes.

Donne 6 portions

15 ml	**huile d'olive**	**1 c. à table**
30 g	**pancetta ou bacon coupé en dés (facultatif)**	**1 oz**
1	**oignon haché**	**1**
2	**gousses d'ail hachées finement**	**2**
1 ml	**flocons de piment fort**	**1/4 c. à thé**
1	**boîte de 796 ml (28 oz) de tomates italiennes non égouttées, réduites en purée**	**1**
2 ml	**poivre**	**1/2 c. à thé**
500 g	**spirales ou penne**	**1 lb**
250 g	**ricotta légère ou fromage cottage léger pressé et égoutté**	**1/2 lb**
50 ml	**fromage parmesan râpé**	**1/4 tasse**
50 ml	**basilic ou persil frais haché**	**1/4 tasse**
	sel au goût	

1. Chauffer l'huile dans une grande poêle antiadhésive profonde. Ajouter la pancetta et la faire revenir jusqu'à ce qu'elle soit croustillante. Enlever tout le gras sauf 25 ml (2 c. à table).
2. Ajouter l'oignon, l'ail et les flocons de piment fort. Faire revenir à feu doux pendant 5 minutes sans laisser brunir.
3. Incorporer les tomates et faire cuire jusqu'à ce que le volume de la sauce ait diminué et qu'elle ait épaissi. Ajouter le poivre et le sel.
4. Pendant ce temps, dans une grande marmite d'eau bouillante, faire cuire les pâtes jusqu'à ce qu'elles soient *al dente*. Bien égoutter et incorporer à la sauce. Garnir de ricotta, de parmesan et de basilic. Rectifier l'assaisonnement au besoin. Bien mélanger avant de servir.

APPORT NUTRITIONNEL PAR PORTION

398	calories
66 g	glucides
5 g	fibres
7 g	matières grasses
3 g	gras saturés
17 g	protéines

Bonne source de : niacine, calcium et fer

15 mg	cholestérol
346 mg	sodium
450 mg	potassium

NOUILLES AUX LÉGUMES, SAUCE AUX ARACHIDES

Cette recette surprenante obtient toujours un grand succès dans mes cours de cuisine végétarienne.

Donne 8 portions

45 ml	**beurre d'arachide**	**3 c. à table**
15 ml	**sauce hoisin**	**1 c. à table**
25 ml	**sauce soja**	**2 c. à table**
25 ml	**jus de citron ou vinaigre de riz**	**2 c. à table**
15 ml	**miel**	**1 c. à table**
10 ml	**huile de sésame**	**2 c. à thé**
5 ml	**pâte de piment fort**	**1 c. à thé**
50 ml	**eau tiède**	**1/4 tasse**
10 ml	**huile végétale**	**2 c. à thé**
3	**gousses d'ail hachées finement**	**3**
15 ml	**gingembre frais haché**	**1 c. à table**
3	**oignons verts hachés**	**3**
125 g	**champignons shiitakes frais ou champignons de Paris tranchés**	**1/4 lb**
1	**poivron rouge tranché**	**1**
500 g	**spaghetti**	**1 lb**
1	**tige de brocoli parée et coupée en bouquets**	**1**
2	**carottes émincées**	**2**
75 ml	**coriandre fraîche ou persil frais haché**	**1/3 tasse**
75 ml	**basilic frais haché**	**1/3 tasse**

1. Combiner le beurre d'arachide, la sauce hoisin, la sauce soja, le jus de citron, le miel, l'huile de sésame, la pâte de piment fort et l'eau. Réserver.
2. Chauffer l'huile végétale dans un wok ou dans un grand poêlon. Ajouter l'ail, le gingembre et l'oignon vert. Faire revenir à feu doux 1 ou 2 minutes, jusqu'à ce que le tout soit très odorant. Ajouter les champignons et le poivron rouge et cuire jusqu'à ce qu'ils soient tendres. Incorporer le mélange de beurre d'arachide et chauffer 1 minute de plus. Réserver.
3. Pendant ce temps, dans une grande marmite d'eau bouillante, cuire les spaghetti 5 minutes. Ajouter le brocoli et les carottes et prolonger la cuisson de 5 minutes. Égoutter.
4. Incorporer la sauce au mélange de spaghetti et de légumes. Ajouter la coriandre et le basilic. Rectifier l'assaisonnement au besoin.

LA SAUCE SOJA

La sauce soja est faite de fèves de soja fermentées et de blé. Pour réduire la teneur en sel de la sauce soja ordinaire, il s'agit de la diluer avec un peu d'eau. L'experte en cuisine chinoise, Nina Simonds, préfère utiliser une plus petite quantité de sauce soja ordinaire dans une recette et compenser la perte de saveur en augmentant la quantité des autres assaisonnements asiatiques comme le gingembre, l'ail et les oignons verts.

APPORT NUTRITIONNEL PAR PORTION

318	calories
55 g	glucides
5 g	fibres
7 g	matières grasses
1 g	gras saturés
12 g	protéines

Excellente source de : vitamine A, vitamine C et acide folique
Bonne source de : niacine et vitamine B_6

0 mg	cholestérol
311 mg	sodium
422 mg	potassium

LINGUINE AUX TOMATES ET AUX PÉTONCLES

Si vous n'aimez pas la cuisine trop épicée, réduisez la quantité de piments marinés.

Comme il est difficile de savoir à quel point les piments sont piquants avant de les utiliser, optez donc pour la prudence car vous pourrez toujours en rajouter à la fin. N'oubliez pas que si vous réduisez la sauce en purée, elle sera plus piquante.

Vous pouvez préparer cette sauce à l'avance et la réchauffer rapidement juste avant de servir.

Donne 6 portions

15 ml	**huile d'olive**	**1 c. à table**
1	**gros oignon haché**	**1**
3	**gousses d'ail hachées finement**	**3**
1	**boîte de 796 ml (28 oz) de tomates italiennes non égouttées**	**1**
25 ml	**piments marinés hachés (plus ou moins, au goût)**	**2 c. à table**
1	**poivron rouge coupé en morceaux de 2,5 cm (1 po)**	**1**
1 ml	**poivre**	**1/4 c. à thé**
375 g	**pétoncles**	**3/4 lb**
500 g	**linguine**	**1 lb**
25 ml	**basilic ou persil frais haché**	**2 c. à table**
	sel au goût	

1. Chauffer l'huile dans une grande poêle antiadhésive profonde ou dans un faitout. Ajouter l'oignon et l'ail et faire revenir à feu doux jusqu'à ce que le tout soit tendre et odorant, sans laisser brunir.
2. Incorporer les tomates et les défaire à la cuillère. Ajouter les piments marinés, le poivron rouge, le poivre et le sel. Cuire 10 minutes, ou jusqu'à ce que la sauce soit assez épaisse et que tout le liquide se soit évaporé. Réduire la sauce en purée si vous le désirez.
3. Ajouter les pétoncles à la sauce et cuire 3 minutes. Retirer du feu et réserver. Réchauffer lorsque les pâtes sont cuites.
4. Pendant ce temps, dans une grande marmite d'eau bouillante, cuire les linguine jusqu'à ce qu'elles soient *al dente*. Bien égoutter et incorporer à la sauce avec le basilic. Rectifier l'assaisonnement au besoin.

LES PÂTES FRAÎCHES ET LES PÂTES SÈCHES

Fondamentalement, il existe trois types de pâtes. Premièrement, les délicieuses pâtes fraîches maison, qui sont cuites et consommées immédiatement après leur fabrication. Viennent ensuite les pâtes « fraîches », achetées dans les boutiques spécialisées. Ces pâtes, qui sont habituellement préparées à l'avance (et réfrigérées ou congelées), sont généralement trop épaisses et enduites de semoule. Et il y a enfin les pâtes sèches vendues dans le commerce qui, à mon avis, sont très pratiques et très bonnes. Même si les pâtes sèches fabriquées ici sont très bien quand elles sont cuites à la perfection, je préfère vraiment les pâtes sèches importées d'Italie parce qu'elles ont une meilleure texture et qu'il est plus difficile de les faire trop cuire. Toutes les recettes du présent ouvrage sont préparées avec des pâtes sèches du commerce.

APPORT NUTRITIONNEL PAR PORTION

396	calories
68 g	glucides
5 g	fibres
5 g	matières grasses
1 g	gras saturés
21 g	protéines

Excellente source de : vitamine C, niacine et vitamine B_{12}

Bonne source de : vitamine A, fer, vitamine B_6 et acide folique

19 mg	cholestérol
360 mg	sodium
626 mg	potassium

SPAGHETTINI AUX PALOURDES

C'est le repas-minute parfait. Il se prépare rapidement, avec des aliments que l'on a habituellement sous la main et il est tellement bon que tout le monde pense que vous avez passé des heures à le préparer.

Vous pouvez utiliser des palourdes fraîches ou en conserve dans cette recette. Si elles sont fraîches, achetez 500 ml (1 pinte) de palourdes décortiquées et égouttez-les bien avant de les ajouter à la sauce, car elles contiennent souvent du sable.

Vous pourriez également ajouter à la sauce une boîte de 796 ml (28 oz) de tomates italiennes réduites en purée. Ajoutez les tomates en même temps que le bouillon et laissez épaissir avant d'ajouter les palourdes.

Donne de 6 à 8 portions

15 ml	**huile d'olive**	**1 c. à table**
4	**gousses d'ail hachées finement**	**4**
1 ml	**flocons de piment fort**	**1/4 c. à thé**
2	**boîtes de 142 g (5 oz) de petites palourdes non égouttées**	**2**
25 ml	**persil frais haché**	**2 c. à table**
75 ml	**vin blanc sec ou bouillon de poulet**	**1/3 tasse**
2 ml	**poivre**	**1/2 c. à thé**
500 g	**spaghettini**	**1 lb**
125 ml	**chapelure fraîche grillée**	**1/2 tasse**
50 ml	**basilic ou persil frais haché**	**1/4 tasse**

1. Chauffer l'huile dans une grande poêle antiadhésive profonde. Ajouter l'ail et les flocons de piment fort. Faire revenir à feu doux quelques minutes, sans laisser brunir.
2. Égoutter les palourdes et réserver 75 ml (1/3 tasse) de leur liquide. Mettre dans la poêle le persil, le vin et le liquide des palourdes. Porter à ébullition et faire réduire légèrement.
3. Ajouter les palourdes et le poivre. Retirer du feu et réserver.
4. Pendant ce temps, dans une grande marmite d'eau bouillante, cuire les spaghettini jusqu'à ce qu'ils soient *al dente*.
5. Juste avant que les pâtes soient prêtes, réchauffer la sauce. Bien égoutter les pâtes et les incorporer à la sauce avec la chapelure et le basilic. Rectifier l'assaisonnement au besoin.

APPORT NUTRITIONNEL PAR PORTION

350	calories
60 g	glucides
3 g	fibres
4 g	matières grasses
1 g	gras saturés
16 g	protéines

Excellente source de : fer
Bonne source de : niacine

15 mg	cholestérol
75 mg	sodium
255 mg	potassium

PÂTES AU SAUMON GRILLÉ ET LÉGUMES SAUTÉS

Voir photo de la couverture.

Voici un plat principal inusité et élégant. Si vous ne pouvez faire griller le saumon au barbecue, faites-le simplement griller au four, cuire dans une poêle antiadhésive ou rôtir (p. 139).

Donne 6 portions

500 g	**filets de saumon sans la peau coupés en 6 morceaux**	**1 lb**
15 ml	**miel**	**1 c. à table**
5 ml	**huile de sésame**	**1 c. à thé**
2 ml	**pâte de piment fort**	**1/2 c. à thé**
Sauce :		
15 ml	**huile d'olive**	**1 c. à table**
3	**gousses d'ail hachées finement**	**3**
25 ml	**gingembre frais haché finement**	**2 c. à table**
1 ml	**flocons de piment fort**	**1/4 c. à thé**
2	**poireaux ou petits oignons parés et coupés en morceaux de 2,5 cm (1 po)**	**2**
1	**carotte coupée en tranches fines ou en biseau**	**1**
1	**poivron rouge coupé en morceaux de 2,5 cm (1 po)**	**1**
1	**botte de bok-choy (chou de Chine), d'épinards ou de bette à carde, haché**	**1**
50 ml	**vinaigre de riz**	**1/4 tasse**
15 ml	**huile de sésame**	**1 c. à table**
15 ml	**miel**	**1 c. à table**
2 ml	**poivre**	**1/2 c. à thé**
500 g	**penne ou autres pâtes tubulaires**	**1 lb**
6	**oignons verts coupés en morceaux de 2,5 cm (1 po)**	**6**
50 ml	**coriandre fraîche ou persil frais haché**	**1/4 tasse**
	sel au goût	

VOS PÂTES SONT-ELLES PRÊTES ?
Pour savoir si les pâtes sont cuites, goûtez-les ; si le centre est cuit, elles sont prêtes.

1. Assécher le saumon. Dans un petit bol, mélanger 15 ml (1 c. à table) de miel, 5 ml (1 c. à thé) d'huile de sésame et la pâte de piment fort. Frotter la chair du saumon avec ce mélange pour le faire pénétrer.
2. Pour faire la sauce, chauffer l'huile d'olive dans une grande poêle antiadhésive profonde ou dans un wok. Ajouter l'ail, le gingembre et les flocons de piment fort. Faire revenir à feu doux jusqu'à ce que le tout soit odorant, sans laisser brunir.
3. Ajouter les poireaux et la carotte. Cuire en remuant constamment pendant 5 minutes. Si le mélange semble trop sec, ajouter 50 ml (1/4 tasse) d'eau.
4. Ajouter le poivron rouge et le bok-choy. Cuire 5 minutes ou jusqu'à ce que le tout soit à peine ramolli. Ajouter le vinaigre, 15 ml (1 c. à table) d'huile de sésame, 15 ml (1 c. à table) de miel, le poivre et le sel. Prolonger la cuisson de 5 minutes.
5. Faire chauffer le gril du four, le barbecue ou un poêlon antiadhésif. Cuire le saumon de 3 à 5 minutes par côté, ou jusqu'à ce qu'il soit bien cuit.
6. Pendant ce temps, dans une grande marmite d'eau bouillante, faire cuire les pâtes jusqu'à ce qu'elles soient *al dente*. Bien égoutter.
7. Incorporer les oignons verts à la sauce et faire chauffer si nécessaire. Mélanger les pâtes égouttées à la sauce. Ajouter la coriandre. Rectifier l'assaisonnement. Servir le saumon sur les pâtes.

APPORT NUTRITIONNEL PAR PORTION

501	calories
74 g	glucides
7 g	fibres
12 g	matières grasses
2 g	gras saturés
27 g	protéines

Excellente source de : vitamine A, vitamine C, niacine, riboflavine, fer, vitamine B_6, acide folique et vitamine B_{12}
Bonne source de : thiamine et calcium

38 mg	cholestérol
104 mg	sodium
1162 mg	potassium

LINGUINE AUX FRUITS DE MER GRILLÉS, SAUCE TOMATE AU PISTOU

Ce mets est tellement savoureux que chaque bouchée est comme une bouffée de printemps. Si vous ne voulez pas utiliser de crustacés, prenez de l'espadon, du flétan, du saumon ou du thon frais. La sauce tomate et le pistou peuvent être préparés à l'avance ; toutefois, faites cuire les pâtes au dernier moment et mélangez-les à la sauce.

Donne 6 portions

250 g	**grosses crevettes nettoyées**	**1/2 lb**
250 g	**pétoncles**	**1/2 lb**
25 ml	**huile d'olive, en 2 parties**	**2 c. à table**
125 ml	**pistou (p. 45)**	**1/2 tasse**
3	**gousses d'ail hachées finement**	**3**
1	**oignon haché**	**1**
pincée	**de flocons de piment fort**	**pincée**
1	**boîte de 796 ml (28 oz) de tomates italiennes non égouttées**	**1**
500 g	**linguine**	**1 lb**

1. Assécher les crevettes et les pétoncles. Couper les crevettes en papillon (sur le sens de l'épaisseur). Couper les pétoncles en deux rondelles.
2. Dans un grand bol, mélanger les fruits de mer, 15 ml (1 c. à table) d'huile et une grosse cuillerée de pistou. Réserver.
3. Chauffer l'huile restante (15 ml/1 c. à table) dans une grande poêle antiadhésive profonde ou dans un faitout. Ajouter l'ail, l'oignon et les flocons de piment fort et faire revenir à feu doux quelques minutes, sans laisser brunir. Incorporer les tomates et porter à ébullition. Cuire à feu doux jusqu'à épaississement et remuer en défaisant les tomates avec la cuillère. Réduire la sauce en purée à cette étape si vous le désirez. Réserver.
4. Préchauffer le gril ou le barbecue et faire griller les fruits de mer. Incorporer les fruits de mer à la sauce tomate et réchauffer à feu doux. Ne pas trop cuire. (On peut également faire cuire les fruits de mer directement dans la sauce.)
5. Pendant ce temps, dans une grande marmite d'eau bouillante, cuire les linguine jusqu'à ce qu'elles soient *al dente*. Bien égoutter. Incorporer à la sauce. Rectifier l'assaisonnement au besoin. Garnir chaque portion d'une cuillerée de pistou.

APPORT NUTRITIONNEL PAR PORTION

444	calories
67 g	glucides
5 g	fibres
8 g	matières grasses
1 g	gras saturés
26 g	protéines

Excellente source de : niacine et vitamine B_{12}
Bonne source de : fer, vitamine B_6 et acide folique

70 mg	cholestérol
375 mg	sodium
625 mg	potassium

RIGATONI AVEC SAUCE AU THON

Voici une excellente façon d'utiliser du thon en conserve. Si vous trouvez que cette sauce (ou toute autre sauce) est trop liquide, un bon truc consiste à ajouter des croûtons ou de la chapelure grillée au plat avant de servir. Ces ingrédients absorberont le liquide et disparaîtront dans la sauce.

Donne 6 portions

15 ml	**huile d'olive**	**1 c. à table**
3	**gousses d'ail hachées finement**	**3**
1 ml	**flocons de piment fort**	**1/4 c. à thé**
2	**poivrons rouges, de préférence rôtis (p. 154), pelés et coupés en dés**	**2**
1	**boîte de 796 ml (28 oz) de tomates italiennes non égouttées, réduites en purée**	**1**
1	**boîte de 198 g (7 oz) de thon blanc dans l'eau, égoutté et émietté**	**1**
25 ml	**olives noires hachées**	**2 c. à table**
15 ml	**câpres**	**1 c. à table**
25 ml	**vinaigre balsamique**	**2 c. à table**
2 ml	**poivre**	**1/2 c. à thé**
500 g	**rigatoni ou autres pâtes tubulaires**	**lb**
250 ml	**croûtons maison (p. 60)**	**1 tasse**
50 ml	**persil frais haché**	**1/4 tasse**
	sel au goût	

1. Chauffer l'huile dans une grande poêle antiadhésive profonde. Ajouter l'ail et les flocons de piment fort et faire revenir à feu doux jusqu'à ce que le tout soit odorant, sans laisser brunir.
2. Ajouter le poivron, les tomates et le thon. Cuire de 8 à 10 minutes ou jusqu'à épaississement. Ajouter les olives, les câpres, le vinaigre, le poivre et le sel.
3. Pendant ce temps, dans une grande marmite d'eau bouillante, cuire les pâtes jusqu'à ce qu'elles soient *al dente*. Bien égoutter et incorporer à la sauce avec les croûtons. Rectifier l'assaisonnement au besoin. Saupoudrer de persil.

LES CÂPRES

Les câpres sont les boutons du câprier. Cet arbuste pousse dans les régions méditerranéennes, habituellement près de l'eau. Elles ont une saveur piquante qui atténue le goût prononcé de certains aliments, comme le saumon fumé. Elles se conservent dans le vinaigre ou l'eau et, dans les deux cas, il faut les rincer avant de les utiliser. Je préfère les petites câpres.

APPORT NUTRITIONNEL PAR PORTION

414	calories
72 g	glucides
6 g	fibres
5 g	matières grasses
1 g	gras saturés
19 g	protéines

Excellente source de : vitamine C, niacine et vitamine B_{12}
Bonne source de : vitamine A, fer, vitamine B_6 et acide folique

11 mg	cholestérol
434 mg	sodium
536 mg	potassium

SPAGHETTI AUX BOULETTES DE VIANDE

Cette recette à l'ancienne obtient toujours beaucoup de succès particulièrement auprès des enfants.

Vous pouvez utiliser de la dinde ou du poulet haché au lieu du bœuf.

Donne de 6 à 8 portions

250 g	**bœuf haché extra-maigre**	**1/2 lb**
1	**œuf**	**1**
125 ml	**chapelure**	**1/2 tasse**
2 ml	**sel**	**1/2 c. à thé**
1 ml	**poivre**	**1/4 c. à thé**
15 ml	**huile d'olive**	**1 c. à table**
1	**oignon haché**	**1**
2	**gousses d'ail hachées finement**	**2**
1	**carotte coupée en dés**	**1**
1	**branche de céleri coupée en dés**	**1**
1	**boîte de 796 ml (28 oz) de tomates italiennes non égouttées**	**1**
500 g	**spaghetti**	**1 lb**
50 ml	**fromage parmesan râpé**	**1/4 tasse**
25 ml	**basilic ou persil frais haché**	**2 c. à table**

1. Mélanger le bœuf, l'œuf, la chapelure, le sel et le poivre. Façonner environ 24 boulettes. Les déposer sur une plaque à pâtisserie recouverte de papier ciré et réserver.
2. Dans une grande poêle antiadhésive profonde ou un faitout, chauffer l'huile. Ajouter l'oignon, l'ail, la carotte et le céleri. Cuire à feu doux environ 10 minutes.
3. Ajouter les tomates en les défaisant à la cuillère. Cuire à chaleur moyenne jusqu'à épaississement, soit environ 10 minutes.
4. Mettre les boulettes dans la sauce bouillante. Couvrir et cuire à feu doux de 20 à 25 minutes, jusqu'à ce que les boulettes soient bien cuites. Remuer de temps en temps. (Ajouter un peu d'eau ou de jus de tomate dès que le mélange semble s'assécher.) Rectifier l'assaisonnement au besoin.
5. Pendant ce temps, dans une grande marmite d'eau bouillante, faire cuire les spaghetti jusqu'à ce qu'ils soient *al dente*. Bien égoutter et incorporer à la sauce. Parsemer de fromage et de basilic. Servir immédiatement.

APPORT NUTRITIONNEL PAR PORTION

450	calories
68 g	glucides
5 g	fibres
10 g	matières grasses
3 g	gras saturés
22 g	protéines

Excellente source de : vitamine A, niacine et vitamine B_{12}
Bonne source de : fer, vitamine B_6 et acide folique

59 mg	cholestérol
558 mg	sodium
563 mg	potassium

LES PLATS DE RÉSISTANCE SANS VIANDE

PAELLA AUX LÉGUMES

Voir photo à la page 64.

Bien que la paella soit traditionnellement préparée avec des morceaux de poulet, des saucisses et des fruits de mer, elle est tout aussi succulente et somptueuse lorsqu'elle est préparée avec des légumes.

Donne 8 portions

15 ml	**huile d'olive**	**1 c. à table**
2	**oignons coupés en dés**	**2**
2	**gousses d'ail hachées finement**	**2**
2	**carottes coupées en dés**	**2**
1	**gros bulbe de fenouil ou de céleri paré et coupé grossièrement**	**1**
1	**poivron rouge coupé grossièrement**	**1**
125 g	**champignons coupés en quartiers**	**1/4 lb**
1	**boîte de 796 ml (28 oz) de tomates italiennes égouttées et coupées grossièrement**	**1**
500 ml	**riz non cuit**	**2 tasses**
1 pincée	**safran ou curcuma (facultatif)**	**1 pincée**
1 ml	**poivre**	**1/4 c. à thé**
750 ml	**bouillon de légumes maison (p. 62) chaud ou eau chaude**	**3 tasses**
250 ml	**maïs en grains frais ou congelé**	**1 tasse**
250 ml	**petits pois frais ou congelés**	**1 tasse**
125 g	**pois mange-tout parés**	**1/4 lb**
	sel au goût	

1. Chauffer l'huile dans une grande casserole. Ajouter les oignons et l'ail et faire revenir à feu doux pendant 5 minutes.
2. Ajouter les carottes, le fenouil, le poivron rouge et les champignons. Laisser cuire environ 5 minutes. Ajouter 50 ml (1/4 tasse) d'eau dès que le fond de la casserole semble s'assécher. Ajouter les tomates et le riz en remuant. Laisser cuire quelques minutes.
3. Ajouter au bouillon chaud le safran, le poivre et le sel. Verser le bouillon sur le riz et porter à ébullition. Couvrir et faire cuire à feu doux pendant 20 minutes ou jusqu'à ce que le riz soit cuit. (On peut aussi faire cuire ce plat au four préchauffé à 180 °C (350 °F) de 35 à 40 minutes.)
4. Parsemer le riz du maïs en grains, des petits pois et des pois mange-tout. Couvrir et faire cuire (dans la casserole ou au four) de 5 à 8 minutes. Remuer délicatement et servir.

LE FENOUIL

Le texture du fenouil ressemble à celle du céleri, et sa saveur douce et délicate rappelle celle de l'anis ou de la réglisse. Son parfum est habituellement plus prononcé lorsque le fenouil est cru, et très doux lorsqu'il est cuit. N'utilisez que le bulbe, car les tiges sont généralement fibreuses et dures. Les feuilles, qui ressemblent à celles de l'aneth, peuvent servir de garniture ou d'assaisonnement. Cru, le fenouil fera bonne figure dans vos salades, dans vos assiettes de crudités accompagnées de trempettes ou dans vos plateaux de fruits présentés au dessert.
Le fenouil peut également entrer dans la composition de soupes, de potages, de sauces pour pâtes et de plats d'accompagnement.

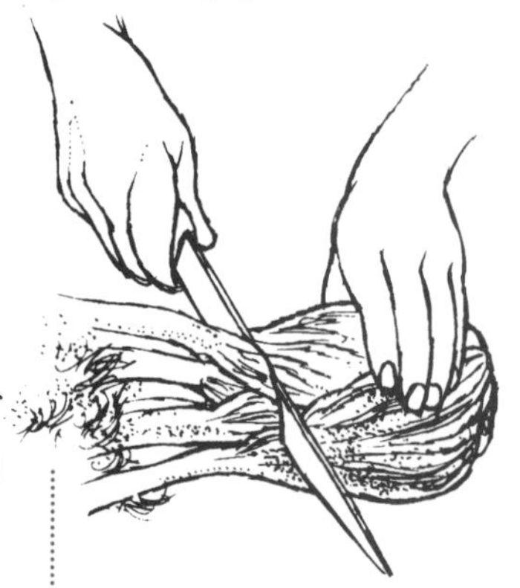

APPORT NUTRITIONNEL PAR PORTION

280	calories
57 g	glucides
4 g	fibres
3 g	matières grasses
trace	gras saturés
8 g	protéines

Excellente source de : vitamine A et vitamine C
Bonne source de : niacine, vitamine B_6 et acide folique

0 mg	cholestérol
229 mg	sodium
670 mg	potassium

Voir photo à la page 65.

MUFFULETTA VÉGÉTARIENNE

La muffuletta est un sandwich géant qui nous vient de la Nouvelle-Orléans. Elle est habituellement garnie avec des viandes froides, du fromage et une salade à base d'olives ; elle est savoureuse mais riche en matières grasses. La présente recette, réduite en matières grasses, est tout aussi savoureuse. On peut la servir immédiatement, mais elle est plus facile à couper lorsqu'on l'enveloppe et qu'on la place au réfrigérateur pendant au moins une heure au préalable.

Donne 8 portions

2	**aubergines d'environ 500 g (1 lb) chacune, coupées en tranches de 5 mm (1/4 po)**	**2**
1	**boîte de 540 ml (19 oz) de pois chiches rincés et égouttés**	**1**
25 ml	**jus de citron**	**2 c. à table**
15 ml	**huile de sésame**	**1 c. à table**
5 ml	**cumin moulu**	**1 c. à thé**
1	**gousse d'ail émincée**	**1**
2 ml	**sel**	**1/2 c. à thé**
2 ml	**poivre**	**1/2 c. à thé**
2 ml	**pâte de piment fort**	**1/2 c. à thé**
1	**miche italienne de 25 cm (10 po) de diamètre**	**1**
1	**poivron rouge rôti (p. 154) pelé et coupé grossièrement**	**1**
1	**poivron jaune rôti pelé et coupé grossièrement**	**1**
1	**botte de roquette ou de cresson paré**	**1**
75 ml	**pistou (p. 45)**	**1/3 tasse**

1. Préchauffer le barbecue ou le gril du four et faire griller les tranches d'aubergine jusqu'à ce qu'elles soient dorées des deux côtés. Réserver.
2. Réduire en purée les pois chiches avec le jus de citron, l'huile de sésame, le cumin, l'ail, le sel, le poivre et la pâte de piment fort. Rectifier l'assaisonnement ou allonger en ajoutant de l'eau au besoin.
3. Couper le pain en deux, horizontalement et retirer une partie de la mie (mettre de côté pour préparer de la chapelure ou des croûtons). Étendre la purée de pois chiches sur la partie inférieure ; recouvrir de couches successives de tranches d'aubergine, de poivrons rôtis et de roquette. Étendre le pistou sur la surface interne de la partie supérieure du pain, et placer celle-ci fermement sur le sandwich. Bien envelopper. Couper en pointes au moment de servir.

TARTINADES POUR SANDWICHES À FAIBLE TENEUR EN MATIÈRES GRASSES

- pistou (p. 45)
- salsas (p. 43)
- fromage de yogourt (p. 228) nature ou mélangé à de la salsa ou du pistou
- vinaigrettes et sauces à salade
- rouille (p. 154)
- hoummos (p. 37)
- tartinade de haricots blancs (p. 36)
- sauce à l'arachide (p. 86)
- tartinade d'aubergine (p. 34)
- purée de poivrons rouges rôtis (p. 154)
- sauce aux canneberges et à l'orange parfumée au gingembre (p. 182)
- chutney

APPORT NUTRITIONNEL PAR PORTION

371	calories
71 g	glucides
7 g	fibres
4 g	matières grasses
1 g	gras saturés
13 g	protéines

Excellente source de : vitamine C, thiamine, niacine, fer et acide folique

Bonne source de : vitamine A et vitamine B_6

1 mg	cholestérol
772 mg	sodium
610 mg	potassium

Sauté de tofu aux légumes

J'aime surtout le tofu lorsqu'il est cuit avec des assaisonnements à l'orientale. Si vous ne trouvez pas de tofu extra-ferme, prenez du tofu ordinaire et pressez-le avant de l'utiliser (voir la note explicative en marge).

Servez-le accompagné de riz étuvé (p. 50).

Donne de 4 à 6 portions

Sauce :

125 ml	**bouillon de légumes maison (p. 62) ou eau**	**1/2 tasse**
25 ml	**sauce soja**	**2 c. à table**
15 ml	**concentré de jus d'orange congelé**	**1 c. à table**
15 ml	**vin de riz ou saké**	**1 c. à table**
15 ml	**sucre granulé**	**1 c. à table**
10 ml	**zeste d'orange râpé, partagé**	**2 c. à thé**
1 ml	**poivre**	**1/4 c. à thé**
15 ml	**fécule de maïs**	**1 c. à table**
5 ml	**huile de sésame**	**1 c. à thé**

Sauté :

15 ml	**huile végétale**	**1 c. à table**
3	**gousses d'ail hachées finement**	**3**
15 ml	**gingembre frais haché finement**	**1 c. à table**
3	**oignons verts coupés en rondelles**	**3**
2 ml	**pâte de piment fort (facultatif)**	**1/2 c. à thé**
15 ml	**sauce de haricots noirs (p. 156)**	**1 c. à table**
1	**oignon coupé en huit morceaux**	**1**
1	**branche de céleri coupée en lamelles**	**1**
125 g	**champignons tranchés**	**1/4 lb**
1	**poivron rouge coupé en dés**	**1**
125 g	**pois mange-tout parés**	**1/4 lb**
500 g	**tofu extra-ferme coupé en cubes de 4 cm (1 1/2 po)**	**1 lb**

LE TOFU

Le tofu, ou fromage de haricots, est fait à partir du lait de soja qui, pressé et moulé, a l'apparence du flan. Vous choisirez les morceaux complets recouverts d'eau. Vérifiez bien la date de péremption avant l'achat. Conservez le tofu au réfrigérateur en changeant l'eau à tous les jours.

Je choisis habituellement le tofu extra-ferme mais, si vous n'en trouvez pas, enveloppez du tofu ordinaire dans un linge et placez-le sous un poids pendant 30 minutes pour en extraire l'excès de liquide.

1. Mélanger le bouillon, la sauce soja, le concentré de jus d'orange, le vin de riz, le sucre, 5 ml (1 c. à thé) de zeste d'orange, le poivre, la fécule de maïs et l'huile de sésame. Réserver.
2. Faire chauffer l'huile végétale dans un wok ou une grande poêle anti-adhésive jusqu'à ce qu'elle soit très chaude. Ajouter l'ail, le gingembre, les oignons verts, les 5 ml (1 c. à thé) de zeste d'orange qui restent, la pâte de piment fort et la sauce de haricots noirs. Faire revenir de 10 à 15 secondes ou jusqu'à ce que le tout soit très odorant.
3. Ajouter l'oignon, le céleri, les champignons et le poivron rouge et faire revenir à feu vif pendant 1 minute en remuant délicatement. Ajouter les pois mange-tout. Faire revenir pendant 30 secondes.
4. Bien brasser la sauce et verser sur les légumes. Cuire en remuant sans arrêt pendant 45 secondes ou jusqu'à ce que le liquide épaississe.
5. Éponger le tofu et ajouter aux légumes. Remuer doucement et faire cuire pendant quelques minutes pour que tout soit bien réchauffé et enrobé de sauce.

SOUPES-REPAS SANS VIANDE

Vous aurez soin de remplacer le bouillon de poulet par du bouillon de légumes ou par de l'eau dans la préparation de ces recettes.

- Soupe aux pois chiches et aux épinards (p. 61)
- Potage de lentilles aux légumes (p. 66)
- Potage de haricots blancs avec salsa à la verdure (p. 62)
- Soupe marocaine aux lentilles et aux pâtes (p. 64)
- Soupe de champignons aux haricots et à l'orge (p. 67)
- Soupe aux pois cassés à l'aneth (p. 70)
- Soupe de haricots noirs au yogourt et à la salsa épicée (p. 68)

APPORT NUTRITIONNEL PAR PORTION

238	calories
25 g	glucides
7 g	fibres
7 g	matières grasses
1 g	gras saturés
20 g	protéines

Excellente source de : vitamine C, calcium
Bonne source de : acide folique

0 mg	cholestérol
442 mg	sodium
587 mg	potassium

QUESADILLAS AU FROMAGE DE CHÈVRE ET AUX HARICOTS NOIRS

Voir photo à la page 96.

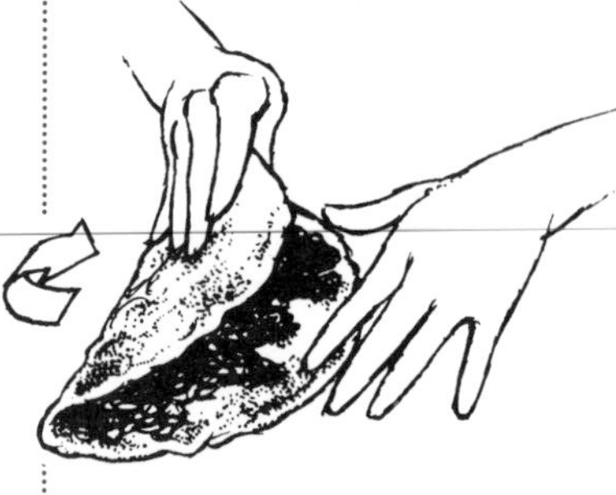

Vous pouvez couper ces quesadillas en pointes et les servir comme amuse-gueule. Ou encore, étalez-en des pointes sur une salade verte arrosée d'une vinaigrette légère avec un peu de salsa de tomate (p. 43), et servez le tout comme plat de résistance.

Les quesadillas peuvent être préparées à l'avance et réchauffées. (J'aime bien les faire griller pour en accentuer la saveur.) On peut aussi les laisser ouvertes et les servir comme des pizzas.

Donne 6 portions

250 ml	**haricots noirs cuits (p. 68)**	**1 tasse**
1	**tomate hachée et égouttée**	**1**
1	**poivron rouge, rôti de préférence (p. 154), pelé et haché**	**1**
1	**piment chipotle ou jalapeño haché (facultatif)**	**1**
1	**gousse d'ail émincée**	**1**
125 ml	**coriandre fraîche ou persil frais haché**	**1/2 tasse**
25 ml	**ciboulette fraîche ou oignons verts hachés**	**2 c. à table**
25 ml	**basilic frais haché**	**2 c. à table**
375 ml	**cheddar à faible teneur en matières grasses râpé**	**1 1/2 tasse**
125 ml	**fromage de chèvre ou feta émietté**	**1/2 tasse**
6	**tortillas de farine blanche de 25 cm (10 po) ou pitas de 20 cm (8 po) séparés**	**6**

1. Mélanger les haricots noirs, la tomate, le poivron rouge, le chipotle, l'ail, la coriandre fraîche, la ciboulette, le basilic, le cheddar et le fromage de chèvre.
2. Disposer les tortillas côte à côte sur le plan de travail. Bien étendre la garniture sur la moitié de chaque tortilla.
3. Rabattre la moitié non garnie sur la moitié garnie et presser légèrement.
4. Préchauffer le barbecue ou le gril du four et faire griller les quesadillas de 2 à 3 minutes de chaque côté ou jusqu'à ce qu'elles soient légèrement dorées. Ou disposer côte à côte sur une plaque à pâtisserie et faire cuire au four préchauffé à 200 °C (400 °F) de 7 à 10 minutes. Ou cuire quelques minutes de chaque côté dans une poêle anti-adhésive légèrement badigeonnée d'huile.

LES TORTILLAS

Je fais appel à deux variétés de tortillas dans le présent ouvrage : les tortillas de farine blanche et les tortillas de maïs. Elles ne sont pas toujours interchangeables, mais elles sont toutes deux excellentes. Les deux types se congèlent bien. Les tortillas de farine blanche sont vendues partout maintenant, et elles peuvent être utilisées telles quelles ou cuites. Je m'en sers comme pâte à pizza (p. 127), pour les fajitas (p. 171), les hors-d'œuvre roulés (p. 46) et les quesadillas (voir la recette sur cette page). Je m'en sers même pour préparer des sandwiches grillés au fromage. Je fais souvent cuire les tortillas de maïs au four pour en faire des croustilles (p. 87) ou je les fais réchauffer comme du pain, mais on peut également en faire des coquilles pour tacos ou des tortillas en paniers (p. 121).

APPORT NUTRITIONNEL PAR PORTION

340	calories
43 g	glucides
4 g	fibres
11 g	matières grasses
6 g	gras saturés
18 g	protéines

Excellente source de : vitamine C et calcium
Bonne source de : niacine, riboflavine, fer et acide folique

27 mg	cholestérol
546 mg	sodium
285 mg	potassium

Chili de haricots variés

Préparée avec une seule variété de haricots, cette recette donne d'excellents résultats. Ma variante préférée est une combinaison de haricots noirs, de petits haricots blancs, de haricots blancs ordinaires et de doliques à œil noir. Vous pouvez également remplacer les haricots secs par 1 litre (4 tasses) de haricots cuits ou en conserve.

Donne de 8 à 10 portions

500 ml	**haricots secs mélangés**	**2 tasses**
15 ml	**huile végétale**	**1 c. à table**
2	**oignons hachés**	**2**
4	**gousses d'ail hachées finement**	**4**
45 ml	**poudre de chili**	**3 c. à table**
5 ml	**cumin moulu**	**1 c. à thé**
5 ml	**paprika**	**1 c. à thé**
5 ml	**origan séché**	**1 c. à thé**
1	**boîte de tomates italiennes de 796 ml (28 oz) réduites en purée avec leur jus**	**1**
3	**piments chipotles ou jalapeños coupés en dés**	**3**
15 ml	**sauce adobo faite à partir de chipotles (facultatif)**	**1 c. à table**
2 ml	**poivre**	**1/2 c. à thé**
25 ml	**coriandre fraîche ou persil frais haché**	**2 c. à table**
	sel au goût	

1. Couvrir les haricots d'une généreuse quantité d'eau et laisser tremper toute la nuit au réfrigérateur. Bien égoutter et mettre dans une grande marmite. Couvrir d'eau, porter à ébullition et faire cuire pendant 30 minutes à feu doux.
2. Pendant ce temps, chauffer l'huile dans un faitout. Ajouter les oignons et l'ail et faire revenir à feu doux pendant 5 minutes ou jusqu'à ce qu'ils soient tendres et odorants. Ajouter la poudre de chili, le cumin, le paprika et l'origan. Faire cuire environ 30 secondes jusqu'à ce que tout soit bien mélangé. Ajouter en brassant les tomates, les chipotles et la sauce adobo. Poursuivre la cuisson pendant 10 minutes.
3. Bien égoutter les haricots et les ajouter à la sauce. Ajouter de l'eau au besoin pour que les haricots soient recouverts d'environ 2,5 cm (1 po) de liquide.
4. Faire cuire à couvert de 1 à 2 heures ou jusqu'à ce que les haricots soient tendres et que le mélange soit assez consistant. (Retirer le couvercle au besoin pour laisser réduire le liquide.) Ajouter le poivre, le sel et la coriandre fraîche. Assaisonner au goût.

LES HARICOTS EN CONSERVE ET LES HARICOTS SECS

Vous pouvez remplacer les haricots secs par des haricots en conserve. Les recettes exigeront alors moins de préparation et de cuisson, mais la consistance pourrait en être affectée et, de plus, les haricots en conserve ont une teneur plus élevée en sodium. Je rince toujours les haricots en conserve pour enlever autant de sel que possible.

Je fais volontiers appel aux haricots en conserve lorsqu'il s'agit de préparer des purées ou des potages mais, pour les salades, plats d'accompagnement et chilis, la consistance des haricots a une plus grande importance ; je préfère alors utiliser des haricots secs et les faire cuire moi-même.

LES TORTILLAS EN PANIERS

Disposez une tortilla de maïs dans un bol allant au four et superposez un deuxième bol sur le tout. Faites cuire au four à 200 °C (400 °F) de 10 à 15 minutes, jusqu'à ce que la tortilla garde la forme du bol.

APPORT NUTRITIONNEL PAR PORTION

215	calories
38 g	glucides
12 g	fibres
3 g	matières grasses
trace	gras saturés
12 g	protéines

Excellente source de : fer et acide folique
Bonne source de : vitamine A, vitamine C, thiamine, niacine et vitamine B_6

0 mg	cholestérol
198 mg	sodium
797 mg	potassium

GRATIN DE POLENTA

La polenta est aux Italiens ce que le gruau est aux Canadiens et ce que les « grits » sont aux habitants des états américains du sud. Pour nous, Nord-Américains, elle a un goût relativement nouveau mais, rapidement, nous sommes en train de l'adopter car elle est facilement disponible (elle se prépare simplement avec de la semoule de maïs) et a très bon goût !

Lorsqu'on fait cuire la polenta, il vaut mieux se servir d'une cuillère de bois à long manche car la préparation a tendance à éclabousser assez fortement en mijotant. Pour vous protéger davantage la main, enfilez une mitaine isolante.

Donne de 8 à 10 portions

Polenta :

1, 125 l	**eau**	**4 1/2 tasses**
2 ml	**sel**	**1/2 c. à thé**
1 ml	**poivre**	**1/4 c. à thé**
375 ml	**semoule de maïs (ordinaire ou instantanée)**	**1 1/2 tasse**

Sauce tomate :

15 ml	**huile d'olive**	**1 c. à table**
1	**oignon haché**	**1**
2	**gousses d'ail hachées finement**	**2**
1 pincée	**flocons de piment fort**	**1 pincée**
2	**boîtes de tomates italiennes de 796 ml (28 oz) avec leur jus**	**2**
2 ml	**poivre**	**1/2 c. à thé**
25 ml	**persil frais haché**	**2 c. à table**
250 g	**fromage ricotta à faible teneur en matières grasses émietté**	**1/2 lb**
50 ml	**pistou (p. 45)**	**1/4 tasse**
175 ml	**fromage mozzarella partiellement écrémé râpé**	**3/4 tasse**
25 ml	**fromage parmesan râpé**	**2 c. à table**
	sel au goût	

SALADES-REPAS SANS VIANDE

- Taboulé (p. 72)
- Salade de céréales variées (p. 73)
- Salade de haricots noirs, de maïs et de riz (p. 74)
- Salade sushi (p. 75)
- Salade de pain grillé et de tomates cerises (p. 81)
- Spaghettini aux légumes verts (p. 82)

1. Préparer la polenta à l'avance. Porter à ébullition l'eau, le sel et le poivre. Ajouter la semoule très lentement, en filet mince, en brassant sans arrêt à l'aide d'un fouet. Réduire le feu légèrement. Cuire à feu très doux pendant 5 minutes pour la semoule à cuisson rapide, et de 15 à 20 minutes pour la semoule ordinaire, jusqu'à ce que celle-ci ait épaissi et attendri. Remuer souvent. Rectifier l'assaisonnement au besoin.
2. Verser la polenta dans un moule à pain de 1,5 litre (8 po × 4 po) dont l'intérieur a été tapissé de papier ciré. Refroidir pendant quelques heures ou toute la nuit.
3. Pour préparer la sauce, chauffer l'huile dans un faitout. Ajouter l'oignon, l'ail et les flocons de piment fort et faire revenir à feu doux jusqu'à ce que le mélange soit très odorant et que les oignons soient ramollis.
4. Ajouter les tomates et faire cuire de 20 à 30 minutes, jusqu'à ce que le mélange épaississe. Réduire la sauce en purée. Ajouter le poivre, le sel et le persil. Rectifier l'assaisonnement au besoin.
5. Pour le montage, couvrir de 250 ml (1 tasse) de sauce tomate le fond d'un plat de 3,5 litres (13 po × 9 po) allant au four. Démouler la polenta et couper en tranches de 1 cm (1/2 po) d'épaisseur. Couper ensuite chaque tranche en diagonale. Disposer les tranches sur la sauce pour qu'elles se chevauchent. Parsemer de ricotta et de pistou. Étendre le reste de la sauce tomate et recouvrir de mozzarella et de parmesan.
6. Cuire au four préchauffé à 190 °C (375 °F) de 30 à 35 minutes ou jusqu'à ce que le dessus soit légèrement doré et que la préparation bouillonne. Laisser reposer de 5 à 10 minutes avant de servir.

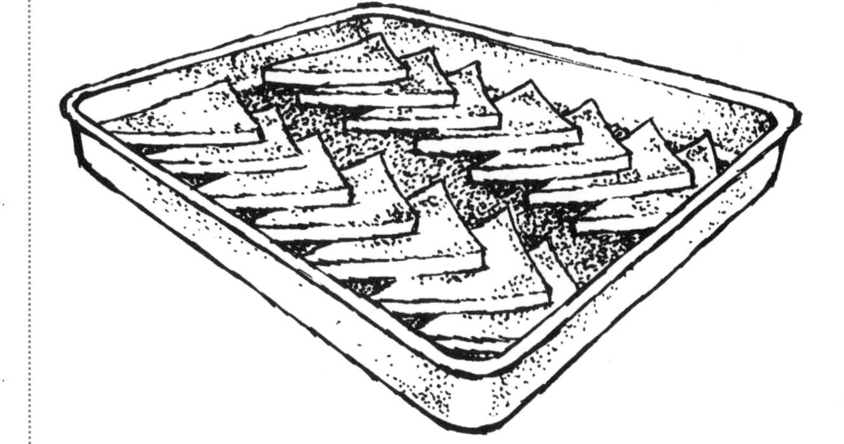

APPORT NUTRITIONNEL PAR PORTION

231	calories
33 g	glucides
4 g	fibres
7 g	matières grasses
3 g	gras saturés
11 g	protéines

Bonne source de : vitamine A, vitamine C, niacine, calcium et vitamine B_6

16 mg	cholestérol
611 mg	sodium
588 mg	potassium

RAGOÛT DE LÉGUMES À L'AIGRE-DOUCE

Ce plat de résistance présente des saveurs inattendues et très intéressantes. Servez-le accompagné de couscous ou de riz basmati, et ajoutez d'autres légumes, comme le chou-fleur, les haricots verts ou le brocoli, si vous le désirez.

Donne de 6 à 8 portions

10 ml	**huile d'olive**	**2 c. à thé**
2	**gousses d'ail hachées finement**	**2**
15 ml	**gingembre frais haché**	**1 c. à table**
3	**gros poireaux parés et coupés en rondelles épaisses**	**3**
2	**carottes coupées en rondelles de 1 cm (1/2 po) d'épaisseur**	**2**
1	**bulbe de fenouil paré et coupé grossièrement**	**1**
2	**pommes de terre pelées et coupées grossièrement**	**2**
2	**patates douces pelées et coupées grossièrement**	**2**
500 g	**courge musquée pelée et coupée grossièrement**	**1 lb**
50 ml	**vinaigre de riz ou vinaigre de cidre**	**1/4 tasse**
50 ml	**miel**	**1/4 tasse**
5 ml	**pâte de piment fort**	**1 c. à thé**
5 ml	**poudre cinq-épices**	**1 c. à thé**
1	**boîte de 796 ml (28 oz) de tomates italiennes non égouttées et réduites en purée**	**1**
2	**épis de maïs coupés en deux dans le sens de la longueur, puis en morceaux de 2,5 cm (1 po)**	**2**
1	**boîte de 540 ml (19 oz) de pois chiches rincés et égouttés, ou 500 ml (2 tasses) de pois chiches cuits**	**1**
5 ml	**huile de sésame**	**1 c. à thé**
50 ml	**coriandre fraîche ou persil frais haché**	**1/4 tasse**
50 ml	**basilic frais haché**	**1/4 tasse**

LA POUDRE CINQ-ÉPICES

La poudre cinq-épices a un léger parfum d'anis ou de réglisse ; on peut très souvent la remplacer par la poudre de cari, bien que le goût soit très différent. Vous préparerez votre propre poudre cinq-épices en mélangeant bien, et en quantités égales, des graines d'anis ou de fenouil moulues, de la coriandre moulue, de la cannelle moulue, du poivre moulu et du clou de girofle moulu.

1. Chauffer l'huile d'olive dans un faitout. Ajouter l'ail, le gingembre et les poireaux. Faire cuire à feu doux jusqu'à ce que les poireaux deviennent transparents. (Ajouter quelques cuillerées d'eau si la casserole paraît sèche.)
2. Ajouter les carottes, le fenouil, les pommes de terre, les patates douces et la courge. Bien mélanger et laisser cuire environ 20 minutes.
3. Ajouter le vinaigre, le miel, la pâte de piment fort et la poudre cinq-épices. Porter à ébullition.
4. Ajouter les tomates, le maïs et les pois chiches. Poursuivre la cuisson à découvert de 10 à 15 minutes ou jusqu'à ce que le tout ait épaissi et ait une apparence de ragoût.
5. Ajouter l'huile de sésame, la coriandre fraîche et le basilic. Rectifier l'assaisonnement au besoin.

REPAS DE PÂTES SANS VIANDE

Vous pouvez remplacer le bouillon de poulet par du bouillon de légumes ou par de l'eau dans la préparation de ces recettes.

- Pâtes au poivron rouge et à l'aubergine (p. 98)
- Penne arrabbiata (p. 99)
- Penne aux pommes de terre et au rappini (p. 100 – omettre les anchois)
- Spaghetti puttanesca (p. 101)
- Spaghetti de fiston (avec sauce tomate nature) (p. 102)
- Spaghettini au maïs (p. 103)
- Pâtes aux tomates et aux haricots (p. 104)
- Pâtes aux tomates et à la ricotta (p. 106 – omettre la pancetta)
- Nouilles aux légumes, sauce aux arachides (p. 107)

APPORT NUTRITIONNEL PAR PORTION

399	calories
86 g	glucides
10 g	fibres
5 g	matières grasses
1 g	gras saturés
11 g	protéines

Excellente source de : vitamine A, vitamine C, thiamine, niacine, fer, vitamine E, vitamine B_6 et acide folique
Bonne source de : riboflavine et calcium

0 mg	cholestérol
433 mg	sodium
1405 mg	potassium

« CASSOULET » D'OIGNONS

Bien que j'aie toujours considéré le cassoulet comme un ragoût de haricots et de viandes de choix, j'ai vu récemment des cassoulets préparés à partir de homard et de saumon ; alors pourquoi pas une variante végétarienne ? On peut remplacer les haricots secs par deux boîtes de 540 ml (19 oz) de haricots en conserve rincés et égouttés.

Donne 8 portions

500 g	**petits haricots blancs, haricots canneberges ou haricots blancs ordinaires, soit environ 500 ml (2 tasses)**	**1 lb**
15 ml	**huile d'olive**	**1 c. à table**
8	**gros oignons coupés en tranches épaisses**	**8**
4	**gousses d'ail hachées finement**	**4**
12	**gousses d'ail pelées**	**12**
1 ml	**flocons de piment fort**	**1/4 c. à thé**
1	**boîte de 796 ml (28 oz) de tomates italiennes réduites en purée avec leur jus**	**1**
250 ml	**vin blanc sec, bouillon de légumes ou eau**	**1 tasse**
10 ml	**romarin frais haché ou 2 ml (1/2 c. à thé) de romarin séché**	**2 c. à thé**
10 ml	**thym frais haché ou 2 ml (1/2 c. à thé) de thym séché**	**2 c. à thé**
2 ml	**poivre**	**1/2 c. à thé**
	sel au goût	

Garniture :

250 ml	**chapelure fraîche**	**1 tasse**
25 ml	**persil frais haché**	**2 c. à table**
15 ml	**huile d'olive**	**1 c. à table**

LA CUISSON DES HARICOTS SECS

Les haricots secs sont riches en fibres ; de plus, ils contiennent des protéines et très peu de matières grasses. Avant de les faire cuire, il faut les réhydrater. Je fais généralement tremper les haricots de 3 à 4 heures à la température ambiante ou toute la nuit au réfrigérateur. Rincez et égouttez les haricots après trempage, puis couvrez-les généreusement d'eau froide. Portez à ébullition, écumez avec soin, réduisez le feu et laissez mijoter à feu doux jusqu'à ce qu'ils soient tendres. Si vous voulez que les haricots aient une consistance crémeuse, cuisez-les à couvert ; si vous les désirez plus fermes, cuisez-les à découvert. Il faut généralement compter de 1 à 1 1/2 heure pour qu'ils soient tendres, mais le temps de cuisson varie avec l'âge et la variété des haricots.

Bien que je préfère la méthode de cuisson des haricots décrite ci-dessus, il existe une méthode qui en accélère le trempage. Portez à ébullition les haricots recouverts d'une généreuse quantité d'eau. Retirez du feu et laisser reposer 1 heure. Égouttez, couvrez d'eau à nouveau et faites cuire les haricots jusqu'à ce qu'ils soient tendres, soit environ 1 heure.

1. Rincer les haricots et faire tremper à l'eau froide pendant quelques heures à la température ambiante ou toute la nuit au réfrigérateur. Égoutter et rincer. Mettre dans une grande marmite et couvrir d'eau froide. Porter à ébullition. Écumer avec soin. Réduire le feu et laisser mijoter à feu doux pendant 1 heure. Bien égoutter.
2. Pendant ce temps, chauffer 15 ml (1 c. à table) d'huile dans un faitout. Ajouter les oignons, l'ail haché et entier et les flocons de piment fort et faire revenir à feu doux pendant environ 20 minutes, jusqu'à ce que les oignons ramollissent.
3. Ajouter les tomates, le vin, le romarin, le thym, le poivre et le sel et porter à ébullition. Laisser mijoter à couvert pendant 30 minutes.
4. Ajouter les haricots et bien mélanger. (Si le mélange est très liquide, continuer la cuisson à découvert pendant environ 15 minutes ou jusqu'à ce qu'il n'y ait plus d'excès de liquide.) Rectifier l'assaisonnement au besoin.
5. Transférer le mélange de haricots dans une grande terrine peu profonde contenant environ 3 litres (3 pintes). Mélanger la chapelure avec le persil et 15 ml (1 c. à table) d'huile d'olive. Parsemer les haricots de ce mélange. Cuire au four préchauffé à 180 °C (350 °F) pendant 30 minutes.

LES HARICOTS SECS

- Les haricots cannellini, les haricots blancs et les haricots Great Northern sont semblables et interchangeables. On les trouve aussi en conserve au supermarché.
- Les petits haricots blancs sont petits et ronds. J'en raffole dans les plats de haricots au four, les potages et les salades de haricots.
- Les haricots rouges sont le plus souvent associés à la préparation des chilis et des salades de haricots. On les trouve aussi en conserve.
- Les haricots noirs (Black turtle) entrent dans le composition de chilis, soupes et salades. On en trouve quelquefois en conserve.

APPORT NUTRITIONNEL PAR PORTION

327	calories
58 g	glucides
14 g	fibres
5 g	matières grasses
1 g	gras saturés
15 g	protéines

Excellente source de : thiamine, fer, vitamine B_6 et acide folique
Bonne source de : vitamine C, niacine et calcium

0 mg	cholestérol
200 mg	sodium
987 mg	potassium

SAUTÉ DE RIZ AUX LÉGUMES PRINTANIERS

Voici un plat magnifique tant pour l'œil que pour le palais. Vous pouvez remplacer le riz blanc par du riz brun et varier les légumes. Vous coifferez chaque portion, si vous le désirez, d'un morceau de saumon ou de bar grillé.

Donne de 6 à 8 portions

500 ml	**riz à grains longs, basmati de préférence**	**2 tasses**
675 ml	**eau froide**	**2¾ tasses**
10 ml	**huile d'olive**	**2 c. à thé**
1	**gousse d'ail hachée finement**	**1**
25 ml	**gingembre frais haché finement**	**2 c. à table**
1	**échalote ou petit oignon haché finement**	**1**
1	**carotte coupée en diagonale en rondelles minces**	**1**
125 g	**haricots verts coupés en diagonale**	**¼ lb**
1	**poivron rouge tranché**	**1**
1	**botte d'asperges parées et tranchées en diagonale**	**1**
125 ml	**maïs en grains frais ou congelé**	**½ tasse**
125 ml	**petits pois frais ou congelés**	**½ tasse**
3	**oignons verts tranchés**	**3**
50 ml	**vinaigre de riz ou vinaigre de cidre**	**¼ tasse**
25 ml	**coriandre fraîche ou persil frais haché**	**2 c. à table**

1. Bien rincer le riz. Mettre dans une grande casserole et ajouter l'eau froide. Porter à ébullition. Réduire le feu de moitié et faire cuire à découvert jusqu'à ce que l'eau soit évaporée. Couvrir et poursuivre la cuisson à feu très doux pendant 10 minutes.
2. Pendant ce temps, chauffer l'huile dans un wok ou dans une poêle profonde. Ajouter l'ail, le gingembre et l'échalote. Faire revenir à feu doux pendant quelques minutes, jusqu'à ce que le tout soit tendre et odorant.
3. Ajouter la carotte et faire cuire pendant 2 minutes. Ajouter les haricots verts, le poivron rouge et les asperges et faire revenir pendant 2 minutes. Ajouter le maïs, les petits pois et les oignons verts et réchauffer à fond. Retirer du feu.
4. Au moment de servir, ajouter le riz aux légumes et remuer délicatement. Ajouter le vinaigre et la coriandre fraîche et remuer. Rectifier l'assaisonnement au besoin.

L'OIGNON VERT ET L'ÉCHALOTE

L'oignon vert (en anglais, green onion ou scallion) est un bulbe d'oignon jaune cueilli avant maturité. L'échalote est un légume complètement différent et ressemble davantage à l'ail qu'à l'oignon. Son goût se situe un peu entre ceux de l'oignon et de l'ail, mais sa saveur est très particulière. Pour remplacer l'échalote cuite, j'utilise un petit oignon et une demi-gousse d'ail. Si je dois remplacer l'échalote crue (pour une vinaigrette, par exemple), j'utilise habituellement de l'oignon vert.

APPORT NUTRITIONNEL PAR PORTION

290	calories
60 g	glucides
4 g	fibres
2 g	matières grasses
trace	gras saturés
8 g	protéines

Excellente source de : vitamine A, vitamine C, acide folique
Bonne source de : vitamine B_6

0 mg	cholestérol
29 mg	sodium
340 mg	potassium

Bouillabaisse provençale à la rouille *(page 154)* ▶

PIZZA À LA PÂTE ÉCLAIR

J'adore cette pizza à la pâte éclair. Elle est parfaite pour les enfants car ils n'ont pas à attendre que la pâte soit levée!

Donne 8 portions

4	**grosses tomates coupées en deux, épépinées et hachées**	**4**
75 ml	**basilic ou persil frais haché**	**1/3 tasse**
2	**gousses d'ail émincées**	**2**
1 ml	**poivre**	**1/4 c. à thé**
	sel au goût	

Pâte éclair :

500 ml	**farine tout usage**	**2 tasses**
300 ml	**farine de blé entier**	**1 1/4 tasse**
75 ml	**semoule de maïs**	**1/3 tasse**
15 ml	**sucre granulé**	**1 c. à table**
15 ml	**romarin frais haché ou 2 ml (1/2 c. à thé) de romarin séché**	**1 c. à table**
2 ml	**sel**	**1/2 c. à thé**
10 ml	**levure chimique**	**2 c. à thé**
5 ml	**bicarbonate de sodium**	**1 c. à thé**
400 ml	**yogourt à faible teneur en matières grasses**	**1 2/3 tasse**
45 ml	**huile d'olive**	**3 c. à table**
250 ml	**fromage mozzarella partiellement écrémé râpé**	**1 tasse**
50 ml	**fromage parmesan râpé**	**1/4 tasse**

1. Mélanger les tomates, le basilic, l'ail, le poivre et le sel. Réserver.
2. Préparer la pâte en mélangeant les farines avec la semoule de maïs, le sucre, le romarin, le sel, la levure chimique et le bicarbonate de sodium. Bien brasser. Mélanger le yogourt avec l'huile. Verser sur les ingrédients secs, pétrir la pâte délicatement et former une boule. Badigeonner légèrement d'huile un plat de 2 litres (15 po × 10 po) allant au four. Étendre la pâte également dans le plat en pressant.
3. Parsemer la pâte de la moitié de la mozzarella. Égoutter le mélange de tomates et étendre sur le fromage. Parsemer du reste de la mozzarella et saupoudrer de parmesan.
4. Cuire au four préchauffé à 200 °C (400 °F) de 20 à 25 minutes ou jusqu'à ce que la pizza soit gonflée et que le fromage soit légèrement doré. Couper en carrés.

APPORT NUTRITIONNEL PAR PORTION

354	calories
52 g	glucides
5 g	fibres
10 g	matières grasses
4 g	gras saturés
15 g	protéines

Excellente source de : niacine et calcium
Bonne source de : thiamine, riboflavine et fer

13 mg	cholestérol
531 mg	sodium
442 mg	potassium

◀ Moule à la sauce de haricots noirs fermentés *(page 156)*

CROQUETTES FALAFEL AUX LÉGUMES

J'adore le goût et la texture des falafels israéliens et j'en ai incorporé les plus savoureux éléments dans ces croquettes végétariennes. Vous les servirez sur des pitas avec la sauce, ou encore vous les couperez en quartiers pour les servir en hors-d'œuvre accompagnés d'une trempette de sauce au tahini ou de sauce à salade du Moyen-Orient (voir la note explicative en marge). Vous pourrez également les servir accompagnés de tranches de tomate et de concombre.

Donne 8 croquettes

1 l	**pois chiches cuits ou 2 boîtes de 540 ml (19 oz) de pois chiches rincés et égouttés**	**4 tasses**
1	**boîte de 284 ml (10 oz) de champignons égouttés et épongés**	**1**
4	**tranches de pain imbibées d'eau et pressées pour enlever l'excès d'eau**	**4**
5 ml	**bicarbonate de sodium**	**1 c. à thé**
2	**gousses d'ail émincées**	**2**
1	**petit oignon haché finement**	**1**
1	**petite carotte râpée**	**1**
125 ml	**persil frais haché**	**½ tasse**
15 ml	**cumin moulu**	**1 c. à table**
5 ml	**coriandre moulue**	**1 c. à thé**
5 ml	**sauce piquante au piment (facultatif)**	**1 c. à thé**
5 ml	**sel**	**1 c. à thé**
5 ml	**poivre**	**1 c. à thé**

SAUCE À SALADE DU MOYEN-ORIENT

Mélanger ensemble 1 gousse d'ail émincée, 4 ml (¾ c. à thé) de cumin moulu, 4 ml (¾ c. à thé) de paprika, 2 ml (½ c. à thé) de piment de Cayenne, 125 ml (½ tasse) de fromage de yogourt crémeux (p. 228) ou de yogourt ferme et 15 ml (1 c. à table) de jus de citron. Ajouter en brassant 25 ml (2 c. à table) de coriandre fraîche ou de persil frais haché et 25 ml (2 c. à table) de mayonnaise (facultatif).

Donne environ 125 ml (½ tasse).

Sauce au tahini :

125 ml	**fromage de yogourt crémeux (p. 228) ou yogourt ferme**	**1/2 tasse**
25 ml	**tahini**	**2 c. à table**
15 ml	**jus de citron**	**1 c. à table**
1	**gousse d'ail émincée**	**1**
1 ml	**sauce piquante au piment**	**1/4 c. à thé**
25 ml	**menthe fraîche hachée ou 2 ml (1/2 c. à thé) de menthe séchée**	**2 c. à table**
25 ml	**coriandre fraîche ou persil frais haché**	**2 c. à table**
	sel au goût	

1. À l'aide du robot culinaire, hacher les pois chiches, les champignons, le pain et le bicarbonate de sodium jusqu'à ce que le tout soit haché finement sans former une pâte (hacher par petites quantités au besoin). Ajouter l'ail, l'oignon, la carotte, le persil, le cumin, la coriandre moulue, la sauce piquante au piment, le sel et le poivre. Mélanger légèrement et former 8 croquettes avec le mélange.
2. Disposer ces croquettes côte à côte et cuire au four préchauffé à 180 °C (350 °C) pendant 30 minutes. Ou badigeonner d'huile une grande poêle antiadhésive, chauffer et faire revenir les croquettes de chaque côté jusqu'à ce qu'elles soient dorées et croustillantes.
3. Pour préparer la sauce, mélanger au robot culinaire ou au mélangeur le fromage de yogourt, le tahini, le jus de citron, l'ail, la sauce piquante au piment et le sel. Ajouter la menthe et la coriandre fraîche et mélanger. Rectifier l'assaisonnement au besoin. Servir les croquettes accompagnées de la sauce.

PLATS DE RÉSISTANCE DE LÉGUMES SANS VIANDE

Vous pouvez remplacer le bouillon de poulet par du bouillon de légumes ou par de l'eau dans la préparation de ces recettes.

- Polenta crémeuse au maïs et à l'ail rôti (p. 213)
- Haricots blancs braisés (p. 218)
- Couscous à l'orientale (p. 220)
- Pilaf de céréales variées (p. 221)
- Pilaf de riz navajo (p. 222)
- Riz aux pâtes et aux pois chiches (p. 223)
- Risotto à la courge (p. 224)

APPORT NUTRITIONNEL PAR PORTION
(1 croquette)

228	calories
36 g	glucides
5 g	fibres
5 g	matières grasses
1 g	gras saturés
12 g	protéines

Excellente source de : fer et acide folique
Bonne source de : vitamine A, thiamine et niacine

2 mg	cholestérol
611 mg	sodium
416 mg	potassium

FRITTATA DE BLANCS D'ŒUFS AUX POMMES DE TERRE ET AU BROCOLI

Si vous aimez les œufs vous trouverez merveilleux d'offrir de temps à autre une omelette ou une frittata qui ne contient pas de cholestérol. (Vous pourriez également utiliser deux œufs entiers et six blancs d'œufs, pourvu que vous ayez finalement dix parties d'œuf au total !)

Voici une recette aussi délicieuse chaude que froide, servie en pointes sur une salade et accompagnée de salsa. Les restes font d'excellents sandwiches ou, découpés en morceaux, ils coiffent merveilleusement les salades.

Donne de 6 à 8 portions

500 g	**brocoli, rappini ou bette à carde, paré et coupé en dés**	**1 lb**
20 ml	**huile d'olive, partagée**	**4 c. à thé**
1	**oignon haché**	**1**
2	**gousses d'ail hachées finement**	**2**
2	**pommes de terre, soit environ 500 g (1 lb), pelées et coupées en dés**	**2**
1 ml	**flocons de piment fort**	**1/4 c. à thé**
50 ml	**persil frais haché**	**1/4 tasse**
10	**blancs d'œufs**	**10**
50 ml	**eau**	**1/4 tasse**
1 ml	**poivre**	**1/4 c. à thé**
2 ml	**sel**	**1/2 c. à thé**

1. Porter une grande casserole d'eau à ébullition. Ajouter les brocolis et cuire environ 5 minutes. Bien égoutter.

2. Faire chauffer 10 ml (2 c. à thé) d'huile dans une grande poêle antiadhésive. Ajouter l'oignon et l'ail et faire revenir à feu doux jusqu'à ce qu'ils soient tendres mais sans laisser brunir. Éponger les pommes de terre et ajouter au contenu de la poêle ainsi que les flocons de piment fort. Faire revenir jusqu'à ce que les pommes de terre soient tendres, environ 10 minutes. Ajouter les brocolis et le persil et bien mélanger. Refroidir.

LES POÊLES ANTIADHÉSIVES

Les poêles antiadhésives se sont améliorées énormément au cours des dernières années. Les nouvelles poêles ont un revêtement antiadhésif cuit au four qu'il est presque impossible d'enlever. Ces poêles sont faites de métaux très durs et sont souvent garanties pour vingt ans et plus.

3. Dans un grand bol, battre les blancs d'œufs avec l'eau, le poivre et le sel jusqu'à ce que le tout soit légèrement mousseux. Ajouter les légumes et bien mélanger.
4. Essuyer la poêle et y faire chauffer les 10 ml (2 c. à thé) d'huile qui restent. Lorsque l'huile est chaude, ajouter le mélange d'œufs. Laisser cuire le fond. À l'aide d'un couteau, décoller les bords de la frittata pour qu'une partie des œufs non cuits puissent passer dessous.
5. On peut faire cuire la frittata au four préchauffé à 180 °C (350 °F) pendant 15 minutes, mais il est plus intéressant de la glisser sur une plaque à pâtisserie puis de la renverser dans la poêle pour faire cuire l'autre côté environ 5 minutes. Glisser sur un plat de service et couper en pointes.

Apport nutritionnel par portion

128	calories
17 g	glucides
3 g	fibres
3 g	matières grasses
1 g	gras saturés
9 g	protéines

Excellente source de : vitamine C
Bonne source de : riboflavine, vitamine B_6 et acide folique

0 mg	cholestérol
301 mg	sodium
478 mg	potassium

Ribollita

La ribollita est très populaire en Toscane, où elle sert à récupérer les restes de minestrone et du fameux pain toscan. Cependant, nombreux sont ceux qui la préfèrent au minestrone proprement dit et qui font la soupe surtout à cette fin. Je prépare habituellement cette recette dans un plat de service allant au four. Parfois on ajoute simplement le pain à la soupe et on laisse mijoter jusqu'à ce que le tout épaississe.

Si vous préparez cette recette à l'aide d'un reste de minestrone, vous adapterez les quantités de pain et de fromage à la quantité de soupe dont vous disposez. Improvisez !

Donne de 8 à 10 portions

15 ml	**huile d'olive**	**1 c. à table**
1	**oignon haché**	**1**
3	**gousses d'ail hachées finement**	**3**
1 pincée	**flocons de piment fort**	**1 pincée**
1	**carotte coupée en dés**	**1**
1	**branche de céleri coupée en dés**	**1**
1	**courgette moyenne coupée en dés**	**1**
750 ml	**chou haché**	**3 tasses**
1 l	**bouillon de légumes maison (p. 62) ou eau**	**4 tasses**
2	**boîtes de 796 ml (28 oz) de tomates italiennes avec leur jus**	**2**
1	**boîte de 540 ml (19 oz) de haricots blancs rincés et égouttés, ou 500 ml (2 tasses) de haricots cuits**	**1**
1	**botte de bette à carde ou de rappini haché**	**1**
250 ml	**petites pâtes à soupe**	**1 tasse**
2 ml	**poivre**	**1/2 c. à thé**
50 ml	**basilic ou persil frais haché**	**1/4 tasse**
8	**tranches épaisses de pain italien**	**8**
125 ml	**fromage parmesan râpé**	**1/2 tasse**
	sel au goût	

PLATS DE RÉSISTANCE SANS VIANDE POUR LE PETIT DÉJEUNER ET LE BRUNCH

- Pain doré au four (p. 231)
- Crêpes à la ricotta et au citron (p. 232)
- Crêpes aux flocons d'avoine et babeurre (p. 233)
- Crêpes multigrain (p. 234)
- Crêpes levées à la poire caramélisée (p. 235)
- Pizza du petit déjeuner (p. 238)
- Soufflé de chèvre aux fines herbes (p. 236)

1. Chauffer l'huile dans un grand faitout. Ajouter l'oignon, l'ail et les flocons de piment fort. Faire revenir à feu doux pendant quelques minutes, jusqu'à ce que le tout soit tendre.
2. Ajouter la carotte, le céleri, la courgette et le chou. Faire cuire 5 minutes pour ramollir légèrement les légumes.
3. Ajouter le bouillon et les tomates et porter à ébullition en défaisant les tomates à la cuillère. Laisser cuire pendant 30 minutes ou jusqu'à ce que les légumes soient tendres.
4. Ajouter les haricots, la bette à carde et les pâtes et poursuivre la cuisson pendant 15 minutes. Ajouter le poivre, le sel et le basilic en brassant. Rectifier l'assaisonnement au besoin.
5. Couvrir le fond d'un plat de 3,5 litres (13 po × 9 po) allant au four d'un rang de pain. Recouvrir de soupe et parsemer de fromage. Répéter ces opérations.
6. Cuire au four préchauffé à 180 °C (350 °F) de 20 à 25 minutes ou jusqu'à ce que la surface soit dorée et qu'elle bouillonne.

APPORT NUTRITIONNEL PAR PORTION

327	calories
57 g	glucides
10 g	fibres
5 g	matières grasses
2 g	gras saturés
15 g	protéines

Excellente source de : vitamine A, vitamine C, niacine, fer et acide folique
Bonne source de : thiamine, riboflavine, calcium, vitamine E et vitamine B_6

5 mg	cholestérol
757 mg	sodium
1038 mg	potassium

Brochettes de tofu grillé

Vous pourrez utiliser cette recette pour préparer des brochettes (si vous utilisez des brochettes de bois, faites-les tremper au moins 1 heure avant de vous en servir) ou encore vous pourrez faire mariner le morceau de tofu entier puis le faire griller comme une pièce de viande. Quand je fais des brochettes, j'utilise deux brochettes au lieu d'une, ce qui empêche les aliments de pivoter autour de la brochette quand on la retourne. Servez les brochettes sur un lit de riz à la vapeur ou de couscous.

Donne 4 portions (8 brochettes)

500 g	**tofu extra-ferme ou tofu ordinaire pressé (p. 118) coupé en 16 cubes**	**1 lb**
1	**oignon rouge coupé en 16 morceaux**	**1**
1	**courgette coupée en 16 morceaux**	**1**
16	**chapeaux de champignons**	**16**
1	**poivron rouge coupé en 16 morceaux**	**1**

Marinade :

50 ml	**sauce hoisin**	**¼ tasse**
25 ml	**sauce de haricots noirs**	**2 c. à table**
25 ml	**vinaigre de riz**	**2 c. à table**
25 ml	**ketchup**	**2 c. à table**
25 ml	**miel**	**2 c. à table**
15 ml	**sauce soja**	**1 c. à table**
5 ml	**huile de sésame**	**1 c. à thé**

1. Mettre le tofu dans un grand récipient plat et les légumes dans un autre grand plat.
2. Mélanger tous les ingrédients de la marinade. Verser-la en la partageant entre le tofu et les légumes et remuer doucement.
3. Enfiler le tofu et les légumes sur deux brochettes à la fois. Vous devriez obtenir 8 brochettes.
4. Tapisser une plaque à pâtisserie de papier d'aluminium et badigeonner d'huile végétale. Disposer les brochettes sur le plat huilé et placer sous le gril du four ou sur le barbecue pendant quelques minutes de chaque côté, jusqu'à ce qu'elles soient dorées.

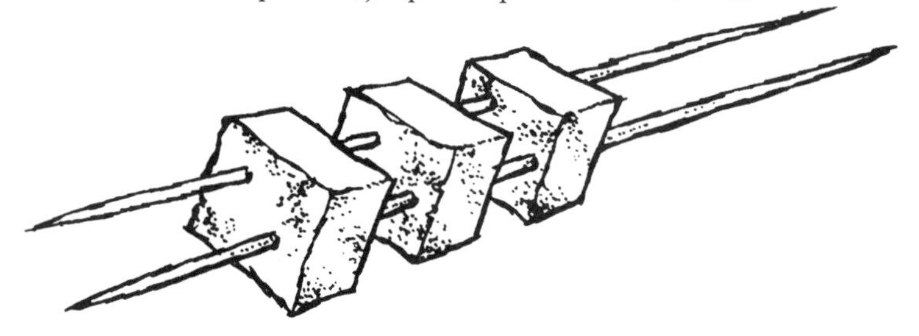

LE RIZ FRIT

Ma sœur utilise les restes de riz pour ce simple plat de riz frit que nous aimons tous.

Faire chauffer 5 ml (1 c. à thé) d'huile végétale dans une grande poêle antiadhésive. Ajouter 1 gousse d'ail hachée et 2 oignons verts hachés. Faire revenir à feu doux jusqu'à ce que le tout soit tendre, en ajoutant 25 ml (2 c. à table) d'eau si les légumes commencent à coller. Ajouter 1 œuf battu et cuire en brassant et en défaisant les morceaux d'œuf. Ajouter 750 ml (3 tasses) de riz cuit et 125 ml (½ tasse) de petits pois. Cuire en brassant constamment jusqu'à ce que le tout soit bien chaud. Ajouter 15 ml (1 c. à table) de sauce soja. Rectifier l'assaisonnement au besoin.

Donne de 3 à 4 portions.

APPORT NUTRITIONNEL PAR PORTION

250	calories
35 g	glucides
8 g	fibres
4 g	matières grasses
trace	gras saturés
21 g	protéines

Excellente source de : vitamine C et calcium
Bonne source de : niacine, vitamine B_6 et acide folique

0 mg	cholestérol
522 mg	sodium
787 mg	potassium

LE POISSON ET LES FRUITS DE MER

Saumon en croûte aux graines de sésame

Saumon rôti aux lentilles

Saumon vapeur à la sauce coréenne

Flétan poché au four, vinaigrette aux fines herbes

Bar ou saumon glacé à la sauce hoisin

Fricadelles de thon ou d'espadon à l'orientale

Thon grillé accompagné de salade de pâtes japonaises

Vivaneau au four aux piments forts

Poisson-frites au four

Espadon à l'aigre-douce

Espadon teriyaki

Poisson gefilte avec salade de raifort aux betteraves

Bouillabaisse provençale à la rouille

Moules à la sauce de haricots noirs fermentés

Risotto aux fruits de mer et aux poivrons

Filets de poisson au romarin

SAUMON EN CROÛTE AUX GRAINES DE SÉSAME

Voici l'un de mes mets préférés.

Donne 6 portions

6	**filets de saumon frais de 125 g (4 oz) sans la peau**	**6**
15 ml	**miel**	**1 c. à table**
15 ml	**sauce soja**	**1 c. à table**
5 ml	**moutarde au miel**	**5 ml**
15 ml	**graines de sésame**	**1 c. à table**

Sauce au gingembre et à l'orange :

1	**gousse d'ail émincée**	**1**
5 ml	**gingembre émincé**	**1 c. à thé**
45 ml	**jus d'orange**	**3 c. à table**
25 ml	**sauce soja**	**2 c. à table**
25 ml	**vinaigre de riz ou vinaigre balsamique**	**2 c. à table**
10 ml	**huile de sésame**	**2 c. à thé**
10 ml	**miel**	**2 c. à thé**
1 ml	**sauce piquante au piment**	**¼ c. à thé**
3 l	**laitues variées**	**12 tasses**
500 g	**asperges parées, cuites et coupées en bouts de 5 cm (2 po)**	**1 lb**
1	**poivron rouge coupé en lanières**	**1**
1	**orange pelée et séparée en quartiers**	**1**
25 ml	**coriandre ou persil frais haché**	**2 c. à table**
25 ml	**ciboulette fraîche ou oignons verts hachés**	**2 c. à table**

1. Éponger les filets de saumon. Dans un petit bol, mélanger le miel, la sauce soja et la moutarde. Enrober le saumon de ce mélange. Saupoudrer de graines de sésame.
2. Badigeonner légèrement d'huile une poêle antiadhésive allant au four. Y mettre le saumon et cuire 1 minute de chaque côté. Transférer dans un four préchauffé à 220 °C (425 °F). Laisser cuire de 7 à 8 minutes.
3. Sauce au gingembre et à l'orange : battre au fouet l'ail, le gingembre, le jus d'orange, la sauce soja, le vinaigre, l'huile de sésame, le miel et la sauce piquante au piment. Incorporer la sauce dans la laitue, les asperges, le poivron rouge, l'orange, la coriandre et la ciboulette. Servir la salade couronnée de saumon.

L'HUILE DE SÉSAME

L'huile de sésame utilisée dans ces recettes est l'huile de sésame asiatique obtenue à partir de graines rôties. Elle est de couleur foncée et son goût est très aromatique. (Ne pas la confondre avec l'huile de sésame dorée vendue dans les magasins d'aliments naturels.) Une fois la bouteille entamée, la conserver au réfrigérateur.

Vu sa saveur très prononcée, cette huile est rarement employée en grandes quantités ou comme « huile de cuisson ». On s'en sert comme assaisonnement à ajouter au dernier moment de la préparation, dans les plats sautés à l'orientale, les vinaigrettes et les trempettes.

APPORT NUTRITIONNEL PAR PORTION

242	calories
16 g	glucides
3 g	fibres
10 g	matières grasses
1 g	gras saturés
25 g	protéines

Excellente source de : vitamine A, vitamine C, thiamine, niacine, riboflavine, vitamine B_6, acide folique et vitamine B_{12}
Bonne source de : fer

57 mg	cholestérol
496 mg	sodium
1049 mg	potassium

SAUMON RÔTI AUX LENTILLES

Voici ma version d'un plat populaire dans les bistros français.

Donne 6 portions

375 ml	**lentilles vertes sèches**	**1 1/2 tasse**
20 ml	**huile d'olive divisée en deux portions**	**4 c. à thé**
1	**oignon haché**	**1**
2	**gousses d'ail hachées finement**	**2**
5 ml	**cumin moulu**	**1 c. à thé**
1 ml	**flocons de piment fort**	**1/4 c. à thé**
1	**carotte coupée en petits dés**	**1**
1	**branche de céleri coupée en petits dés**	**1**
250 ml	**tomates italiennes en boîte, réduites en purée avec leur jus**	**1 tasse**
50 ml	**persil frais haché**	**1/4 tasse**
2 ml	**poivre**	**1/2 c. à thé**
750 g	**filet de saumon frais, sans la peau coupé en six morceaux** Ou saumon en boîte	**1 1/2 lb**
5 ml	**romarin frais haché**	**1 c. à thé**
	sel au goût	

1. Mettre les lentilles dans une grande casserole et les recouvrir généreusement d'eau. Porter à ébullition et cuire à feu doux de 25 à 35 minutes, jusqu'à ce qu'elles ramollissent.
2. Entre-temps, chauffer 15 ml (1 c. à table) d'huile dans une grande poêle antiadhésive ; y mettre l'oignon et l'ail. Cuire à feu doux pendant 5 minutes. Ajouter le cumin et les flocons de piment. Cuire pendant 30 secondes.
3. Ajouter la carotte, le céleri et les tomates. Cuire jusqu'à ce que les carottes soient tendres et que le liquide des tomates commence à réduire.
4. Mettre les lentilles égouttées, le persil, le poivre et le sel dans la poêle. Rectifier l'assaisonnement au besoin. Garder au chaud.
5. Badigeonner une seconde poêle antiadhésive avec les 5 ml (1 c. à thé) d'huile restants. Saupoudrer le saumon de romarin. Cuire pendant 1 ou 2 minutes par côté ou jusqu'à ce que le poisson soit légèrement doré et croustillant.
6. Transférer le poisson sur une plaque doublée de papier sulfurisé (ou le laisser dans la poêle si elle peut aller au four). Cuire dans un four préchauffé à 200 °C (400 °F) de 7 à 9 minutes ou jusqu'à ce que le poisson soit à point. Servir sur un lit de lentilles.

LES LENTILLES

Il existe de nombreuses variétés de lentilles. Les lentilles rouges et vertes se trouvent facilement dans les magasins d'aliments naturels, les endroits qui vendent en vrac et les supermarchés. Les lentilles rouges (parfois dites roses ou orange) sont plus petites que les lentilles vertes ou brunes. J'emploie les lentilles rouges dans les soupes car elles cuisent rapidement. Elles perdent leur forme et permettent à la préparation d'épaissir. Je mets des lentilles vertes dans les salades et les plats d'accompagnement parce qu'elles ont l'avantage de conserver leur texture.

Étant donné que les lentilles n'exigent pas de trempage, leur cuisson est simple et rapide. Je n'apprécie pas particulièrement les lentilles vertes vendues en conserve car elles sont pâteuses.

APPORT NUTRITIONNEL PAR PORTION

361	calories
34 g	glucides
8 g	fibres
10 g	matières grasses
2 g	gras saturés
34 g	protéines

Excellente source de :
vitamine A, thiamine, niacine, riboflavine, fer, vitamine B_6, acide folique et vitamine B_{12}

57 mg	cholestérol
129 mg	sodium
1208 mg	potassium

SAUMON VAPEUR À LA SAUCE CORÉENNE

Bien qu'on puisse préparer ce poisson au four, vous pouvez sans doute aussi vous bricoler une étuveuse à partir de l'équipement trouvé dans vos armoires de cuisine (voir page suivante, étape 1).

Ce plat peut également être préparé avec de la sauce de soja noir (p. 156). Il est délicieux servi chaud ou froid.

Donne 4 portions

125 g	**vermicelles de riz ou ordinaires**	**1/4 lb**
375 g	**épinards frais, parés et lavés**	**3/4 lb**
15 ml	**gingembre frais haché finement**	**1 c. à table**
3	**oignons verts hachés**	**3**
4	**filets de saumon (d'environ 125 g (4 oz) chacun), sans la peau**	**4**
1	**citron coupé en 8 rondelles**	**1**
1 ml	**poivre**	**1/4 c. à thé**

Sauce coréenne :

20 ml	**sauce soja**	**4 c. à thé**
25 ml	**eau**	**2 c. à table**
10 ml	**huile de sésame**	**2 c. à thé**
1	**gousse d'ail émincée**	**1**
5 ml	**gingembre frais émincé**	**1 c. à thé**
10 ml	**sucre granulé**	**2 c. à thé**
pincée	**flocons de piment fort**	**pincée**
50 ml	**ciboulette fraîche hachée**	**1/4 tasse**
50 ml	**coriandre ou persil frais haché**	**1/4 tasse**
15 ml	**graines de sésame rôties (p. 34) (facultatif)**	**1 c. à table**

1. Pour confectionner une étuveuse, placer une grille au fond d'un wok ou d'une casserole profonde (la grille devrait se situer à 2,5 cm (1 po) du fond). Trouver un plat peu profond de verre ou de céramique pouvant être posé sur la grille. Le wok devrait être muni d'un couvercle (à défaut de couvercle, prendre du papier d'aluminium).

2. Si l'on utilise des vermicelles de riz, les recouvrir d'eau chaude et laisser reposer 3 minutes. Si l'on opte pour les vermicelles ordinaires, les cuire 4 minutes dans l'eau bouillante. Laisser égoutter, puis rincer à l'eau froide. Réserver.

3. Déposer les épinards au fond du plat. Mettre les vermicelles sur les épinards. Y disperser la moitié du gingembre et des oignons verts. Disposer le poisson sur le dessus en une seule couche. Saupoudrer le reste du gingembre et des oignons verts. Mettre deux rondelles de citron sur chaque filet. Poivrer.

4. Verser l'eau dans le wok ou la casserole de façon à ce qu'elle frôle la grille (l'eau ne devrait pas entrer en contact avec le plat). Porter à ébullition.

5. Déposer le plat contenant le poisson sur la grille et mettre le couvercle. Pour des tranches de poisson épaisses de 2,5 cm (1 po), cuire de 8 à 10 minutes à feu moyen.

6. Entre-temps, préparer la sauce en mélangeant la sauce soja, l'eau, l'huile de sésame, l'ail, le gingembre émincé, le sucre et les flocons de piment.

7. Lorsque le saumon est cuit, y verser la sauce et saupoudrer de ciboulette, de coriandre et de graines de sésame.

APPORT NUTRITIONNEL PAR PORTION

311	calories
31 g	glucides
3 g	fibres
9 g	matières grasses
1 g	gras saturés
26 g	protéines

Excellente source de :
vitamine A, thiamine, niacine, riboflavine, fer, vitamine B_6, acide folique et vitamine B_{12}

57 mg	cholestérol
419 mg	sodium
1021 mg	potassium

FLÉTAN POCHÉ AU FOUR ET VINAIGRETTE AUX FINES HERBES

Essayez de trouver si possible du flétan frais, car sa texture est habituellement plus intéressante que celle du poisson congelé.

Ce plat se mange chaud ou froid.

Donne 6 portions

Vinaigrette aux fines herbes :

50 ml	vinaigre de champagne ou de xérès, ou jus de citron	1/4 tasse
50 ml	eau	1/4 tasse
2 ml	sucre granulé	1/2 c. à thé
2 ml	moutarde sèche	1/2 c. à thé
1	échalote émincée (facultatif)	1
2 ml	poivre	1/2 c. à thé
25 ml	huile d'olive	2 c. à table
1 ml	sauce piquante au piment	1/4 c. à thé
25 ml	coriandre ou persil frais haché	2 c. à table
25 ml	ciboulette fraîche ou oignons verts hachés	2 c. à table
25 ml	persil frais haché	2 c. à table
25 ml	basilic frais haché	2 c. à table
6	morceaux de flétan frais d'environ 125 g (4 oz) chacun	6
15 ml	jus de citron	1 c. à table
1 ml	poivre	1/4 c. à thé
4	grosses carottes râpées	4
1	botte de cresson (facultatif)	1

LE POISSON FRAIS

Un poisson frais ne devrait dégager aucune odeur désagréable. Sa chair doit être ferme au toucher et sa peau, lisse et glissante. Les yeux doivent être brillants et les branchies de couleur rouge.

Si votre poisson a été mis dans un sac de plastique au magasin, déballez-le dès votre arrivée. Mettez-le dans un contenant de verre ou d'acier inoxydable que vous couvrirez soigneusement et conserverez dans la partie la plus froide du réfrigérateur au-dessus d'un plat contenant de la glace et de l'eau. Apprêtez le poisson le plus rapidement possible, au plus tard dans les deux jours qui suivent l'achat.

1. Pour préparer la vinaigrette, battre au fouet le vinaigre, l'eau, le sucre, la moutarde, l'échalote et le poivre. Incorporer l'huile, la sauce piquante au piment, la coriandre fraîche, la ciboulette, le persil et le basilic. Réserver.
2. Disposer le flétan dans un plat en une seule couche ; asperger de jus de citron et poivrer. Laisser mariner ainsi 10 minutes au réfrigérateur.
3. Doubler de papier sulfurisé un plat allant au four. Déposer les carottes sur le papier. Disposer le poisson sur le dessus. Couvrir d'un autre morceau de papier sulfurisé. Cuire dans un four préchauffé à 200 °C (400 °F) pendant 10 minutes par 2,5 cm (1 po) d'épaisseur ou jusqu'à ce que la chair du poisson commence à se défaire en flocons sous le couteau. (Les filets de flétan sont habituellement épais de 2 cm (3/4 po) et mettent par conséquent de 8 à 10 minutes à cuire).
4. Retirer le poisson du four et le déposer délicatement dans un plat de service. Y disperser les carottes et verser la vinaigrette. Décorer le plat d'une couronne de cresson.

LE POISSON CONGELÉ
Dans la mesure du possible, j'achète du poisson frais ; si toutefois vous vous procurez du poisson congelé, faites-le décongeler au réfrigérateur ou faites-le cuire congelé (en suivant les directives données à la p. 150). La décongélation à la température ambiante détruit la texture de la chair du poisson et l'assèche. Elle peut également se révéler dangereuse car les bactéries prolifèrent davantage à la température ambiante. Ne faites jamais recongeler du poisson décongelé.

APPORT NUTRITIONNEL PAR PORTION

181	calories
6 g	glucides
1 g	fibres
6 g	matières grasses
1 g	gras saturés
24 g	protéines

Excellente source de :
vitamine A, niacine, vitamine B_6 et vitamine B_{12}

36 mg	cholestérol
96 mg	sodium
649 mg	potassium

BAR OU SAUMON GLACÉ À LA SAUCE HOISIN

La sauce hoisin confère aux aliments un goût sucré et mystérieux. Pour la présente recette, on peut prendre du flétan, de l'espadon ou du thon ainsi que des poitrines de poulet sans la peau et désossées ou encore de minces côtelettes d'agneau.

Ce plat est également bon servi froid et convient parfaitement aux pique-niques ; les restes peuvent être ajoutés aux salades de riz ou de couscous.

Donne 4 portions

25 ml	**sauce hoisin**	**2 c. à table**
15 ml	**sauce soja**	**1 c. à table**
5 ml	**huile de sésame**	**1 c. à thé**
1 ml	**poivre**	**1/4 c. à thé**
4	**filets de bar ou de saumon, d'environ 2,5 cm (1 po) d'épaisseur**	**4**

1. Dans un petit bol, mélanger la sauce hoisin, la sauce soja, l'huile de sésame et le poivre.
2. Assécher le poisson et l'enrober de sauce.
3. Préchauffer le gril ou l'élément de grillage du four et cuire le poisson environ 5 minutes par côté. (On peut aussi cuire le poisson de 10 à 12 minutes dans un four préchauffé à 220 °C (425 °F).)

LA SAUCE HOISIN

La sauce hoisin est une pâte de haricots sucrée que l'on peut se procurer dans la plupart des supermarchés. Conservez les bouteilles entamées au réfrigérateur. Cette sauce est magnifique pour glacer ou dans les sauces barbecue ; traditionnellement, on l'emploie avec les crêpes mandarines servies avec le canard de Pékin.

APPORT NUTRITIONNEL PAR PORTION

132	calories
3 g	glucides
0 g	fibres
4 g	matières grasses
1 g	gras saturés
22 g	protéines

Excellente source de : niacine
Bonne source de : vitamine B_6

47 mg	cholestérol
359 mg	sodium
296 mg	potassium

Voir photo à la page 97.

FRICADELLES DE THON OU D'ESPADON À L'ORIENTALE

Bien des gens sont d'accord pour manger davantage de poisson, à condition que celui-ci leur rappelle la viande. Le thon et l'espadon hachés se prêtent bien à la préparation de fricadelles à hamburgers car leur texture est ferme et charnue.

Donne 6 portions

10 ml	**huile d'olive**	**2 c. à thé**
1	**gousse d'ail hachée finement**	**1**
15 ml	**gingembre frais haché finement**	**1 c. à table**
3	**oignons verts hachés**	**3**
500 g	**thon ou espadon frais**	**1 lb**
2	**blancs d'œufs ou 1 œuf entier**	**2**
125 ml	**chapelure fraîche**	**1/2 tasse**
2 ml	**sel**	**1/2 c. à thé**
1 ml	**poivre**	**1/4 c. à thé**
25 ml	**sauce hoisin**	**2 c. à table**
15 ml	**sauce soja**	**1 c. à table**
5 ml	**huile de sésame**	**1 c. à thé**
6	**petits pains au sésame**	**6**

1. Chauffer l'huile dans une poêle. Ajouter l'ail, le gingembre et les oignons verts et cuire jusqu'à ce que le tout soit odorant. Laisser refroidir.
2. Éponger le poisson et le couper en morceaux. Les mettre dans un robot culinaire et hacher grossièrement. Ajouter les blancs d'œufs et la chapelure et bien mélanger. Incorporer à cette préparation l'ail refroidi, le sel et le poivre. Former 6 fricadelles épaisses d'environ 1 cm (1/2 po).
3. Pour préparer la sauce, mélanger dans un petit bol la sauce hoisin, la sauce soja et l'huile de sésame.
4. Immédiatement avant de servir, préchauffer le gril. Cuire les fricadelles de 1 à 2 minutes, les retourner et les badigeonner de sauce. Les retourner et badigeonner de nouveau, en les laissant cuire au total 5 minutes par côté jusqu'à ce qu'elles soient à point mais encore juteuses. Servir dans des petits pains au sésame.

Fricadelles de thon au citron et au romarin : Omettre le gingembre et la sauce hoisin. Ajouter à la préparation 15 ml (1 c. à table) de jus de citron et 5 ml (1 c. à thé) de romarin frais haché (ou une pincée de romarin séché). Servir les fricadelles dans des petits pains italiens ou pitas avec des tranches d'aubergine et de poivron rouge grillées.

APPORT NUTRITIONNEL PAR PORTION

335	calories
36 g	glucides
2 g	fibres
9 g	matières grasses
2 g	gras saturés
25 g	protéines

Excellente source de : vitamine A, thiamine, niacine et vitamine B_{12}
Bonne source de : riboflavine, fer et vitamine B_6

29 mg	cholestérol
730 mg	sodium
301 mg	potassium

THON GRILLÉ ACCOMPAGNÉ DE SALADE DE PÂTES JAPONAISES

Depuis quelques années, le thon frais jouit d'une grande popularité. Ce poisson, servi habituellement « saignant », rappelle étonnamment la viande par son goût et son aspect.

Bien que cette recette comporte plusieurs ingrédients, elle est facile à réaliser. Comme le thon est servi saignant, assurez-vous qu'il soit bien frais. Ce plat peut s'exécuter avec du saumon ou de l'espadon, mais prenez alors soin de bien faire cuire ces poissons.

Quant à la recette, on peut se contenter de préparer le poisson seulement et le servir tel quel ; la même chose s'applique à la salade de nouilles. Vous pouvez vous procurer les nouilles dans un magasin d'aliments naturels ou dans une épicerie asiatique.

Donne 6 portions

500 g	**filet de thon épais de 2,5 cm (1 po)**	**1 lb**
15 ml	**huile de sésame**	**1 c. à table**
15 ml	**poivre**	**1 c. à table**
2 ml	**sel**	**1/2 c. à thé**
2 ml	**huile végétale**	**1/2 c. à thé**

Salade de nouilles à la japonaise :

250 g	**nouilles japonaises de blé entier ou de sarrasin ou nouilles de blé entier ordinaires**	**1/2 lb**
1	**grosse carotte coupée en juliennes**	**1**
1	**courgette de taille moyenne coupée en juliennes**	**1**
1	**poivron rouge coupé en fines lanières**	**1**
1	**poivron jaune coupé en fines lanières**	**1**
60 g	**pois mange-tout coupés finement en diagonale**	**2 oz**
3	**oignons verts coupés en fines lanières**	**3**

LES NOUILLES ORIENTALES

- Les vermicelles de riz n'exigent pas de cuisson comme telle. Il suffit de les recouvrir d'eau bouillante et de les laisser tremper de 5 à 7 minutes et de bien les égoutter. Si vous n'utilisez pas tout le paquet, emballez le surplus dans un sac de plastique.
- On peut trouver les nouilles japonaises de blé entier ou de sarrasin dans les magasins d'aliments naturels ou les épiceries asiatiques. Elles doivent être cuites dans une grande quantité d'eau jusqu'à ce qu'elles soient *al dente.*
- Les nouilles chinoises fraîches sont conditionnées sous vide ; les nouilles précuites doivent d'abord être rincées à l'eau très chaude avant d'être ajoutées à une préparation. On peut y substituer des spaghetti ordinaires, qu'on aura pris soin de faire cuire.

Sauce :

1	petite gousse d'ail émincée	1
15 ml	gingembre frais émincé	1 c. à table
15 ml	vin de riz ou saké	1 c. à table
15 ml	sauce soja	1 c. à table
15 ml	vinaigre de riz ou de cidre	1 c. à table
15 ml	huile de sésame	1 c. à table
15 ml	jus de citron	1 c. à table
2 ml	sauce piquante au piment	1/2 c. à thé
75 ml	coriandre ou persil frais haché	1/3 tasse
25 ml	menthe fraîche hachée	2 c. à table
25 ml	basilic frais haché	2 c. à table

1. Assécher le thon en l'épongeant. Enrober d'huile de sésame, de poivre et de sel.
2. Badigeonner une poêle antiadhésive d'huile végétale et chauffer. Saisir les tranches de thon de 2 à 3 minutes par côté ou jusqu'à ce qu'elles soient dorées à l'extérieur et rosées à l'intérieur. Laisser reposer 10 minutes. Trancher le poisson diagonalement en fines tranches (il devrait être peu cuit).
3. Cuire les nouilles dans une grande casserole d'eau bouillante jusqu'à ce qu'elles soient *al dente*. Rincer à l'eau froide et égoutter.
4. Porter une casserole d'eau à ébullition. Y jeter la carotte, la courgette et les poivrons et laisser cuire 2 minutes. Soulever le couvercle et rafraîchir les légumes à l'eau froide. Les assécher en épongeant. Faire bouillir les pois mange-tout et les oignons verts pendant 10 minutes ou jusqu'à ce qu'ils commencent à prendre de la couleur. Rafraîchir à l'eau froide et assécher en épongeant. Mélanger les légumes et les nouilles.
5. Préparer la sauce en mélangeant tous les ingrédients et la verser sur les nouilles et les légumes.
6. Pour le service, mettre de la salade de nouilles dans chaque assiette. Garnir de tranches de thon grillé.

APPORT NUTRITIONNEL PAR PORTION

324	calories
37 g	glucides
7 g	fibres
9 g	matières grasses
2 g	gras saturés
25 g	protéines

Excellente source de : vitamine A, vitamine C, thiamine, niacine, vitamine B_6 et vitamine B_{12}
Bonne source de : riboflavine et fer

29 mg	cholestérol
380 mg	sodium
513 mg	potassium

VIVANEAU AU FOUR AUX PIMENTS FORTS

Nous avons élaboré ce plat lors de notre cours sur la cuisine épicée ; son succès fut immédiat. On peut le préparer à l'avance et le passer au four tout juste avant le service ou le cuire d'abord pour le servir tiède ou froid.

Le vivaneau convient parfaitement pour cette recette, bien que tout poisson à chair blanche proposé par votre poissonnier puisse faire l'affaire.

Si mon plat de cuisson est suffisamment grand pour accommoder le poisson en entier, je lui laisse la tête et la queue car il a plus fière allure ainsi !

Donne 8 portions

1	**vivaneau de 2 kg (4 lb) nettoyé**	**1**
25 ml	**gingembre frais émincé**	**2 c. à table**
15 ml	**pâte de piment fort**	**1 c. à table**
2	**gousses d'ail émincées**	**2**
50 ml	**coriandre ou persil frais haché**	**1/4 tasse**
5 ml	**huile de sésame**	**1 c. à thé**
3	**oignons verts hachés**	**3**
2 ml	**sel**	**1/2 c. à thé**
15 ml	**huile d'olive**	**1 c. à table**
1	**citron en tranches (facultatif)**	**1**
	brins de coriandre ou de persil frais (facultatif)	

1. Si le poisson est trop long pour le plat, lui ôter la tête et la queue. L'assécher en l'épongeant aussi bien à l'intérieur qu'à l'extérieur. Pratiquer quatre entailles en diagonale dans la chair du poisson.
2. Dans un robot culinaire (ou dans un mélangeur avec un peu d'eau) mélanger le gingembre, la pâte de piments et l'ail. Ajouter la coriandre, l'huile de sésame, les oignons verts et le sel. Réduire la préparation en purée.
3. Réserver 15 ml (1 c. à table) de purée. Enfoncer le reste de la purée dans les entailles pratiquées dans les flancs du poisson. Mélanger la purée mise de côté avec de l'huile d'olive et enrober le poisson. Le mettre dans un grand plat doublé de papier d'aluminium.
4. Cuire le poisson dans un four préchauffé à 220 °C (425 °F) à raison de 10 minutes par 2,5 cm (1 po) d'épaisseur. (Ainsi, si le poisson a une épaisseur de 7,5 cm (3 po), le cuire environ 30 minutes.) Garnir de citron et de coriandre.

LES PIMENTS FRAIS
Bien qu'il existe des règles permettant de classer un piment fort ou doux, il convient d'être prudent. L'endroit d'où il provient, la quantité d'eau et de soleil reçue par la plante et même l'emplacement du fruit sur la plante peuvent faire une différence.

LES JALAPEÑOS
Les jalapeños ont la forme d'un pouce, sont vert foncé et moyennement piquants. On peut employer indifféremment des jalapeños frais, en conserve ou marinés, bien qu'on trouve des différences de goût. Comme la saveur d'un jalapeño peut varier d'un fruit à l'autre, il faut prendre soin de les tester avant de les mettre dans une recette.

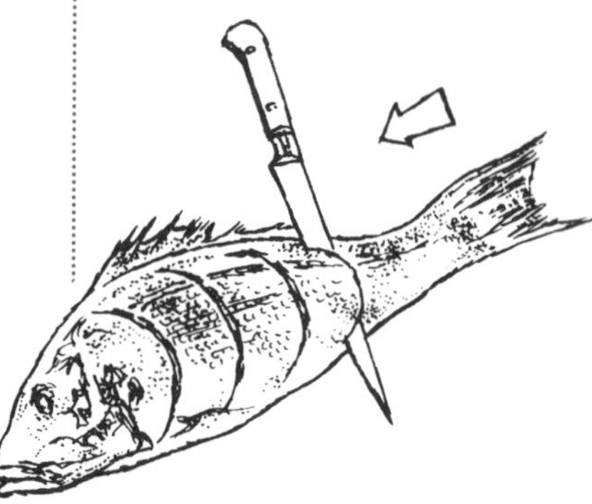

APPORT NUTRITIONNEL PAR PORTION

129	calories
2 g	glucides
trace	fibres
4 g	matières grasses
1 g	gras saturés
21 g	protéines

Excellente source de : vitamine B_{12}
Bonne source de : niacine et vitamine B_6

37 mg	cholestérol
191 mg	sodium
469 mg	potassium

POISSON-FRITES AU FOUR

Ce plat est à la fois sain et délicieux, grâce à sa panure croustillante et à ses frites « allégées ». Tout filet de poisson à chair blanche tranché finement fera l'affaire. Servir avec de la salade de chou (p. 77).

Donne 6 portions

1,5 kg	**pommes de terre**	**3 lb**
45 ml	**huile d'olive ou huile végétale, divisée en deux portions**	**3 c. à table**
2 ml	**sel**	**1/2 c. à thé**
1 ml	**poivre**	**1/4 c. à thé**
5 ml	**romarin frais haché (ou 1 ml (1/4 c. à thé) de romarin séché)**	**1 c. à thé**
750 g	**filet de poisson à chair blanche**	**1 1/2 lb**
125 ml	**farine tout usage**	**1/2 tasse**
2	**blancs d'œufs ou 1 œuf entier**	**2**
175 ml	**chapelure sèche**	**3/4 tasse**
175 ml	**flocons de maïs en miettes**	**3/4 tasse**

1. Peler ou gratter les pommes de terre et les couper en bâtonnets épais. Les assécher en épongeant et retourner dans 15 ml (1 c. à table) d'huile, de sel, de poivre et de romarin. Disposer les frites en une seule couche sur une plaque à pâtisserie antiadhésive ou dans un plat allant au four doublé de papier sulfurisé. Cuire 40 minutes dans un four préchauffé à 220 °C (425 °F).

2. Entre-temps, couper le poisson en six portions. L'assécher en épongeant.

3. Mettre la farine dans un plat peu profond. Battre les blancs d'œufs dans un autre plat peu profond. Mélanger la chapelure et les miettes de flocons de maïs dans un troisième plat.

4. Saupoudrer chaque morceau de poisson de farine. Le tremper dans le blanc d'œuf en laissant égoutter l'excédent. Tremper ensuite dans la chapelure et presser.

5. Pendant que les frites cuisent, badigeonner une seconde plaque de 15 ml (1 c. à table) d'huile ou la doubler de papier sulfurisé. Mettre le poisson en une seule couche sur la plaque et asperger de 15 ml (1 c. à table) d'huile. Lorsque les frites auront cuit pendant 40 minutes, mettre la plaque contenant le poisson au four. Faire cuire le poisson 5 minutes, le retourner délicatement et cuire encore 5 minutes ou jusqu'à ce que le poisson soit cuit à point.

LES PIMENTS CHIPOTLES
Les piments chipotles sont des jalapeños séchés et fumés très piquants. Ils sont vendus en conserve, marinés dans une sauce adobo piquante ou parfois séchés. Une fois la boîte ouverte, prenez soin de congeler la portion non utilisée.

LES PIMENTS SERRANOS
Les piments serranos sont de petits piments verts ; ils sont plus brûlants que les jalapeños.

LES PIMENTS HABAÑEROS
Les piments habañeros (ou piments Scotch Bonnets ou Cascabels) sont les plus piquants qui soient. Ils sont petits, de forme ronde, et peuvent être verts, jaunes ou rouges.

APPORT NUTRITIONNEL PAR PORTION

422	calories
59 g	glucides
3 g	fibres
8 g	matières grasses
1 g	gras saturés
27 g	protéines

Excellente source de : thiamine, niacine, vitamine B_6 et vitamine B_{12}
Bonne source de : fer et acide folique

49 mg	cholestérol
488 mg	sodium
1069 mg	potassium

ESPADON À L'AIGRE-DOUCE

Ce plat originaire du sud de l'Italie est riche en saveur mais pauvre en matières grasses et en calories. Nous le présentons dans notre cours de cuisine italienne allégée, et les élèves l'adorent. La préparation peut s'effectuer à l'avance, sauf la cuisson finale. Si vous ne pouvez trouver d'espadon, prenez du flétan.

Donne 8 portions

10 ml	**huile d'olive**	**2 c. à thé**
3	**gros oignons coupés en tranches fines**	**3**
2	**gousses d'ail hachées finement**	**2**
pincée	**flocons de piment fort**	**pincée**
50 ml	**raisins secs**	**1/4 tasse**
10 ml	**sucre granulé**	**2 c. à thé**
50 ml	**vinaigre balsamique**	**1/4 tasse**
50 ml	**vin blanc sec ou eau**	**1/4 tasse**
8	**morceaux d'espadon de 125 g (4 oz) épais d'environ 2,5 cm (1 po)**	**8**
25 ml	**persil frais haché**	**2 c. à table**
	sel au goût	

1. Chauffer l'huile dans une grande poêle antiadhésive. Mettre les oignons, l'ail, les flocons de piment et les raisins ; saupoudrer de sucre. Cuire jusqu'à ce que les oignons commencent à dorer.
2. Ajouter le vinaigre balsamique, le vin et le sel. Cuire jusqu'à ce que les oignons soient très mous et que le liquide soit presque complètement évaporé. Rectifier l'assaisonnement au besoin.
3. Assécher l'espadon en épongeant. Mettre le poisson dans un plat et y disperser les oignons. Cuire dans un four préchauffé à 220 °C (425 °F) de 10 à 12 minutes, selon l'épaisseur du poisson. Saupoudrer de persil.

LES TEMPS DE CUISSON DU POISSON

Le Ministère canadien des Pêcheries a émis des lignes directrices quant à la cuisson du poisson. Il convient de cuire le poisson à feu mi-élevé (sous l'élément de grillage du four, en friture, sur le gril, au four, à l'étuvée ou poché) 10 minutes par 2,5 cm (1 po) de chair. Ainsi, si vous désirez apprêter un poisson entier épais de 7,5 cm (3 po), vous devrez le cuire pendant 30 minutes à 220 °C (425 °F). Si le poisson est congelé, comptez 20 minutes au lieu de 10, et s'il est partiellement décongelé, faites-le cuire 15 minutes par 2,5 cm (1 po). La chair du poisson doit se défaire en flocons lorsqu'on la pique délicatement.

APPORT NUTRITIONNEL PAR PORTION

192	calories
11 g	glucides
1 g	fibres
6 g	matières grasses
1 g	gras saturés
23 g	protéines

Excellente source de : niacine et vitamine B_{12}
Bonne source de : vitamine B_6

44 mg	cholestérol
105 mg	sodium
466 mg	potassium

ESPADON TERIYAKI

Pour la cuisson sur le gril, la plupart des gens préfèrent leur bifteck d'espadon épais, mais, personnellement, je l'aime bien mince. Si le préposé de la poissonnerie ne peut vous le trancher mince, achetez tout simplement un morceau d'épaisseur normale que vous trancherez vous-même.

Servez ce poisson avec du riz à la vapeur, du couscous ou des nouilles de riz. La sauce est également fabuleuse sur le saumon, le poulet et les viandes.

Donne 6 portions

45 ml	**sauce soja**	**3 c. à table**
45 ml	**eau**	**3 c. à table**
75 ml	**vin de riz**	**1/3 tasse**
75 ml	**sucre granulé**	**1/3 tasse**
1	**gousse d'ail écrasée**	**1**
1	**morceau de 2,5 cm (1 po) de gingembre frais écrasé**	**1**
3	**lanières de zeste de citron**	**3**
	petite poignée de brins de coriandre ou de persil frais	
750 g	**espadon en tranches épaisses de 5 mm (1/4 po) (6 grandes tranches minces)**	**1 1/2 lb**
50 ml	**coriandre ou persil frais haché**	**1/4 tasse**

1. Mélanger la sauce soja, l'eau, le vin de riz, le sucre, l'ail, le gingembre, le zeste de citron et la coriandre dans une casserole et porter à ébullition. Réduire le feu et chauffer jusqu'à ce que le mélange ait réduit de moitié et qu'il soit épais et sirupeux. Laisser refroidir et passer au tamis.

2. Assécher le poisson en l'épongeant et préchauffer le gril. Cuire le poisson 1 minute et retourner. Badigeonner de sauce. Cuire 2 minutes et retourner encore une fois. Badigeonner à nouveau. Cuire le poisson encore 1 minute (étant mince, le poisson devrait être à point mais encore moelleux après 4 ou 5 minutes de cuisson) et retourner. Badigeonner et retourner encore une fois. Servir garni de coriandre hachée.

APPORT NUTRITIONNEL PAR PORTION

182	calories
10 g	glucides
trace	fibres
5 g	matières grasses
1 g	gras saturés
23 g	protéines

Excellente source de : niacine et vitamine B_{12}
Bonne source de : vitamine B_6

44 mg	cholestérol
415 mg	sodium
377 mg	potassium

POISSON GEFILTE AVEC SALADE DE RAIFORT AUX BETTERAVES

Le poisson gefilte est une spécialité juive traditionnelle qui a la propriété d'être pauvre en calories.

À l'occasion d'un Seder, on le sert toujours en entrée, mais j'en fais souvent mon repas du midi ou un dîner léger. Il est habituellement servi froid, et peut donc facilement être préparé à l'avance. Les jus de cuisson sont censés prendre en gelée et peuvent être servis avec le poisson.

Si votre poissonnier n'est pas disposé à hacher le poisson, contentez-vous de le hacher finement dans le robot culinaire. Vous pouvez combiner différentes variétés de poisson ; le mélange que je préfère est celui de corégone et de doré.

Donne de 16 à 20 portions

1 kg	**têtes et arêtes de poisson maigre**	**2 lb**
3	**oignons tranchés**	**3**
2	**carottes tranchées**	**2**
4 l	**eau**	**4 pintes**
20 ml	**sel, divisé en deux portions**	**4 c. à thé**
10 ml	**poivre, divisé en deux portions**	**2 c. à thé**
1,5 kg	**filets de poisson hachés (mélange de corégone et de doré)**	**3 lb**
45 ml	**sucre granulé**	**3 c. à table**
3	**œufs légèrement battus**	**3**
175 ml	**eau glacée**	**3/4 tasse**
50 ml	**farine à matza**	**1/4 tasse**

Salade de raifort aux betteraves :

50 ml	**jus de citron**	**1/4 tasse**
15 ml	**raifort râpé**	**1 c. à table**
1 ml	**poivre**	**1/4 c. à thé**
15 ml	**aneth frais haché**	**1 c. à table**
25 ml	**ciboulette fraîche ou oignons verts hachés**	**2 c. à table**
1 kg	**betteraves cuites, pelées et coupées en dés**	**2 lb**
1	**laitue déchiquetée**	**1**
	sel au goût	

LE RAIFORT

Le raifort est une racine au goût prononcé qu'on peut râper et ajouter aux sauces, à la purée de pommes de terre ou mélanger à des betteraves cuites pour en relever le goût. Dans le commerce, on le trouve déjà râpé (de couleur blanche dans du vinaigre ou rouge avec des betteraves) ; par ailleurs, si vous le préparez vous-même, son goût sera beaucoup plus piquant.

En râpant le raifort, prenez garde à ses vapeurs ; elles peuvent être irritantes et causer le larmoiement.

1. Mettre les têtes, les arêtes, les oignons, les carottes et l'eau dans une casserole et porter le tout à ébullition. Écumer au besoin. Ajouter 10 ml (2 c. à thé) de sel et 5 ml (1 c. à thé) de poivre. Laisser mijoter environ 20 minutes.
2. Mélanger le poisson haché avec le reste du sel et du poivre, le sucre, les œufs, l'eau glacée et la farine à matza. Former 16 à 20 boulettes à partir de la préparation .
3. Plonger délicatement les boulettes de poisson dans le liquide en ébullition. Couvrir, réduire le feu et laisser mijoter très doucement 1 1/2 heure. Découvrir et poursuivre la cuisson encore 30 minutes.
4. Retirer le poisson du liquide et laisser refroidir. (Il se conservera facilement au réfrigérateur pendant 5 jours.)Le liquide peut être congelé pour un emploi ultérieur. On peut le laisser réduire à 750 ml (3 tasses). En refroidissant, le bouillon prendra la texture d'une gelée qui pourra ensuite être utilisée comme garniture ou comme « sauce ».
5. Pour préparer la salade de betteraves, mélanger le jus de citron, le raifort, le poivre, le sel, l'aneth et la ciboulette. Retourner les betteraves dans cette sauce. Rectifier l'assaisonnement au besoin.
6. Pour servir, mettre de la laitue dans chaque assiette. Garnir de betteraves et y disposer le poisson.

RELISH DE RAIFORT

Ma cousine est la créatrice de cette excellente relish.

Peler 1 kg (2 lb) de raifort et le couper en tronçons. Peler une demi-betterave crue (environ 90 g (3 oz)) et la couper en morceaux.

Hacher finement dans un robot culinaire le raifort et la betterave. Y incorporer 10 ml (2 c. à thé) de sucre granulé, 375 ml (1 1/2 tasse) de vinaigre blanc (tout juste assez pour recouvrir la préparation) et une pincée de sel. Mettre dans des bocaux et fermer hermétiquement.

Donne environ 1,25 litre (5 tasses).

APPORT NUTRITIONNEL PAR PORTION

147	calories
8 g	glucides
1 g	fibres
4 g	matières grasses
1 g	gras saturés
19 g	protéines

Excellente source de : niacine et vitamine B_{12}
Bonne source de : thiamine et acide folique

102 mg	cholestérol
367 mg	sodium
514 mg	potassium

BOUILLABAISSE PROVENÇALE À LA ROUILLE

Voir photo à la page 128.

La rouille est une mayonnaise à l'ail et au poivron rouge employée pour relever les plats. Elle peut être utilisée également comme tartinade dans les sandwiches ou comme trempette.

Vous pouvez servir la recette que je vous propose ici en entrée, mais c'est comme plat principal que je la préfère, avec, comme accompagnement, des pommes de terre ou du riz (je mets 50 ml (1/4 tasse) de riz cuit ou une petite pomme de terre coupée en dés dans chaque bol et je verse la bouillabaisse dessus).

Prenez pour cette bouillabaisse un poisson maigre à chair blanche comme le bar rayé, le flétan ou le vivaneau rouge.

Donne 8 portions

1,5 kg	**têtes et queues de poisson à chair blanche maigre hachées**	**3 lb**
2 l	**eau**	**8 tasses**
15 ml	**huile d'olive**	**1 c. à table**
2	**oignons hachés**	**2**
2	**poireaux ou petits oignons parés et hachés**	**2**
1	**bulbe de fenouil ou 2 branches de céleri parés et hachés**	**1**
pincée	**flocons de piment fort**	**pincée**
3	**gousses d'ail hachées**	**3**
1	**boîte de 796 ml (28 oz) tomates italiennes non égoutées**	**1**
pincée	**safran (facultatif)**	**pincée**
2 ml	**poivre**	**1/2 c. à thé**
500 g	**pétoncles**	**1 lb**
500 g	**filets de poisson maigre à chair blanche**	**1 lb**
	sel au goût	

RÔTIR DES POIVRONS
Rôtir des poivrons leur confère une saveur particulière. Si c'est possible, disposez les poivrons entiers sur le gril en les retournant fréquemment jusqu'à ce qu'ils soient noircis de toutes parts. Vous pouvez aussi couper les poivrons en deux, les mettre sur une plaque, le côté arrondi orienté vers le haut, et les faire rôtir sous l'élément de grillage du four jusqu'à ce que la peau soit carbonisée.

Laisser refroidir les poivrons carbonisés ; enlevez-en la peau, la queue, le trognon et les graines. Coupez-les en lanières ou en dés et ajoutez-les au plat que vous préparez.

PELER DES POIVRONS
Si le plat que vous cuisinez n'exige pas de poivrons cuits, faites-les rôtir et pelez-les. Si les poivrons doivent être cuits, pelez-les tout simplement avec un couteau-éplucheur (vous verrez alors l'avantage d'acheter des poivrons bien carrés, aux surfaces régulières !).

Rouille :

2	**gousses d'ail émincées**	**2**
1	**poivron rouge rôti et pelé**	**1**
2 ml	**pâte de piment fort**	**1/2 c. à thé**
2 ml	**moutarde de Dijon**	**1/2 c. à thé**
125 ml	**fromage de yogourt crémeux (p. 228) ou yogourt épais**	**1/2 tasse**
15 ml	**mayonnaise (facultatif)**	**1 c. à table**
8	**tranches de pain français rôties**	**8**
25 ml	**persil frais haché**	**2 c. à table**
	sel et poivre au goût	

1. Mettre les têtes et les queues dans un grand faitout et les recouvrir d'eau froide. Porter à ébullition, écumer et laisser mijoter doucement 25 minutes. Laisser égoutter et réserver le bouillon.
2. Chauffer l'huile d'olive dans le faitout. Mettre les oignons, les poireaux, le fenouil, les flocons de piment et l'ail haché. Cuire environ 8 minutes en remuant.
3. Ajouter les tomates, le safran et 1,25 litre (5 tasses) du bouillon réservé. Porter à ébullition. Saler et poivrer. Cuire pendant 30 minutes.
4. Si les pétoncles sont gros, les couper en deux et les ajouter à la soupe avec les filets de poisson. Cuire pendant 10 minutes ou jusqu'à ce que le poisson soit tout juste à point. Rectifier l'assaisonnement au besoin.
5. Entre-temps, préparer la rouille en réduisant l'ail en purée avec le poivron rouge rôti, la pâte de piments, la moutarde, le fromage de yogourt et la mayonnaise. Saler et poivrer au besoin. Tartiner la rouille sur le pain.
6. Servir dans des bols avec du poisson et des pétoncles. Déposer une tranche de pain tartinée sur le dessus. Saupoudrer de persil.

CONGELER DES POIVRONS RÔTIS

Doublez une plaque de cuisson de papier d'aluminium ou de papier ciré et étalez-y les poivrons rôtis en une seule couche (qu'on aura coupé en gros morceaux). Mettez la plaque au congélateur jusqu'à ce que les poivrons soient durs, soulevez le papier et mettez-les dans des sacs ou des contenants de congélation. De cette façon, les morceaux se sépareront facilement et vous aurez le loisir d'en décongeler une petite quantité à la fois.

APPORT NUTRITIONNEL PAR PORTION

257	calories
25 g	glucides
2 g	fibres
5 g	matières grasses
1 g	gras saturés
28 g	protéines

Excellente source de : vitamine C, niacine et vitamine B_{12}
Bonne source de : riboflavine, fer, vitamine B_6 et acide folique

46 mg	cholestérol
434 mg	sodium
1076 mg	potassium

MOULES À LA SAUCE DE HARICOTS NOIRS FERMENTÉS

Voir photo à la page 129.

On peut servir les moules en entrée ou comme plat principal (cette recette donne de 6 à 8 portions comme plat principal et de 8 à 10 en entrée). On peut aussi les présenter sur des pâtes ou du riz ou encore avec du pain croûté. Je place toujours sur la table un bol destiné à recevoir les coquilles vides et je prévois des cuillères pour le service de la sauce.

Les moules d'élevage ont une saveur moins marquée que les moules sauvages, mais elles sont beaucoup plus faciles à nettoyer. Pour nettoyer les moules sauvages, frottez-les bien et enlevez-en les barbes. Jetez toute moule qui ne se refermerait pas bien lorsqu'on la touche, dont la coquille est cassée ou qui est anormalement lourde (elle pourrait être remplie de sable). Une fois les moules cuites, jetez toutes celles qui ne sont pas ouvertes.

Donne de 6 à 8 portions

2 kg	**moules**	**4 lb**

Sauce aux haricots noirs fermentés :

10 ml	**huile végétale**	**2 c. à thé**
3	**gousses d'ail émincées**	**3**
15 ml	**gingembre frais finement haché**	**1 c. à table**
3	**oignons verts hachés**	**3**
2 ml	**pâte de piment fort**	**1/2 c. à thé**
25 ml	**haricots noirs fermentés rincés et hachés**	**2 c. à table**
5 ml	**zeste de citron râpé**	**1 c. à thé**
2	**poireaux ou petits oignons parés et tranchés finement**	**2**
2	**poivrons rouges tranchés finement**	**2**
125 ml	**bouillon de poulet maison (p. 59) ou bouillon de poisson (p. 53) ou vin blanc sec ou eau**	**1/2 tasse**
25 ml	**vinaigre de riz ou de cidre**	**2 c. à table**
15 ml	**sauce soja**	**1 c. à table**
10 ml	**huile de sésame**	**2 c. à thé**
50 ml	**coriandre ou persil frais haché**	**1/4 tasse**

SAUCE AUX HARICOTS NOIRS FERMENTÉS

Les haricots noirs utilisés dans la cuisine orientale sont fermentés, salés, et employés fréquemment en petites quantités comme condiment plutôt que comme aliment. Ne les confondez pas avec les haricots Black turtle vendus en conserve et employés dans les plats au chili et les soupes.

S'ils sont vieux et déshydratés, les haricots fermentés peuvent être trempés dans de l'eau bouillante pendant environ 10 minutes avant d'être égouttés et hachés. On peut aussi acheter dans le commerce de la sauce aux haricots noirs, c'est-à-dire des haricots fermentés avec des ingrédients tels que l'ail, l'huile, le sucre et le vin de riz. Une fois le contenant ouvert, conservez-le au réfrigérateur.

1. Nettoyer les moules et jeter celles dont la coquille serait brisée ou qui ne se refermeraient pas hermétiquement lorsqu'on les touche.
2. Chauffer l'huile végétale dans le wok ou le faitout. Mettre l'ail, le gingembre, l'oignon vert, la pâte de piment, les haricots noirs et le zeste de citron. Cuire 30 secondes ou jusqu'à ce que le mélange dégage un parfum très aromatique.
3. Ajouter les poireaux et les poivrons et cuire 2 minutes ou jusqu'à ce que les légumes commencent à ramollir.
4. Mettre dans le wok le bouillon, le vinaigre, la sauce soja, l'huile de sésame. Bien mélanger et porter à ébullition.
5. Ajouter les moules au liquide et porter de nouveau à ébullition. Couvrir et cuire de 5 à 7 minutes ou jusqu'à ce que les moules soient ouvertes et bien cuites. Saupoudrer de coriandre.

Apport nutritionnel par portion

143	calories
12 g	glucides
2 g	fibres
5 g	matières grasses
1 g	gras saturés
12 g	protéines

Excellente source de : vitamine C, fer, acide folique et vitamine B_{12}
Bonne source de : vitamine A, thiamine et niacine

25 mg	cholestérol
319 mg	sodium
308 mg	potassium

RISOTTO AUX FRUITS DE MER ET AUX POIVRONS

En cuisine, bien que je préfère tout préparer à l'avance, je dois faire une exception avec le risotto (p. 224). Conviez donc vos invités dans votre cuisine et servez les entrées pendant qu'ils mettent la main à la pâte.

J'aime bien servir le risotto comme premier plat principal ; ainsi, je n'ai pas à m'absenter des convives durant 20 minutes pendant que je prépare ce plat. Les fruits de mer et les oignons peuvent toutefois être préparés à l'avance.

Lorsque je fais du risotto, j'en cuisine toujours une quantité importante, et pourtant il n'en reste jamais ! Si vous avez malgré tout des restes de risotto, il peut être réchauffé en petites portions au micro-ondes. Ou mieux, on peut en former des boulettes qu'on cuira dans une poêle antiadhésive avec un peu d'huile d'olive jusqu'à ce qu'elles soient à la fois croustillantes à l'extérieur et tendres à l'intérieur.

Donne de 6 à 8 portions

45 ml	**huile d'olive divisée en deux portions**	**3 c. à table**
3	**gousses d'ail hachées finement**	**3**
1 ml	**flocons de piment fort**	**1/4 c. à thé**
1	**poivron rouge coupé en dés**	**1**
1	**poivron jaune coupé en dés**	**1**
250 g	**crevettes décortiquées coupées en dés**	**1/2 lb**
250 g	**pétoncles coupés en dés**	**1/2 lb**
50 ml	**persil frais haché**	**1/4 tasse**
50 ml	**basilic frais haché**	**1/4 tasse**
1 l	**bouillon de poulet maison (p. 59) ou 1 boîte de 284 ml (10 oz) de bouillon de poulet dilué d'eau**	**4 tasses**
125 ml	**vin blanc sec**	**1/2 tasse**
1	**oignon haché**	**1**
375 ml	**riz italien à grain court, de préférence du riz arborio**	**1 1/2 tasse**
	sel et poivre au goût	

1. Chauffer 15 ml (1 c. à table) d'huile dans une grande poêle anti-adhésive. Y mettre l'ail et les flocons de piment. Cuire jusqu'à ce qu'un arôme agréable s'en dégage, environ 30 secondes. Ajouter les poivrons rouge et jaune et cuire jusqu'à ce qu'ils commencent à ramollir, environ 10 minutes.

2. Ajouter les crevettes et les pétoncles et bien mélanger. Chauffer de 2 à 3 minutes. Incorporer à la préparation le persil et le basilic. Réserver. (Cette étape peut être faite à l'avance.)

3. Environ 20 minutes avant le service, mélanger bouillon et vin. Porter à ébullition et laisser mijoter.

4. Chauffer les 25 ml (2 c. table) d'huile restants dans une grande casserole ou un faitout. Mettre l'oignon et cuire doucement 5 minutes jusqu'à ce qu'il soit tendre et odorant.

5. Incorporer le riz et l'enrober du mélange. Ajouter 125 ml (1/2 tasse) de bouillon et cuire à feu moyen en remuant constamment, jusqu'à ce que le liquide se soit évaporé. Si le contenu de la poêle s'assèche, ajouter du liquide. Poursuivre ainsi jusqu'à ce que le riz commence tout juste à ramollir et que presque tout le liquide soit absorbé. Cela devrait prendre environ 15 minutes. (La cuisson du riz se poursuivra quelque peu après l'ajout des fruits de mer.)

6. Réchauffer les fruits de mer et les incorporer dans le riz. Cuire de 3 à 4 minutes. Saler et poivrer au besoin. Servir immédiatement.

DÉCORTIQUER LES CREVETTES

Bien qu'il soit possible d'acheter des crevettes déjà décortiquées et nettoyées, il faut se rappeler que les crevettes congelées sans leur carapace risquent de sécher. J'achète fréquemment un bloc de 2,5 kg (5 lb) de crevettes surgelées dans leur carapace que je fais décongeler et que je décortique au fur et à mesure que j'en ai besoin. Pour en utiliser une partie seulement placez le bloc sous l'eau froide jusqu'à ce qu'un morceau s'en détache et remettez le reste au congélateur, en prenant soin de bien l'envelopper. Faites décongeler les crevettes au réfrigérateur, dans l'évier ou dans un bol d'eau froide.

Pour décortiquer les crevettes, enlevez-en la carapace et ôtez la partie protégeant la queue en la tordant délicatement. Faites passer la lame d'un couteau le long du dos de la crevette. Déveinez-la en tirant sur le tube digestif, qui est de couleur noire, s'il est présent. Asséchez les crevettes en les épongeant.

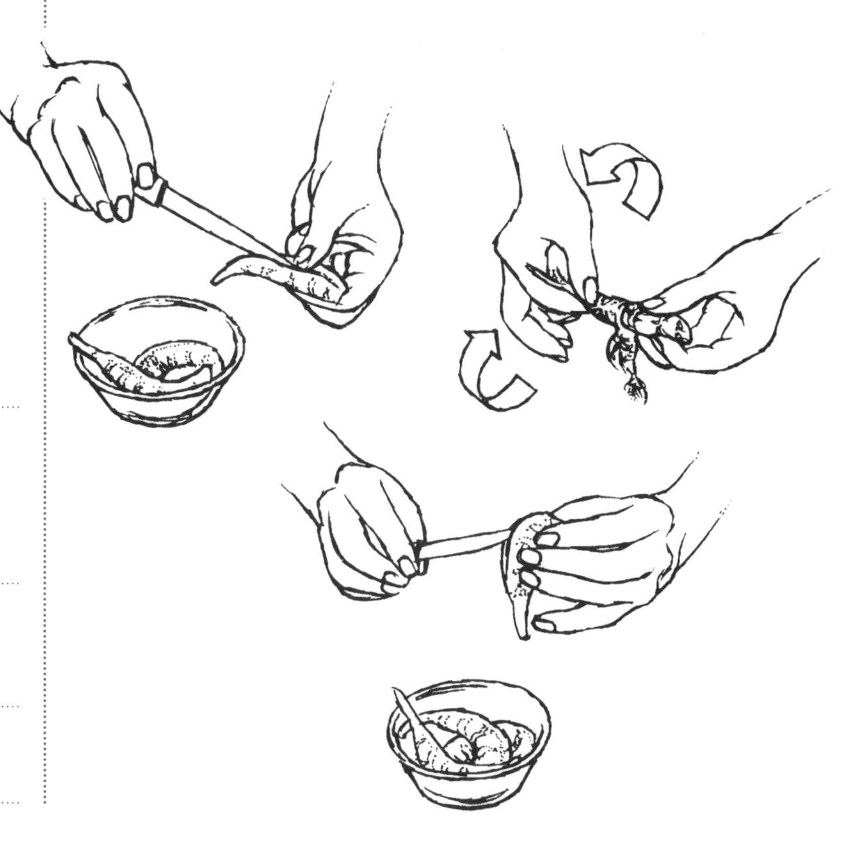

APPORT NUTRITIONNEL PAR PORTION

365	calories
47 g	glucides
2 g	fibres
9 g	matières grasses
1 g	gras saturés
21 g	protéines

Excellente source de : vitamine C, fer, niacine et vitamine B_{12}
Bonne source de : vitamine A

71 mg	cholestérol
142 mg	sodium
481 mg	potassium

FILETS DE POISSON AU ROMARIN

Cette recette simple peut s'exécuter avec tout poisson se prêtant bien à la grillade, comme le flétan, le saumon, le bar, le thon, le vivaneau rouge, la baudroie ou l'espadon.

Donne 4 portions

4	**filets de poisson (d'environ 125 g/4 oz)**	**4**
15 ml	**huile d'olive**	**1 c. à table**
15 ml	**romarin frais haché ou (1/2 c. à thé) de romarin séché**	**1 c. à table**
2 ml	**poivre**	**1/2 c. à thé**
2 ml	**sel**	**1/2 c. à thé**

1. Assécher le poisson en l'épongeant et en enlever la peau.
2. Badigeonner le poisson d'huile. Le saupoudrer de romarin et de poivre. Le faire mariner 8 heures au réfrigérateur.
3. Immédiatement avant la cuisson, saler les filets des deux côtés. Préchauffer le gril ou l'élément de grillage du four et faire cuire le poisson de 4 à 5 minutes par côté. (On peut aussi faire cuire le poisson dans une poêle antiadhésive badigeonnée d'huile d'olive.)

SALSA AUX MANGUES ET AUX POIVRONS

Cette sauce se sert avec des grillades de poisson, de porc ou d'agneau.

Mélanger un poivron rouge rôti, pelé et coupé en dés (p.154), 25 ml (2 c. à table) de piments forts verts finement hachés, 5 ml (1 c. à thé) de piment jalapeño finement haché ainsi que 2 mangues pelées et coupées en dés (ou 375 ml (1 1/2 tasse) d'ananas frais ou en conserve coupé en dés). Incorporer à ce mélange 75 ml (1/3 tasse) de coriandre ou de persil frais haché et 15 ml (1 c. à table) de jus de lime. Saler et poivrer au goût.

Donne environ 500 ml (2 tasses).

APPORT NUTRITIONNEL PAR PORTION

155	calories
trace	glucides
0 g	fibres
6 g	matières grasses
1 g	gras saturés
24 g	protéines

Excellente source de : niacine et vitamine B_{12}
Bonne source de : vitamine B_6

36 mg	cholestérol
348 mg	sodium
513 mg	potassium

Cari de légumes et de poulet des Caraïbes *(page 168)* ▶

Pain de maïs aux piments verts doux *(page 246)*

LA VOLAILLE

Poulet à la marocaine

Chili au poulet à l'orientale

Timbale de poulet

Fricadelles de poulet à la sauce teriyaki

Bâtonnets de poulet panés

Cari de légumes et de poulet des Caraïbes

Bâtonnets de poulet grillés

Fajitas au poulet

Poitrines de poulet avec sauce de haricots noirs fermentés

Poulet grillé de Sainte-Lucie

Poulet et légumes sautés à l'orientale

Brochettes de poulet

Poulet aux quarante gousses d'ail

Poulet au vinaigre de framboise

Poulet rôti farci de boulghour

Poulet à la coriandre avec nouilles pad thai

Poitrine de dinde rôtie au romarin et à l'ail

◀ Poitrine de dinde rôtie au romarin et à l'ail *(page 182)*

Brocoli ou rappini aux raisins secs et aux pignons *(page 204)*

Purée de patates douces épicées *(page 214)*

Légumes racines rôtis *(page 217)*

Sauce aux canneberges à l'orange et au gingembre *(page 182)*

POULET À LA MAROCAINE

Ce poulet épicé est si savoureux que, souvent, lorsque je le prépare, j'en fais plus qu'il ne m'en faut ; je peux ainsi utiliser les restes dans une salade. Je fais rôtir les poitrines de poulet avec les os pour obtenir une chair plus juteuse, mais je prends soin d'enlever la peau afin que la marinade ait la possibilité de mieux imprégner la viande.

Donne 6 portions

75 ml	**miel**	**1/3 tasse**
5 ml	**huile de sésame**	**1 c. à thé**
25 ml	**jus de citron**	**2 c. à table**
2 ml	**zeste de citron râpé**	**1/2 c. à thé**
3	**gousses d'ail émincées**	**3**
2 ml	**cumin moulu**	**1/2 c. à thé**
5 ml	**paprika**	**1 c. à thé**
1 ml	**cannelle**	**1/4 c. à thé**
1 ml	**piment de Cayenne (facultatif)**	**1/4 c. à thé**
1 ml	**poivre**	**1/4 c. à thé**
6	**poitrines de poulet sans la peau avec les os**	**6**
1 ml	**sel**	**1/4 c. à thé**
15 ml	**graines de sésame**	**1 c. à table**

1. Dans un grand bol, mélanger le miel, l'huile de sésame, le jus de citron, le zeste de citron, l'ail, le cumin, le paprika, la cannelle, le piment de Cayenne et le poivre.
2. Mettre le poulet dans la marinade. Le retourner afin de bien l'enrober. Garder au réfrigérateur de 1 à 12 heures, en le retournant de temps en temps.
3. Doubler une plaque de papier d'aluminium. Disposer les poitrines de poulet sur le papier, le côté osseux vers le bas. Les arroser du reste de la marinade et les saupoudrer de sel et de graines de sésame. Cuire dans un four préchauffé à 200 °C (400 °F) de 30 à 40 minutes ou jusqu'à ce que le poulet soit bien cuit.

LES ÉPICES

Les épices sont les graines, l'écorce et les racines de certaines plantes. Les épices moulues perdent rapidement leur saveur, il est donc préférable de les acheter en petites quantités ou de les acheter entières et de les moudre au fur et à mesure. (Les experts affirment que les épices perdent leur saveur dans l'année qui suit leur mouture.)

Conservez les épices dans un lieu frais et sec, et employez-les avec parcimonie au départ, de sorte que vous puissiez établir si leur goût vous plaît avec un aliment donné. Il existe des combinaisons classiques comme la muscade et les épinards, ou encore la cannelle et les pommes ; toutefois, suivez votre instinct. Le goût personnel mène à la création de nouveaux plats. Les épices peuvent donner de la vie à vos mets et compenser la perte de saveur conséquente à la réduction du sel et des matières grasses.

APPORT NUTRITIONNEL PAR PORTION

208	calories
17 g	glucides
trace	fibres
3 g	matières grasses
1 g	gras saturés
28 g	protéines

Excellente source de : niacine et vitamine B_6

Bonne source de : vitamine B_{12}

68 mg	cholestérol
175 mg	sodium
345 mg	potassium

CHILI AU POULET À L'ORIENTALE

Ce plat marie les saveurs de l'Orient et les idées de l'Occident. Il peut être préparé à l'avance et est la recette parfaite des années 1990 : de la nourriture du bon vieux temps mis au goût du jour par l'ajout d'ingrédients provenant de partout au monde.

Ce poulet se sert avec du riz à la vapeur ou du couscous.

Donne de 8 à 10 portions

15 ml	**huile végétale**	**1 c. à table**
3	**gousses d'ail hachées finement**	**3**
25 ml	**gingembre frais haché finement**	**2 c. à table**
6	**oignons verts hachés**	**6**
2	**poivrons rouges coupés en dés**	**2**
10 ml	**pâte de piment fort (au goût)**	**2 c. à thé**
500 g	**poitrines de poulet désossées, sans la peau et coupées en cubes**	**1 lb**
1	**boîte de 796 ml (28 oz) de tomates italiennes égouttées et réduites en purée**	**1**
1 l	**haricots rouges cuits ou 2 boîtes de 540 ml (19 oz) de haricots rouges rincés et égouttés**	**4 tasses**
25 ml	**sauce soja**	**2 c. à table**
15 ml	**vin de riz**	**1 c. à table**
5 ml	**huile de sésame**	**1 c. à thé**
125 ml	**coriandre ou persil frais haché**	**1/2 tasse**

1. Chauffer l'huile dans une grande poêle ou un wok. Y mettre l'ail, le gingembre et les oignons verts. Cuire 30 secondes à feu doux, jusqu'à ce que le mélange dégage un arôme agréable. Ajouter les poivrons rouges, la pâte de piment et cuire quelques minutes.
2. Ajouter le poulet et bien mélanger. Cuire en remuant constamment environ 5 minutes, jusqu'à ce que l'extérieur des morceaux de poulet soit blanc.
3. Ajouter les tomates. Porter le tout à ébullition. Réduire le feu et laisser mijoter doucement pendant 30 minutes ou jusqu'à ce que le mélange soit assez épais et que presque tout le liquide se soit évaporé.
4. Incorporer à la préparation les haricots, la sauce soja et le vin de riz. Cuire 10 minutes.
5. Incorporer l'huile de sésame et la coriandre. Rectifier l'assaisonnement au besoin.

APPORT NUTRITIONNEL PAR PORTION

229	calories
27 g	glucides
10 g	fibres
4 g	matières grasses
1 g	gras saturés
22 g	protéines

Excellente source de : vitamine C, niacine, fer, vitamine B_6 et acide folique
Bonne source de : vitamine A et thiamine

33 mg	cholestérol
358 mg	sodium
780 mg	potassium

TIMBALE DE POULET

Le poulet en croûte est délicieux avec de la pâte brisée ou de la pâte filo, mais je l'aime bien recouvert de purée de pommes de terre. Pourquoi ne pas essayer une des recettes de purée de pommes de terre proposées dans ce livre ? Ce mets se prépare également avec des restes de dinde.

Donne de 8 à 10 portions

25 ml	huile d'olive	2 c. à table
250 g	champignons coupés en quatre	1/2 lb
2	poireaux ou oignons parés et hachés	2
250 ml	carottes coupées en dés	1 tasse
75 ml	farine tout usage	1/3 tasse
500 ml	bouillon de poulet maison (p. 59) ou eau	2 tasses
15 ml	thym frais haché ou 2 ml (1/2 c. à thé) de thym séché	1 c. à table
1 ml	sauce piquante au piment	1/4 c. à thé
2 ml	poivre	1/2 c. à thé
	sel au goût	
1 l	poitrines de poulet cuites coupées en dés	4 tasses
125 ml	grains de maïs frais ou surgelés	1/2 tasse
250 ml	petits pois frais ou surgelés	1 tasse
50 ml	piment ou poivron rouge rôti coupé en dés (p. 154)	1/4 tasse

Purée de pommes de terre au cheddar :

1 kg	pommes de terre pelées et coupées en morceaux de 5 cm (2 po)	2 lb
175 ml	lait très chaud	3/4 tasse
1 ml	poivre	1/4 c. à thé
	sel au goût	
175 ml	cheddar à faible teneur en matières grasses râpé	3/4 tasse
5 ml	paprika	1 c. à thé

LA MANIPULATION DU POULET

Conservez le poulet au réfrigérateur et consommez-le rapidement si vous ne le congelez pas. Le poulet se contamine facilement par les salmonelles et autres bactéries ; il faut donc lui accorder une attention particulière. Décongelez-le au réfrigérateur ou dans le four à micro-ondes, mais jamais à la température ambiante, car c'est dans ces conditions que les bactéries prolifèrent le plus rapidement.

Prenez soin d'apprêter le poulet dans un endroit facile d'entretien, et lavez soigneusement le comptoir, les ustensiles ainsi que vos mains après le travail.

1. Chauffer l'huile dans une grande casserole ou un faitout. Y mettre les champignons, les poireaux et les carottes. Cuire quelques minutes. Saupoudrer de farine. Cuire 5 minutes à feu doux, sans laisser dorer les légumes.
2. Incorporer au fouet le bouillon et porter à ébullition. Réduire le feu et ajouter le thym, la sauce piquante, le poivre et le sel. Laisser mijoter 10 minutes en remuant de temps en temps.
3. Incorporer le poulet, le maïs, les pois et le piment. Rectifier l'assaisonnement au besoin.
4. Pour préparer la purée, cuire les pommes de terre dans une grande casserole remplie d'eau bouillante jusqu'à ce qu'elles soient tendres. Bien égoutter et assécher. Réduire en purée. Incorporer en battant le lait, le poivre, le sel et le fromage. Rectifier l'assaisonnement au besoin. (Verser davantage de lait au besoin de manière à rendre la purée suffisamment onctueuse pour être étendue.)
5. Huiler légèrement une cocotte d'une capacité de 3 litres (12 tasses). Y déposer le poulet. Mettre la purée sur le poulet à la cuillère ou à l'aide d'un sac de pâtissier et saupoudrer de paprika.
6. Cuire dans un four préchauffé à 200 °C (400 °F) de 30 à 35 minutes ou jusqu'à ce que le plat soit très chaud et bouillonne.

APPORT NUTRITIONNEL PAR PORTION

333	calories
32 g	glucides
3 g	fibres
9 g	matières grasses
3 g	gras saturés
31 g	protéines

Excellente source de : vitamine A, niacine et vitamine B_6
Bonne source de : thiamine, riboflavine, fer, acide folique et vitamine B_{12}

68 mg	cholestérol
184 mg	sodium
735 mg	potassium

FRICADELLES DE POULET À LA SAUCE TERIYAKI

La sauce teriyaki relève magnifiquement ces boulettes de poulet. On peut aussi l'employer pour les boulettes d'agneau ou de poisson.

Donne 6 portions

500 g	**poitrines de poulet désossées, sans la peau et débarrassées de tout gras**	**1 lb**
2	**blancs d'œufs ou 1 œuf entier**	2
175 ml	**chapelure fraîche**	**3/4 tasse**
1	**gousse d'ail émincée**	1
5 ml	**gingembre frais émincé**	**1 c. à thé**
25 ml	**coriandre ou persil frais haché**	**2 c. à table**
25 ml	**ciboulette fraîche ou oignons verts hachés**	**2 c. à table**
1 ml	**sel**	**1/4 c. à thé**
45 ml	**sauce teriyaki au citron et au gingembre (voir la note explicative en marge)**	**3 c. à table**
6	**pains à hamburgers ou pains pitas**	6
750 ml	**laitue déchiquetée**	**3 tasses**

1. Couper le poulet en cubes et l'assécher en l'épongeant. Le mettre dans le robot culinaire équipé de son dispositif à lame et le hacher finement avec la fonction marche/arrêt. (En l'absence d'un robot culinaire, émincer la viande finement au couteau ou l'acheter hachée et l'employer le jour même.)
2. Ajouter les blancs d'œufs, la chapelure, l'ail, le gingembre, la coriandre, la ciboulette et le sel. Mélanger.
3. Former 6 fricadelles à partir de la préparation. Réfrigérer jusqu'au moment de la cuisson.
4. Préchauffer le gril ou l'élément de grillage du four. Cuire les fricadelles 3 minutes par côté. Badigeonner généreusement de sauce teriyaki. Retourner les fricadelles et les badigeonner toutes les 2 minutes pendant environ 10 minutes ou jusqu'à ce qu'elles soient à point.
5. Servir dans des petits pains avec de la laitue.

LE POULET HACHÉ

Le poulet haché est encore plus périssable que le poulet en morceaux, il est donc impératif de l'employer la journée même de l'achat ou de le congeler. La plupart du temps, le poulet haché est fait à partir de viande blanche et de viande brune, et parfois de peau et de matières grasses. Par ailleurs, si vous êtes l'heureux propriétaire d'un robot culinaire, vous pourrez hacher vous-même des poitrines désossées et sans peau ; vous aurez ainsi la certitude que votre poulet est frais et maigre. Si vous n'avez pas de robot culinaire, demandez l'aide de votre boucher.

LA SAUCE TERIYAKI AU CITRON ET AU GINGEMBRE

Dans une casserole, mélanger 45 ml (3 c. à table) de sauce soja, 45 ml (3 c. à table) d'eau, 75 ml (1/3 tasse) de vin de riz, 50 ml (1/4 tasse) de sucre granulé, 2 gousses d'ail émincées, 15 ml (1 c. à table) de gingembre frais, 1 ml (1/4 c. à thé) de pâte de piment fort et 15 ml (1 c. à table) de jus de citron. Porter à ébullition et cuire à feu moyen jusqu'à ce que la sauce ait une consistance sirupeuse, soit pendant environ 5 minutes.

Donne environ 75 ml (1/3 tasse).

APPORT NUTRITIONNEL PAR PORTION

307	calories
40 g	glucides
2 g	fibres
5 g	matières grasses
1 g	gras saturés
25 g	protéines

Excellente source de : niacine
Bonne source de : thiamine, riboflavine, fer, vitamine B_6 et acide folique

44 mg	cholestérol
655 mg	sodium
345 mg	potassium

BÂTONNETS DE POULET PANÉS

Dans mes efforts constants pour préparer des aliments qui plaisent à mes enfants, j'essaie de faire des bâtonnets de poulet sans grande friture.

Pour faire la panure, au lieu de chapelure, on peut prendre les craquelins préférés des enfants ou des céréales. Préparez la chapelure dans le robot culinaire ou mettre les craquelins ou les céréales dans un sac de plastique que vous écraserez au rouleau à pâte.

On peut également préparer des poitrines entières de poulet de cette façon (il suffit de les laisser 10 minutes de plus au four). Servez les bâtonnets avec l'une des sauces proposées.

Donne de 4 à 6 portions

5 ml	**huile végétale**	**1 c. à thé**
500 g	**poitrines de poulet désossées et sans la peau**	**1 lb**
75 ml	**fromage de yogourt crémeux (p. 228) ou yogourt épais**	**1/3 tasse**
15 ml	**ketchup**	**1 c. à table**
5 ml	**moutarde de Dijon**	**1 c. à thé**
2 ml	**sauce Worcestershire**	**1/2 c. à thé**
1 ml	**poivre**	**1/4 c. à thé**
375 ml	**chapelure de pain ou craquelins broyés**	**1 1/2 tasse**

1. Badigeonner d'huile végétale une plaque et la placer dans un four préchauffé à 200 °C (400 °F).
2. Découper chaque poitrine de poulet en 4 ou 5 lanières. Les assécher en les épongeant.
3. Mettre le fromage de yogourt, le ketchup, la moutarde, la sauce Worcestershire et le poivre dans un bol et bien mélanger. Déposer les morceaux de poulet dans ce mélange et bien les en enrober.
4. Mettre la chapelure dans une grande assiette. Rouler les bâtonnets de poulet un à un dans la chapelure.
5. Disposer les morceaux de poulet en une seule couche sur la plaque et cuire pendant 15 minutes. Les retourner et poursuivre la cuisson encore de 10 à 12 minutes ou jusqu'à ce que les morceaux soient croustillants et à point.

TREMPETTE AUX PRUNES

Mélanger 50 ml (1/4 tasse) de sauce aux prunes, 5 ml (1 c. à thé) de sauce soja, 5 ml (1/2 c. à thé) de gingembre moulu.

Donne environ 50 ml (1/4 tasse).

SAUCE AU MIEL ET À L'AIL

Mélanger 50 ml (1/4 tasse) de miel, 15 ml (1 c. à table) de sauce soja et 1 gousse d'ail émincée.

Donne environ 50 ml (1/4 tasse).

APPORT NUTRITIONNEL PAR PORTION

288	calories
29 g	glucides
1 g	fibres
4 g	matières grasses
1 g	gras saturés
33 g	protéines

Excellente source de : niacine, vitamine B_6
Bonne source de : riboflavine, fer et vitamine B_{12}

68 mg	cholestérol
416 mg	sodium
420 mg	potassium

CARI DE LÉGUMES ET DE POULET DES CARAÏBES

Voir photo à la page 160.

La cuisson du poulet sur le gril ajoute de la saveur à ce mets, mais on peut tout aussi bien le préparer en mettant le poulet cru à cuire avec les pommes de terre. Servez avec du riz ou du couscous. Pour une version végétarienne de ce plat, omettez les quatre premiers ingrédients.

Donne 8 portions

6	**poitrines de poulet désossées et sans la peau**	**6**
25 ml	**moutarde de Dijon**	**2 c. à table**
10 ml	**huile de sésame**	**2 c. à thé**
45 ml	**poudre de cari, divisée en deux portions**	**3 c. à table**
15 ml	**huile végétale**	**1 c. à table**
3	**gousses d'ail hachées finement**	**3**
25 ml	**gingembre frais haché**	**2 c. à table**
1	**petit piment fort haché finement**	**1**
pincée	**piment de la Jamaïque**	**pincée**
pincée	**cannelle**	**pincée**
pincée	**muscade**	**pincée**
1	**oignon haché grossièrement**	**1**
1	**poireau paré et haché grossièrement**	**1**
1,25 ml	**bouillon de légumes maison (p. 62), bouillon de poulet maison (p. 59) ou eau**	**1/2 tasse**
1	**boîte de 796 ml (28 oz) de tomates italiennes réduites en purée avec leur jus**	**1**
2	**pommes de terre pelées et coupées en morceaux**	**2**
1	**grosse patate douce pelée et coupée en morceaux**	**1**
2	**carottes coupées en tranches**	**2**
500 g	**courge musquée pelée et coupée en morceaux**	**1 lb**
175 ml	**jus d'ananas, jus de tomate ou lait de noix de coco en conserve**	**3/4 tasse**

LA BANANE DES ANTILLES

La banane des Antilles est de plus en plus facile à trouver. Bien qu'elle ait l'apparence d'une banane, elle se sert en tant que légume. Elle est souvent présentée comme amuse-gueule ou garniture sous forme de minces tranches frites, mais c'est dans les ragoûts et les caris que je la préfère. J'achète les bananes jaunes et noires plutôt que les vertes. Pour les peler, entaillez-les dans le sens de la longueur et enlevez la peau.

2	**bananes des Antilles pelées et coupées en morceaux (facultatif)**	**2**
1	**boîte de 540 ml (19 oz) de pois chiches rincés et égouttés ou 500 ml (2 tasses) de pois chiches cuits**	**1**
125 ml	**coriandre ou persil frais haché**	**1/2 tasse**

1. Assécher le poulet en l'épongeant. Dans un petit bol, mélanger la moutarde, l'huile de sésame et 15 ml (1 c. à table) de poudre de cari. Enrober le poulet de ce mélange.
2. Préchauffer le gril ou l'élément de grillage du four et cuire le poulet 5 minutes par côté (le poulet ne devrait pas être tout à fait à point). Le couper en morceaux de 5 cm (2 po). Réserver.
3. Chauffer l'huile dans une grande poêle profonde ou un faitout. Y mettre l'ail, le gingembre et le piment fort. Cuire 30 secondes. Ajouter les 25 ml (2 c. à table) de poudre de cari restants, le piment de la Jamaïque, la cannelle et la muscade. Cuire encore 30 secondes. Ajouter l'oignon, le poireau et le bouillon. Cuire jusqu'à évaporation du liquide.
4. Ajouter les tomates en purée et porter à ébullition. Mettre les pommes de terre et la patate douce ; cuire 10 minutes à couvert.
5. Ajouter les carottes, la courge, le jus d'ananas, les bananes des Antilles, les pois chiches et le poulet ; cuire à couvert encore 30 minutes.
6. Rectifier l'assaisonnement au besoin. Parsemer de coriandre.

LA POUDRE DE CARI

La poudre de cari est un mélange d'épices employé en Inde pour aromatiser les plats. Traditionnellement, on retrouve un mélange particulier pour chaque viande, mais la plupart des compagnies alimentaires offrent un mélange standard qui se prête à tous les usages.

Pour faire sa propre poudre de cari, mélanger 5 ml (1 c. à thé) de cumin moulu, 25 ml (2 c. à table) de coriandre moulue, 5 ml (1 c. à thé) de curcuma, 1 ml (1/4 c. à thé) de sel, 2 ml (1/2 c. à thé) de cannelle, 1 ml (1/4 c. à thé) de clous de girofle moulus, 5 ml (1 c. à thé) de cardamome et 5 ml (1 c. à thé) de piment de Cayenne (plus ou moins selon le goût).

Donne environ 50 ml (1/4 tasse).

APPORT NUTRITIONNEL PAR PORTION

317	calories
41 g	glucides
6 g	fibres
6 g	matières grasses
1 g	gras saturés
27 g	protéines

Excellente source de : vitamine A, vitamine C, niacine, fer et vitamine B_6
Bonne source de : thiamine et acide folique

55 mg	cholestérol
389 mg	sodium
895 mg	potassium

BÂTONNETS DE POULET GRILLÉS

Ce plat recueille les faveurs aussi bien des enfants que des adultes. Il se sert chaud ou froid et peut se faire avec des poitrines de poulet entières au lieu de bâtonnets.

Je sers ces bâtonnets comme plat principal sur un lit de riz, ou encore comme entrée, accompagnés d'une trempette au yogourt pour les enfants ou d'une salsa piquante (p. 46) pour les adultes.

Donne 4 portions pour les adultes et 6 pour les enfants

500 g	**poitrines de poulet désossées et sans peau**	**1 lb**
25 ml	**miel**	**2 c. à table**
25 ml	**jus de citron**	**2 c. à table**
15 ml	**ketchup ou sauce chili commerciale**	**1 c. à table**
1 ml	**cumin moulu**	**1/4 c. à thé**
2 ml	**sel**	**1/2 c. à thé**

1. Couper chaque poitrine de poulet en 4 ou 5 lanières. Les assécher en les épongeant.
2. Dans un bol, mélanger le miel, le jus de citron, le ketchup et le cumin. Y mettre le poulet et laisser mariner 8 heures au réfrigérateur.
3. Immédiatement avant la cuisson, incorporer le sel dans le mélange. Préchauffer le gril ou l'élément de grillage du four. Cuire les morceaux de poulet de 5 à 7 minutes par côté selon leur épaisseur ou jusqu'à ce qu'ils soient à point.

APPORT NUTRITIONNEL PAR PORTION

151	calories
8 g	glucides
trace	fibres
2 g	matières grasses
trace	gras saturés
26 g	protéines

Excellente source de : niacine et vitamine B_6

70 mg	cholestérol
330 mg	sodium
239 mg	potassium

FAJITAS AU POULET

Cette version aux saveurs orientales des fajitas convient parfaitement pour une fête à l'occasion des séries éliminatoires de la coupe Stanley. Si vous ne pouvez dénicher de tortillas à la farine, prenez tout simplement du pain pita et remplissez-en l'ouverture de poulet, de légumes et de laitue.

Donne 8 portions

8	**petites poitrines de poulet désossées et sans peau (90 g (3 oz) chacune)**	**8**
15 ml	**sauce hoisin**	**1 c. à table**
15 ml	**miel**	**1 c. à table**
15 ml	**huile de sésame**	**1 c. à table**
5 ml	**pâte de piment fort**	**1 c. à thé**
2	**gousses d'ail émincées**	**2**
15 ml	**gingembre frais émincé**	**1 c. à table**
500 g	**aubergine coupée en tranches épaisses de 5 mm (1/4 po)**	**1 lb**
8	**tortillas à la farine de 25 cm (10 po)**	**8**
75 ml	**sauce hoisin**	**1/3 tasse**
500 ml	**laitue déchiquetée**	**2 tasses**
50 ml	**coriandre ou persil frais haché**	**1/4 tasse**

1. Assécher le poulet en l'épongeant. Mélanger 15 ml (1 c. à thé) de sauce hoisin, le miel, l'huile de sésame, la pâte de piment, l'ail et le gingembre. Mélanger la moitié de la sauce avec le poulet et laisser mariner au réfrigérateur jusqu'au moment de la cuisson.
2. Badigeonner l'aubergine et les tranches d'oignon avec le reste de la marinade. Préchauffer le gril ou l'élément de grillage du four et cuire l'aubergine et les oignons des deux côtés jusqu'à ce qu'ils soient dorés et à point.
3. Griller le poulet des deux côtés jusqu'à ce qu'il soit doré et à point, en prenant soin de ne pas trop cuire. Couper les légumes et le poulet en morceaux de 5 cm (2 po) et mélanger. Vous pouvez également laisser le poulet en gros morceaux.
4. Pour réchauffer les tortillas, les envelopper de papier d'aluminium et cuire de 5 à 10 minutes dans un four préchauffé à 180 °C (350 °F).
5. Pour faire les fajitas, étendre une cuillerée de sauce hoisin au milieu de chaque tortilla. Déposer au centre une certaine quantité du mélange légumes-poulet. Garnir de laitue et de coriandre. Rabattre la partie inférieure de la tortilla et l'enrouler sur elle-même pour emprisonner la garniture.

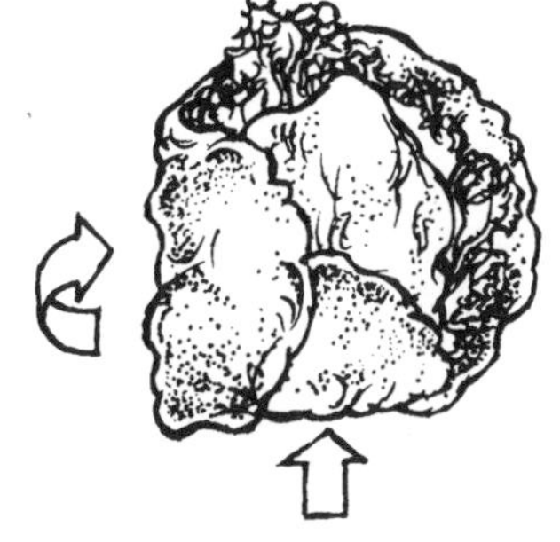

APPORT NUTRITIONNEL PAR PORTION

349	calories
46 g	glucides
3 g	fibres
7 g	matières grasses
1 g	gras saturés
26 g	protéines

Excellente source de : niacine et vitamine B_6
Bonne source de : riboflavine et fer

53 mg	cholestérol
523 mg	sodium
440 mg	potassium

POITRINES DE POULET AVEC SAUCE DE HARICOTS NOIRS FERMENTÉS

Mes élèves m'apportent parfois de succulentes recettes ; celle-ci est l'une des meilleures. C'est devenu l'un de nos repas préférés car elle est facile à faire et les saveurs se marient bien. La sauce est également bonne avec le filet de porc ou le saumon (qu'on aura pris soin de ne pas faire cuire plus de 10 minutes). Servez ces poitrines de poulet accompagnées de riz à la vapeur ou de couscous et quelques légumes apprêtés à la bonne franquette. Ce plat est bon chaud ou froid et convient aussi parfaitement aux pique-niques.

Si vous employez des poitrines de poulet désossées, mettez un peu moins de sauce de haricots noirs ; autrement, la saveur pourrait être trop prononcée.

Donne 6 portions

6	**poitrines de poulet sans la peau, avec les os**	**6**
25 ml	**sauce de haricots noirs fermentés (p. 156)**	**2 c. à table**
5 ml	**concentré de jus d'orange congelé**	**1 c. à thé**
25 ml	**eau**	**2 c. à table**
2 ml	**pâte de piment fort**	**1/2 c. à thé**
5 ml	**huile de sésame (facultatif)**	**1 c. à thé**
25 ml	**coriandre ou persil frais haché**	**2 c. à table**

1. Assécher le poulet en l'épongeant.
2. Dans un petit bol, mélanger la sauce de haricots noirs, le concentré de jus d'orange, l'eau, la pâte de piment fort et l'huile de sésame.
3. Frotter la peau du poulet de ce mélange. Disposer les morceaux de poulet, le côté osseux orienté vers le bas, sur une plaque doublée de papier d'aluminium.
4. Cuire dans un four préchauffé à 190 °C (375 °F) pendant 45 minutes ou jusqu'à ce que le poulet soit à point. Garnir de coriandre avant de servir.

L'ART DE RETIRER LA PEAU DU POULET

En règle générale, j'enlève la peau du poulet avant la cuisson. Je laisse souvent la chair de la poitrine sur les os, car ces derniers aident à conserver la viande juteuse malgré l'absence de peau. Si vous apprêtez des poitrines de poulet désossées et sans la peau, prenez grand soin de ne pas les faire trop cuire, car elles deviennent facilement sèches et coriaces. Conservez toute peau crue et tous les os pour la préparation d'un bouillon de poulet (p. 59).

APPORT NUTRITIONNEL PAR PORTION

142	calories
3 g	glucides
trace	fibres
2 g	matières grasses
trace	gras saturés
27 g	protéines

Excellente source de : niacine et vitamine B_6
Bonne source de : vitamine B_{12}

73 mg	cholestérol
147 mg	sodium
289 mg	potassium

POULET GRILLÉ DE SAINTE-LUCIE

Le poulet grillé jouit d'une grande popularité dans l'île de Sainte-Lucie. Lorsque je fais du poulet grillé, et si la sauce qui doit l'accompagner est à base de sucre ou de tomate, je préfère le cuire d'abord au four. Ainsi, je n'ai plus qu'à le faire dorer et à l'aromatiser sur le gril, et il ne risque pas de carboniser. Ce poulet est également bon tout simplement cuit au four ; l'étape finale du grillage est facultative.

Donne de 8 à 10 portions

1	**boîte de 796 ml (28 oz) de tomates italiennes égouttées et réduites en purée**	**1**
250 ml	**ananas frais ou en boîte finement haché**	**1 tasse**
50 ml	**cassonade**	**1/4 tasse**
50 ml	**moutarde de Dijon**	**1/4 tasse**
25 ml	**vinaigre de cidre**	**2 c. à table**
15 ml	**sauce Worcestershire**	**1 c. à table**
25 ml	**gingembre frais émincé**	**2 c. à table**
6	**gousses d'ail émincées**	**6**
1	**oignon haché finement**	**1**
2	**piments frais émincés**	**1**
5 ml	**cumin moulu**	**1 c. à thé**
5 ml	**paprika**	**1 c. à thé**
2 kg	**morceaux de poulet sans la peau avec les os**	**4 lb**

1. Dans une casserole, mélanger tous les ingrédients à l'exception du poulet. Porter à ébullition et cuire 15 minutes à découvert. La sauce devrait épaissir. Laisser refroidir.
2. Assécher les morceaux de poulet en les épongeant et les enrober de sauce. Les déposer, côté charnu orienté vers le haut, dans un plat et cuire dans un four préchauffé à 180 °C (350 °F) pendant 30 minutes.
3. Si l'on désire cuire le poulet au-dessus du gril, retirer les morceaux de poulet du plat, verser la sauce dans une casserole et la faire bouillir jusqu'à ce qu'elle épaississe. Faire griller le poulet de 5 à 10 minutes par côté, en badigeonnant les morceaux de sauce. Si l'on n'opte pas pour le grillage, faire simplement cuire le poulet au four de 10 à 20 minutes de plus ou jusqu'à ce qu'il soit tout à fait à point.

LE GRILLAGE

La cuisson sur le gril (barbecue) jouit depuis quelque temps d'une grande popularité. Elle permet d'enrichir le goût des aliments sans l'ajout de matières grasses. Beaucoup ne jurent que par le gril à charbon de bois ; j'estime personnellement que le gril à gaz est facile d'emploi et donne un bon goût aux aliments. Les grils intégrés d'intérieur sont de plus en plus populaire, mais on peut aussi se procurer un gril électrique de comptoir qui donne de meilleurs résultats que l'élément de grillage du four sans les frais associés à l'installation d'un gril intégré.

APPORT NUTRITIONNEL PAR PORTION

264	calories
16 g	glucides
1 g	fibres
9 g	matières grasses
2 g	gras saturés
31 g	protéines

Excellente source de : niacine et vitamine B_6
Bonne source de : fer et vitamine B_{12}

91 mg	cholestérol
323 mg	sodium
522 mg	potassium

POULET ET LÉGUMES SAUTÉS À L'ORIENTALE

Voici une recette que j'enseigne à l'université dans mon cours de survie, et elle est très populaire. Au début du cours, les jeunes sont très sérieux et je dois leur rappeler constamment que la cuisine est un jeu et que, dans mon cours, ils ne travaillent pas en vue de l'obtention d'un diplôme. Heureusement, il se trouve toujours dans la classe un ou deux cuisiniers plus expérimentés qui confirment que, si l'on sait cuisiner, on devient très populaire sur le campus, et que les copains se battent pour obtenir une invitation à votre table! De tels témoignages semblent les convaincre à tout coup.

Servez ce plat avec un riz vapeur.

Donne de 4 à 5 portions

500 g	**poitrines de poulet désossées et sans la peau**	**1 lb**
15 ml	**sauce soja**	**1 c. à table**
15 ml	**fécule de maïs**	**1 c. à table**

Sauce:

150 ml	**bouillon de poulet maison (p. 59) ou eau**	**2/3 tasse**
25 ml	**sauce hoisin**	**2 c. à table**
10 ml	**huile de sésame**	**2 c. à thé**
15 ml	**vin de riz ou saké**	**1 c. à table**
15 ml	**fécule de maïs**	**1 c. à table**

Pour la cuisson:

15 ml	**huile végétale**	**1 c. à table**
2	**gousses d'ail hachées finement**	**2**
15 ml	**gingembre frais haché**	**1 c. à table**
3	**oignons verts hachés**	**3**
5 ml	**pâte de piment fort**	**1 c. à thé**
1	**poivron rouge coupé en lanières**	**1**
1	**carotte tranchée finement**	**1**
1	**botte de brocoli coupée en morceaux de 2,5 cm (1 po)**	**1**
25 ml	**coriandre ou oignons frais hachés**	**2 c. à table**

1. Couper le poulet en morceaux de 2,5 cm (1 po). Dans un grand bol, mélanger 15 ml (1 c. à table) de sauce soja et 15 ml (1 c. à table) de fécule de maïs. Mettre le poulet dans cette marinade et réserver.
2. Pour faire la sauce, mélanger dans un autre bol le bouillon, la sauce hoisin, l'huile de sésame, le vin de riz et 15 ml (1 c. à table) de fécule de maïs. Réserver.
3. Pour la cuisson, chauffer l'huile végétale dans un wok ou une grande poêle profonde. Y mettre l'ail, le gingembre, les oignons verts et la pâte de piment. Cuire 30 secondes.
4. Mettre le poulet dans la poêle et cuire jusqu'à ce qu'il soit légèrement doré. Ajouter le poivron rouge, la carotte, le brocoli et 50 ml (1/4 tasse) d'eau. Couvrir et cuire de 3 à 5 minutes ou jusqu'à ce que le poulet soit juste à point et le brocoli d'un vert brillant.
5. Bien remuer la sauce et y ajouter le mélange poulet-légumes. Porter à ébullition en remuant constamment. Rectifier l'assaisonnement au besoin. Servir garni de coriandre.

LE WOK

Le wok est d'un grand secours pour une cuisine réduite en matières grasses, car il permet de cuire les aliments dans très peu d'huile. Si vous en achetez un, choisissez-le grand ; vous aurez ainsi le loisir de remuer les aliments à votre guise. Prenez-en un muni de deux poignées et d'un couvercle, de sorte que vous pourrez l'utiliser pour la cuisine à l'étuvée.

Assurez-vous que le wok est vraiment très chaud avant d'y mettre à cuire des aliments.

Pour empêcher les aliments de coller, lavez-le à fond avant usage. Remplissez-le d'abord à moitié d'une huile végétale au goût neutre, chauffez ensuite le wok sur la cuisinière et laissez-le refroidir à quelques reprises, en badigeonnant de temps en temps la partie des parois ne baignant pas dans l'huile. Jetez l'huile et essuyez le wok. Par la suite, après usage, ne lavez le wok qu'à l'eau. Répétez ce traitement au besoin.

APPORT NUTRITIONNEL PAR PORTION

278	calories
19 g	glucides
4 g	fibres
8 g	matières grasses
1 g	gras saturés
32 g	protéines

Excellente source de : vitamine A, vitamine C, niacine, vitamine B_6 et acide folique
Bonne source de : riboflavine, fer et vitamine B_{12}

66 mg	cholestérol
501 mg	sodium
823 mg	potassium

BROCHETTES DE POULET

Ce plat de poulet est déjà bon en soi, mais il est succulent servi accompagné d'un sauce tzatziki regorgeant d'ail (p. 39). Au lieu de cubes de poulet, on peut prendre des poitrines entières.

J'aime bien servir ces brochettes dans des pains à hot-dogs ou à sous-marins au sésame, mais il vaut également la peine d'essayer les petits pains de blé entier, le pain pita ou les tortillas.

Ce plat se sert aussi froid. Si vos brochettes sont en bambou, faites-les tremper 1 heure dans l'eau avant de les utiliser.

Donne 4 portions

500 g	**poitrines de poulet sans la peau et dépouillées**	**1 lb**
25 ml	**jus de citron**	**2 c. à table**
2 ml	**sel**	**1/2 c. à thé**
2 ml	**poivre**	**1/2 c. à thé**
1 ml	**cumin moulu**	**1/4 c. à thé**
1 ml	**origan séché**	**1/4 c. à thé**
pincée	**flocons de piment fort (facultatif)**	**pincée**
2	**gousses d'ail émincées**	**2**
4	**pains à hot-dogs**	**4**

1. Couper le poulet en cubes de 4 cm (1 1/2 po).
2. Dans un bol, mélanger le jus de citron, le sel, le poivre, le cumin, l'origan, les flocons de piment et l'ail. Ajouter les morceaux de poulet et laisser mariner 1 heure au réfrigérateur.
3. Enfiler le poulet sur 4 brochettes. Préchauffer le gril ou l'élément de grillage du four et cuire le poulet de 5 à 7 minutes par côté ou jusqu'à ce qu'il soit à point. Surveiller attentivement la cuisson afin d'éviter que le poulet ne brûle. Retirer les morceaux de poulet des brochettes et servir dans des petits pains.

L'ART D'APPRÊTER L'AIL

L'ail cuit a une saveur délicate, et plus il cuit longtemps, plus il devient tendre et subtil.

Évitez de trop faire rôtir l'ail ; il deviendrait alors amer. Cuisez-le à feu doux dans un peu d'huile jusqu'à ce qu'il commence à dégager un arôme agréable ; ajoutez un peu d'eau à la poêle si l'ail semble coller. Si vous désirez éviter d'utiliser de l'huile, commencez la cuisson dans un peu d'eau ou de bouillon. Si vous faites cuire ensemble ail et oignons, mettez d'abord l'oignon dans la poêle chaude afin de la faire refroidir quelque peu.

Plus l'ail est haché finement, plus il libérera de saveur. Je me sers d'un presse-ail pour émincer ce bulbe s'il est destiné à être mangé cru dans une vinaigrette, une trempette ou une tartinade. Toutefois, l'ail émincé à tendance à adhérer et à brûler lorsqu'on le met dans la poêle chaude ; c'est pourquoi je me contente de le hacher au couteau si je dois le faire revenir.

APPORT NUTRITIONNEL PAR PORTION

276	calories
28 g	glucides
1 g	fibres
4 g	matières grasses
1 g	gras saturés
30 g	protéines

Excellente source de : niacine et vitamine B_6
Bonne source de : thiamine et fer

70 mg	cholestérol
545 mg	sodium
276 mg	potassium

POULET AUX QUARANTE GOUSSES D'AIL

Certains reculent d'effroi devant les quarante gousses d'ail que réclame la présente recette. Mais comme je le répète, plus l'ail cuit longtemps, plus son goût devient discret.

Il s'agit d'un plat qui se prépare très bien à l'avance et dont la saveur s'améliore lorsqu'on le réchauffe. Servez ce poulet accompagné d'une purée de pommes de terre avec une certaine quantité de jus et beaucoup d'ail. Bien qu'il ne fasse pas partie de la tradition, le fromage de chèvre crémeux produit également un effet fantastique ici.

Donne 6 portions

1	**poulet de 1,5 kg (3 lb) sans la peau et coupé en morceaux**	**1**
15 ml	**huile d'olive**	**1 c. à table**
40	**gousses d'ail pelées**	**40**
10	**échalotes pelées (facultatif)**	**10**
45 ml	**cognac ou brandy**	**3 c. à table**
2 ml	**sel**	**1/2 c. à thé**
2 ml	**poivre**	**1/2 c. à thé**
175 ml	**vin blanc sec ou bouillon de poulet maison (p. 59)**	**3/4 tasse**
25 ml	**ciboulette fraîche ou oignons verts hachés**	**2 c. à table**

1. Assécher les morceaux de poulet en les épongeant. Chauffer l'huile dans une grande poêle profonde antiadhésive. Bien faire dorer les morceaux de poulet, en plusieurs lots s'il le faut afin de ne pas surcharger la poêle, 8 minutes environ par côté.
2. Ajouter au contenu de la poêle les gousses d'ail et les échalotes ; bien brasser pour faire glisser les gousses d'ail sous le poulet. Cuire encore de 10 à 15 minutes jusqu'à ce que l'ail et les échalotes soient légèrement dorés.
3. Jeter tout le gras accumulé dans la poêle. Verser le cognac et, si on le désire, faire flamber en se servant d'une longue allumette (p. 262-263).
4. Ajouter le sel, le poivre et le vin. Porter à ébullition, couvrir, réduire le feu et laisser mijoter 30 minutes. Saupoudrer de ciboulette avant de servir.

FROMAGE DE CHÈVRE CRÉMEUX

Dans une petite casserole, mélanger 125 ml (1/2 tasse) de lait et 90 g (3 oz) de fromage de chèvre. Chauffer doucement tout en battant jusqu'à homogénéité. Incorporer au mélange 5 ml (1 c. à thé) de thym frais haché et de romarin (ou 1 ml (1/4 c. à thé) de ces mêmes herbes séchées), 25 ml (2 c. à table) de ciboulette fraîche ou d'oignons verts hachés, 1 ml (1/4 c. à thé) de poivre et de sel, au goût.

Donne environ 125 ml (1/2 tasse).

APPORT NUTRITIONNEL PAR PORTION

192	calories
7 g	glucides
trace	fibres
6 g	matières grasses
1 g	gras saturés
25 g	protéines

Excellente source de : niacine et vitamine B_6

76 mg	cholestérol
280 mg	sodium
355 mg	potassium

POULET AU VINAIGRE DE FRAMBOISE

J'ai toujours eu un faible pour ce plat. Servez-le avec du riz ou du couscous. À la place de vinaigre de framboise, on peut prendre du vinaigre de xérès, du vinaigre balsamique ou du jus de citron.

Donne de 4 à 6 portions

500 g	**poitrines de poulet désossées et sans la peau**	**1 lb**
125 ml	**farine tout usage**	**1/2 tasse**
20 ml	**huile d'olive divisée en deux portions**	**4 c. à thé**
2 ml	**sel**	**1/2 c. à thé**
1 ml	**poivre**	**1/4 c. à thé**
15 ml	**romarin frais haché ou 2 ml (1/2 c. à thé) romarin séché**	**1 c. à table**
50 ml	**vinaigre de framboise**	**1/4 tasse**
50 ml	**vin blanc sec ou bouillon de poulet maison (p. 59)**	**1/4 tasse**
250 g	**pois mange-tout nettoyés**	**1/2 lb**
500 ml	**tomates cerises**	**2 tasses**

1. Couper le poulet en cubes de 5 cm (2 po). Assécher les morceaux en les épongeant et les saupoudrer légèrement de farine.
2. Chauffer 10 ml (2 c. à thé) d'huile dans une grande poêle anti-adhésive ou un wok. Cuire le poulet de 4 à 5 minutes ou jusqu'à ce qu'il soit à point. Durant la cuisson, saupoudrer le poulet de sel, de poivre et de romarin.
3. Retirer le poulet de la poêle et le réserver. Verser le vinaigre et le vin dans la poêle et cuire à feu moyen, bien gratter le fond afin de détacher les morceaux de poulet dorés. Cuire jusqu'à ce que la sauce commence à réduire.
4. Remettre le poulet dans la poêle et le retourner afin de l'enrober de sauce et de le réchauffer. Le transférer dans un plat de service et le garder au chaud.
5. Remettre la poêle sur le feu et ajouter le reste de l'huile. Mettre les pois mange-tout et cuire 1 minute. Ajouter les tomates et cuire pour les réchauffer. Disposer les légumes autour du poulet ou mélanger les ingrédients.

POULET RÔTI AU CITRON

Si ce que vous désirez, c'est un simple poulet rôti à l'ancienne, achetez alors le meilleur poulet qui se puisse trouver, saupoudrez-le de gros sel et d'un peu de poivre et mettez un morceau de citron percé dans sa cavité. Faites-le rôtir à 200 °C (400 °F) pendant 1 heure à 1 1/4 heure (pour un poulet de 1,5 à 2 kg (3 à 4 lb)).

APPORT NUTRITIONNEL PAR PORTION

238	calories
14 g	glucides
3 g	fibres
6 g	matières grasses
1 g	gras saturés
29 g	protéines

Excellente source de : vitamine C, niacine et vitamine B_6
Bonne source de : thiamine et fer

66 mg	cholestérol
368 mg	sodium
583 mg	potassium

POULET RÔTI FARCI DE BOULGHOUR

La dinde et le poulet rôti sont délicieux farcis de riz ou d'un grain inhabituel. Cette farce au boulghour peut être préparée séparément et servie comme accompagnement.

Donne 6 portions

10 ml	**huile d'olive**	**2 c. à thé**
2	**oignons hachés**	**2**
1	**gousse d'ail hachée finement**	**2**
2	**branches de céleri hachées**	**2**
50 ml	**abricots séchés hachés**	**1/4 tasse**
25 ml	**raisins secs**	**2 c. à table**
15 ml	**pignons rôtis (p. 245)**	**1 c. à table**
250 ml	**boulghour**	**1 tasse**
500 ml	**bouillon de poulet maison (p. 59), chaud**	**2 tasses**
2 ml	**sel**	**1/2 c. à thé**
2 ml	**poivre**	**1/2 c. à thé**
50 ml	**persil frais haché**	**1/4 tasse**
1	**poulet de 1,5 kg (3 lb)**	**1**
15 ml	**sauce soja**	**1 c. à table**
15 ml	**confiture d'abricots**	**1 c. à table**

1. Pour préparer la farce, chauffer l'huile dans une grande poêle. Y mettre les oignons et l'ail; cuire 5 minutes à feu doux. Ajouter le céleri, les abricots, les raisins secs et les pignons. Cuire 1 minute.

2. Ajouter le boulghour, le bouillon, le sel, et le poivre; porter à ébullition. Réduire le feu, couvrir et cuire 10 minutes à feu doux, jusqu'à ce que le boulghour soit tendre et que le liquide ait été absorbé. Ajouter le persil. Rectifier l'assaisonnement au besoin. Laisser refroidir.

3. Assécher le poulet en l'épongeant à l'intérieur comme à l'extérieur. Farcir le poulet de boulghour et mettre le restant de farce dans une cocotte huilée. Ficeler le poulet si on le désire.

4. Mélanger la sauce soja et la confiture d'abricots. Badigeonner le poulet de cette pâte. Cuire 1 1/2 heure dans un four préchauffé à 200 °C (400 °F) ou jusqu'à ce que les sucs qui s'échappent du poulet, lorsqu'on le pique, soient transparents (vérifier la cuisson après 45 minutes; si le poulet commence à trop dorer, réduire la température du four à 160 °C (325 °F) et couvrir légèrement d'une tente de papier d'aluminium). Après 45 minutes de cuisson, mettre la farce au four dans la cocotte couverte afin de la réchauffer.

APPORT NUTRITIONNEL PAR PORTION
(farce et poulet sans la peau)

312	calories
29 g	glucides
6 g	fibres
9 g	matières grasses
2 g	gras saturés
30 g	protéines

Excellente source de : vitamine B_6
Bonne source de : fer, acide folique et vitamine B_{12}

73 mg	cholestérol
291 mg	sodium
549 mg	potassium

APPORT NUTRITIONNEL PAR PORTION
(farce et poulet avec la peau)

406	calories
31 g	glucides
6 g	fibres
17 g	matières grasses
4 g	gras saturés
33 g	protéines

Excellente source de : niacine et vitamine B_6
Bonne source de : riboflavine, acide folique, vitamine B_{12} et fer

88 mg	cholestérol
442 mg	sodium
581 mg	potassium

POULET À LA CORIANDRE AVEC NOUILLES PAD THAI

La marinade qui accompagne ce poulet est également délicieuse sur le bifteck ou les côtelettes d'agneau. Les pâtes pad thai contiennent souvent des morceaux de tofu, de crevettes ou de poulet; cependant, cette version ne contient pas de viande. On peut les servir avec du poulet à la coriandre ou d'autres viandes, ou encore en tant que plat végétarien.

Donne 6 portions

Poulet :

4	**gousses d'ail**	**4**
2	**échalotes ou 1 petit oignon**	**2**
250 ml	**coriandre ou persil frais**	**1 tasse**
25 ml	**sauce de poisson thaïlandaise (nam pla) ou sauce soja**	**2 c. à table**
50 ml	**jus de lime**	**1/4 tasse**
15 ml	**poivre**	**1 c. à table**
6	**poitrines de poulet désossées et sans la peau**	**6**

Nouilles pad thai :

250 g	**vermicelles de riz (de la largeur de fettucine)**	**1/2 lb**
50 ml	**sauce tomate**	**1/4 tasse**
25 ml	**sauce de poisson thaïlandaise ou sauce soja**	**2 c. à table**
25 ml	**jus de lime**	**2 c. à table**
25 ml	**cassonade**	**2 c. à table**
2 ml	**pâte de piment fort**	**1/2 c. à thé**
15 ml	**huile végétale**	**1 c. à table**
3	**gousses d'ail hachées finement**	**3**
2	**œufs légèrement battus**	**2**
250 ml	**germes de haricots frais**	**1 tasse**
25 ml	**arachides rôties hachées finement**	**2 c. à table**
2	**oignons verts tranchés finement**	**2**
25 ml	**coriandre ou persil frais haché**	**2 c. à table**

FICELAGE DU POULET

Voici une des multiples façons de ficeler un poulet :

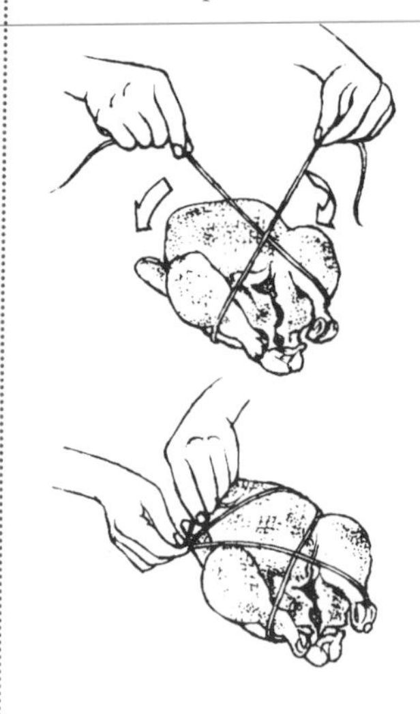

1. Mélanger l'ail, les échalotes, la coriandre, la sauce de poisson, le jus de lime et le poivre dans un mélangeur ou un robot culinaire jusqu'à homogénéité. Verser la préparation dans un plat peu profond. Y mettre les morceaux de poulet et les retourner afin de les enrober de la marinade. Laisser mariner au réfrigérateur quelques heures ou toute la nuit.
2. Préchauffer le gril ou l'élément de grillage du four. Cuire le poulet de 6 à 8 minutes par côté ou jusqu'à ce que l'extérieur soit doré et que l'intérieur ne soit plus saignant. Arroser de marinade pendant la cuisson. Jeter toute marinade non utilisée.
3. Entre-temps mettre les vermicelles dans un grand bol et les recouvrir d'eau bouillante. Laisser reposer de 8 à 10 minutes, jusqu'à ce qu'elles aient ramolli tout en étant encore fermes. Laisser égoutter.
4. Dans un petit bol, mélanger la sauce tomate, la sauce de poisson, le jus de lime, le sucre et la pâte de piment fort. Réserver.
5. Chauffer l'huile dans une grande poêle ou un wok. Y mettre l'ail et cuire à feu doux jusqu'à ce qu'un arôme agréable s'en dégage, en évitant de laisser brunir. Incorporer la sauce réservée et bien réchauffer.
6. Ajouter les œufs battus. Laisser prendre légèrement et incorporer ensuite au mélange. Ajouter les pâtes et retourner délicatement. Ajouter les germes de haricots.
7. Reverser les pâtes dans un plat de service. Garnir d'arachides, d'oignons verts et de coriandre hachée. Servir avec du poulet chaud ou froid.

APPORT NUTRITIONNEL PAR PORTION

370	calories
40 g	glucides
2 g	fibres
7 g	matières grasses
1 g	gras saturés
34 g	protéines

Excellente source de : niacine et vitamine B_6
Bonne source de : riboflavine, fer, acide folique et vitamine B_{12}

145 mg	cholestérol
643 mg	sodium
492 mg	potassium

POITRINE DE DINDE RÔTIE AU ROMARIN ET À L'AIL

Voir photo à la page 161.

Voici une excellente recette pour un repas à la dinde. En faisant cuire une dinde entière, il arrive souvent que la chair de la poitrine devienne sèche pendant que se poursuit la cuisson des parties brunes. Toutefois, si l'on fait cuire la poitrine seule, elle demeure tendre et juteuse, car elle n'a pas à « attendre » la cuisson des autres parties.

Les restes de dinde ne sont jamais aussi savoureux que le rôti sortant du four ; servez-les plutôt dans les sandwiches, fajitas, soupes, casseroles et mets sautés à l'orientale.

Donne 8 portions

1	**poitrine de dinde sans la peau, avec les os, d'environ 1,5 kg (3 lb)**	**1**
2	**gousses d'ail coupées en pointes**	**2**
	petits brins de romarin frais ou 2 ml (1/2 c. à thé) de romarin séché	
45 ml	**miel**	**3 c. à table**
15 ml	**moutarde de Dijon**	**1 c. à table**
15 ml	**huile d'olive**	**1 c. à table**
15 ml	**jus de citron**	**1 c. à table**
2 ml	**poivre**	**1/2 c. à thé**
	sel au goût	

1. Enlever tout le gras de la dinde. Pratiquer de petites entailles dans la poitrine et y introduire les pointes d'ail et le romarin. (En l'absence de romarin frais, ajouter du romarin séché au mélange de miel.)
2. Dans un petit bol, mélanger le miel, la moutarde, l'huile, le jus de citron et le poivre. Badigeonner la poitrine de cette préparation. Saupoudrer de sel.
3. Mettre la dinde dans un plat allant au four, le côté charnu tourné vers le haut. Faire rôtir dans un four préchauffé à 180 °C (350 °F) de 45 à 60 minutes, selon la taille de la poitrine. Arroser toutes les 10 ou 15 minutes jusqu'à la fin de la cuisson. Pour découper, trancher la viande de l'os en diagonale.

SAUCE AUX CANNEBERGES, À L'ORANGE ET AU GINGEMBRE

Servez cette sauce traditionnelle avec le rôti de dinde ou dans les sandwiches au poulet ou à la dinde. On peut la préparer à l'avance et elle se conserve au moins quatre jours au réfrigérateur.

Dans une casserole, mélanger 375 g (3/4 lb) de canneberges, 250 ml (1 tasse) de jus d'orange, 250 ml (1 tasse) de cassonade et 15 ml (1 c. à table) de gingembre râpé. Porter le mélange à ébullition, réduire le feu et laisser mijoter 10 minutes en remuant de temps en temps. Les canneberges éclateront et la préparation épaissira.

Donne environ 500 ml (2 tasses).

APPORT NUTRITIONNEL PAR PORTION

214	calories
5 g	glucides
0 g	fibres
5 g	matières grasses
1 g	gras saturés
35 g	protéines

Excellente source de : niacine et vitamine B_6
Bonne source de : vitamine B_{12}

80 mg	cholestérol
94 mg	sodium
364 mg	potassium

LA VIANDE

Boulettes de viande à la marocaine
avec couscous et pois chiches

Pain de viande avec purée de pommes de terre à l'irlandaise

Bœuf grillé et nouilles sautés à l'orientale

Fricadelles de viande avec sauce au yogourt et à la menthe

Tsimmis de la tante Pearl

Chili texan

Bœuf sukiyaki

Bifteck de flanc à la coréenne

Surlonge en croûte à la moutarde et au poivre

Côtelettes de veau à la sauce tomate en cocotte

Gigot d'agneau grillé à la cantonaise

Rôti d'agneau au romarin et aux pommes de terre

Filet de porc glacé à l'abricot

Rôti de porc méridional

Porc à l'orientale

BOULETTES DE VIANDE À LA MAROCAINE AVEC COUSCOUS ET POIS CHICHES

J'ai créé cette recette pour un article sur la cuisine à bon marché. Vous pourriez également utiliser cette préparation pour en faire des hamburgers originaux. Servez ces boulettes dans des pains pita, accompagnées de sauce tomate ou de tzatziki (p. 39).

Donne 6 portions

Boulettes :

375 g	**bœuf haché très maigre**	**3/4 lb**
175 ml	**pois chiches cuits, rincés, bien égouttés et hachés finement**	**3/4 tasse**
25 ml	**oignon haché finement**	**2 c. à table**
1	**gousse d'ail hachée finement**	**1**
1	**blanc d'œuf**	**1**
75 ml	**chapelure sèche**	**1/3 tasse**
2 ml	**cumin moulu**	**1/2 c. à thé**
2 ml	**sel**	**1/2 c. à thé**
1 ml	**poivre**	**1/4 c. à thé**
15 ml	**huile végétale**	**1 c. à table**

Sauce tomate :

1	**oignon haché**	**1**
2	**gousses d'ail hachées finement**	**2**
1 ml	**flocons de piment fort**	**1/4 c. à thé**
5 ml	**cumin moulu**	**1 c. à thé**
5 ml	**curcuma**	**1 c. à thé**
1	**boîte de 796 ml (28 oz) de tomates italiennes réduites en purée avec leur jus**	**1**
1 ml	**poivre**	**1/4 c. à thé**
	sel au goût	

LE COUSCOUS

Bien que certains croient que le couscous est un grain, c'est en réalité une pâte alimentaire faite à partir de semoule de blé. Même les enfants l'apprécient. Au Moyen-Orient, il fait partie de la cuisine traditionnelle. Auparavant, il fallait faire cuire le couscous pendant des heures, car il fallait l'étuver et le faire sécher à plusieurs reprises. La majorité des variétés de couscous vendues de nos jours sont à cuisson instantanée.

Couscous :

375 ml	**couscous**	**1 1/2 tasse**
550 ml	**eau bouillante**	**2 1/4 tasse**
1 ml	**cannelle**	**1/4 c. à thé**

1. Pour préparer les boulettes, mélanger le bœuf haché, les pois chiches, l'oignon, l'ail, le blanc d'œuf, la chapelure, le cumin, le sel et le poivre. Former à partir de la préparation des boulettes de 4 cm (1 1/2 po) ; on devrait en obtenir environ 30.
2. Chauffer l'huile dans une grande poêle profonde et y faire dorer les boulettes. Les retirer de la poêle.
3. Ne conserver que 10 ml (2 c. à thé) d'huile dans la poêle. Y mettre l'oignon, l'ail et les flocons de piment. Cuire de 2 à 3 minutes à feu doux. Incorporer le cumin et le curcuma en remuant. Cuire 30 secondes.
4. Ajouter les tomates en purée et les boulettes et porter à ébullition. Cuire à feu doux 20 minutes à couvert. Cuire à découvert encore 10 minutes. Saler et poivrer. Rectifier l'assaisonnement au besoin.
5. Entre-temps, mettre le couscous dans un plat carré allant au four d'une capacité de 2,5 litres (9 po de côté). Recouvrir d'eau bouillante et incorporer la cannelle. Bien couvrir d'une feuille de papier d'aluminium et laisser reposer 15 minutes. Servir avec les boulettes et la sauce.

APPORT NUTRITIONNEL PAR PORTION

384	calories
55 g	glucides
4 g	fibres
9 g	matières grasses
2 g	gras saturés
22 g	protéines

Excellente source de : niacine, fer, acide folique et vitamine B_{12}
Bonne source de : thiamine, riboflavine et vitamine B_6

29 mg	cholestérol
557 mg	sodium
667 mg	potassium

PAIN DE VIANDE AVEC PURÉE DE POMMES DE TERRE À L'IRLANDAISE

Voir photo à la page 192.

Même le bœuf haché très maigre contient beaucoup de gras ; c'est pourquoi j'aime servir ce pain de viande avec des plats d'accompagnement pauvres en matières grasses comme la purée de pommes de terre et le ragoût de maïs épicé (p. 211). Vous serez peut-être tenté d'essayer cette recette avec de la dinde ou du poulet haché. Cuire le pain au four jusqu'à ce que le thermomètre à viande marque 72 °C (165 °F).

La purée de pommes de terre est une spécialité irlandaise, le colcannon, et elle est délicieuse servie seule. La recette me vient d'une amie. C'est une merveilleuse cuisinière et une végétarienne convaincue, et il vaut toujours la peine de goûter ses plats. Elle sert les pommes de terre avec des plats sans viande, évidemment, comme le pain de tofu ou le pâté chinois au tofu.

Cette recette est prévue pour 8 à 10 portions ; toutefois, le plat se congèle facilement et est délicieux en sandwiches. Servez-le avec une sauce aux tomates.

Donne de 8 à 10 portions

10 ml	**huile d'olive**	**2 c. à thé**
1	**oignon haché**	**1**
2	**gousses d'ail hachées finement**	**2**
1 kg	**bœuf haché très maigre**	**2 lb**
3	**blancs d'œufs ou 1 œuf entier**	**3**
15 ml	**moutarde de Dijon**	**1 c. à table**
15 ml	**sauce Worcestershire**	**1 c. à table**
2 ml	**sauce piquante au piment (facultatif)**	**1/2 c. à thé**
5 ml	**sel**	**1 c. à thé**
2 ml	**poivre**	**1/2 c. à thé**
375 ml	**chapelure**	**1 1/2 tasse**
125 ml	**sauce tomate, ketchup ou sauce chili commerciale**	**1/2 tasse**
25 ml	**persil frais haché**	**2 c. à table**

SAUCE TOMATE ÉPICÉE

Servez cette sauce de style « cajun » avec du pain de viande, ou encore avec du poulet, du veau ou du poisson panés. On peut aussi l'employer comme sauce à barbecue ou sur les pâtes. Elle se conserve facilement au congélateur. On peut réduire la quantité de sauce piquante au piment ou de piment de Cayenne selon son goût.

Chauffer 5 ml (1 c. à thé) d'huile d'olive dans une grande poêle. Y mettre 1 oignon haché finement, 1 branche de céleri hachée et 3 gousses d'ail hachées finement. Cuire 5 minutes à feu doux (si les légumes commencent à adhérer, verser 50 ml (1/4 tasse) d'eau et laisser le liquide s'évaporer). Ajouter 10 ml (2 c. à thé) de poivre, 15 ml (1 c. à table) de paprika et 1 ml (1/4 c. à thé) de piment de Cayenne. Cuire pendant 1 minute. Ajouter le contenu d'une boîte de 796 ml (28 oz) de tomates italiennes avec leur jus ainsi que 1 ml (1/4 c. à thé) de sauce piquante au piment. Porter à ébullition, réduire le feu et laisser mijoter 10 minutes. Réduire en purée. Rectifier l'assaisonnement au besoin.

Donne environ 500 ml (2 tasses).

Purée :

50 ml	**sauce tomate ou ketchup**	**1/4 tasse**
15 ml	**moutarde de Dijon**	**1 c. à table**
1,5 kg	**pommes de terre pelées et coupées en quatre**	**3 lb**
1 l	**chou haché grossièrement**	**4 tasses**
175 ml	**lait**	**3/4 tasse**
375 ml	**oignons verts hachés**	**1 1/2 tasse**
2 ml	**sauce piquante au piment**	**1/2 c. à thé**
1 ml	**poivre**	**1/4 c. à thé**
	sel au goût	

1. Chauffer l'huile dans une grande poêle. Y mettre l'oignon et l'ail et chauffer à feu doux jusqu'à ce que l'oignon ramollisse.

2. Dans un grand bol, mélanger le bœuf haché, les blancs d'œufs, la moutarde, la sauce Worcestershire, la sauce piquante au piment, le sel, le poivre, la chapelure, la sauce tomate et le persil. Ajouter les oignons cuits et pétrir les ingrédients jusqu'à homogénéité.

3. Doubler un grand moule à pain de papier sulfurisé ou d'aluminium et mettre la préparation dans le moule. (Ou lui donner la forme d'un pain et le cuire sur une plaque doublée.) Cuire à couvert (protéger le pain formé à la main d'une feuille de papier sulfurisé ou d'aluminium) dans un four préchauffé à 180 °C (350 °F) pendant 45 minutes.

4. Pour préparer la garniture, mélanger la sauce tomate et la moutarde. Découvrir le pain de viande, le badigeonner de ce mélange et poursuivre la cuisson à découvert pendant encore 25 minutes. Laisser refroidir 10 minutes avant de servir.

5. Entre-temps, cuire les pommes de terre à l'eau bouillante jusqu'à ce qu'elles soient molles, soit pendant environ 20 minutes. Cuire le chou 10 minutes à l'eau bouillante. Dans une petite casserole, chauffer le lait et les oignons verts pendant 5 minutes.

6. Laisser égoutter les pommes de terre, en réservant l'eau de cuisson. Les réduire en purée. Incorporer le chou, le lait, les oignons verts, la sauce piquante au piment, le poivre et le sel. Ajouter si nécessaire une partie de l'eau de cuisson pour alléger la purée. Rectifier l'assaisonnement au besoin. Servir les pommes de terre avec le pain de viande.

APPORT NUTRITIONNEL PAR PORTION

360	calories
37 g	glucides
4 g	fibres
12 g	matières grasses
4 g	gras saturés
27 g	protéines

Excellente source de : niacine, fer, vitamine B_6 et vitamine B_{12}
Bonne source de : vitamine C, thiamine, riboflavine et acide folique

60 mg	cholestérol
634 mg	sodium
910 mg	potassium

BŒUF GRILLÉ ET NOUILLES SAUTÉES À L'ORIENTALE

Le bifteck de flanc est une coupe de bœuf très maigre, il est souvent employé dans les plats orientaux. Dans cette recette, le bifteck est d'abord grillé, ce qui lui confère une saveur extraordinaire, mais il peut également être cuit sous l'élément de grillage du four. Ce plat peut s'exécuter aussi avec des poitrines de poulet ou même du tofu.

Si vous désirez faire sauter du bœuf à l'orientale, tranchez-le en minces lanières et laissez-le mariner 30 minutes dans le mélange de sauce soja, de sucre et d'huile de sésame à la température ambiante. Ensuite, faites-le revenir dans 15 ml (1 c. à table) d'huile végétale avant de passer aux autres étapes de la recette.

Donne 8 portions

500 g	**bifteck de flanc ou de filet**	**1 lb**
25 ml	**sauce soja**	**2 c. à table**
7 ml	**sucre granulé**	**1½ c. à thé**
15 ml	**huile de sésame divisée en deux portions**	**1 c. à table**
15 ml	**huile végétale**	**1 c. à table**
2	**gousses d'ail hachées finement**	**2**
15 ml	**gingembre frais haché finement**	**1 c. à table**
3	**oignons verts en tranches**	**3**
2 ml	**pâte de piment fort**	**½ c. à thé**
6	**champignons shiitake ou chapeaux de champignons ordinaires tranchés**	**6**
1	**oignon haché finement**	**1**
1	**botte de brocoli, de bette à carde ou de rappini, parée et coupée en morceaux de 5 cm (2 po)**	**1**
1	**poivron rouge coupé en lanières**	**1**
250 g	**spaghettini cuits ou un paquet de 400 g (13 oz) de nouilles chinoises précuites, puis rincées à l'eau chaude pendant 1 minute**	**½ lb**
125 ml	**bouillon de poulet maison (p. 59) ou eau**	**½ tasse**
25 ml	**sauce hoisin**	**2 c. à table**
25 ml	**coriandre ou persil frais haché**	**2 c. à table**

LE GINGEMBRE FRAIS

Recherchez les racines fermes à la peau lisse et conservez-les à la température ambiante. Pour prolonger la durée de conservation, mettez des morceaux de gingembre pelés dans un bocal contenant du xérès ou de la vodka ; ils devraient s'y garder indéfiniment. Dans les plats orientaux, servez-vous de l'alcool aromatisé au gingembre au lieu du vin de riz ou du xérès.

Je tranche habituellement le gingembre très finement, mais si vous avez un presse-ail robuste, vous pouvez y mettre des morceaux de gingembre et les presser comme de l'ail.

Le gingembre moulu est merveilleux pour la cuisson des gâteaux et même s'il n'a pas du tout le même goût que le gingembre frais, on peut remplacer 15 ml (1 c. à table) de gingembre frais par 5 ml (1 c. à thé) de gingembre moulu. Le gingembre confit est délicieux dans les muffins et les pains rapides.

1. Assécher la viande en l'épongeant. Mélanger la sauce soja, le sucre et 5 ml (1 c. à thé) d'huile de sésame. Verser sur le bifteck et laisser mariner de 2 à 8 heures au réfrigérateur.
2. Faire griller le bifteck de 3 à 4 minutes par côté ou jusqu'à ce qu'il soit encore très saignant (la cuisson de la viande se poursuivra dans la sauce). Laisser refroidir. Couper en fines tranches et réserver.
3. Immédiatement avant le service, chauffer l'huile végétale dans un wok ou une grande poêle profonde. Y mettre l'ail, le gingembre, les oignons verts et la pâte de piment. Cuire pendant 30 secondes ou jusqu'à ce qu'un arôme agréable s'en dégage.
4. Ajouter les champignons et l'oignon. Cuire ces légumes jusqu'à ce qu'ils ramollissent. Ajouter le brocoli, le poivron rouge et les nouilles ; bien mélanger. Ajouter le bouillon et la sauce hoisin et porter à ébullition. Laisser cuire 5 minutes.
5. Ajouter le bœuf et le reste de l'huile de sésame. Cuire assez longtemps pour réchauffer le bœuf, soit de 3 à 5 minutes seulement. Rectifier l'assaisonnement au besoin. Servir garni de coriandre.

APPORT NUTRITIONNEL PAR PORTION

269	calories
30 g	glucides
3 g	fibres
8 g	matières grasses
2 g	gras saturés
20 g	protéines

Excellente source de : vitamine C, niacine et vitamine B_{12}
Bonne source de : fer, vitamine B_6 et acide folique

23 mg	cholestérol
235 mg	sodium
490 mg	potassium

FRICADELLES DE VIANDE AVEC SAUCE AU YOGOURT ET À LA MENTHE

Le boulghour entrant dans la composition de ces fricadelles leur confère une saveur agréable et une texture intéressante.

Donne 6 portions

15 ml	**huile d'olive**	**1 c. à table**
1	**petit oignon haché finement**	**1**
1	**gousse d'ail hachée finement**	**1**
500 g	**bœuf ou agneau haché très maigre**	**1 lb**
125 ml	**boulghour sec**	**1/2 tasse**
2	**blancs d'œufs ou 1 œuf entier**	**2**
1 ml	**cannelle**	**1/4 c. à thé**
2 ml	**origan séché**	**1/2 c. à thé**
5 ml	**sel**	**1 c. à thé**
1 ml	**poivre**	**1/4 c. à thé**
pincée	**piment de Cayenne**	**pincée**

Sauce au yogourt et à la menthe :

1	**gousse d'ail émincée**	**1**
125 ml	**fromage de yogourt crémeux (p. 228) ou yogourt épais**	**1/2 tasse**
25 ml	**menthe fraîche hachée ou 5 ml (1 c. à thé) de menthe séchée**	**2 c. à table**
25 ml	**persil frais haché**	**2 c. à table**
6	**pains pitas de 20 cm (8 po)**	**6**
750 ml	**laitue déchiquetée**	**3 tasses**

1. Chauffer l'huile dans une petite poêle. Y mettre l'oignon et l'ail et cuire à feu doux jusqu'à ce qu'ils soient tendres. Laisser refroidir.
2. Mélanger la viande, le boulghour et les blancs d'œufs. Incorporer en battant les oignons, la cannelle, l'origan, le sel, le poivre et le piment de Cayenne. Former à partir de ce mélange 6 fricadelles.
3. Préchauffer l'élément de grillage ou le gril et cuire les fricadelles de 7 à 8 minutes par côté jusqu'à ce qu'elles soient à point.
4. Pour préparer la sauce, mélanger l'ail, le fromage de yogourt, la menthe et le persil. Rectifier l'assaisonnement au besoin.
5. Servir les fricadelles dans les pains pitas avec de la laitue et la sauce.

APPORT NUTRITIONNEL PAR PORTION

377	calories
46 g	glucides
3 g	fibres
10 g	matières grasses
3 g	gras saturés
24 g	protéines

Excellente source de : niacine, riboflavine, fer, acide folique et vitamine B_{12}
Bonne source de : thiamine et vitamine B_6

40 mg	cholestérol
667 mg	sodium
428 mg	potassium

TSIMMIS DE MA TANTE

C'est ma tante qui faisait du tsimmis pour notre Seder, qui n'était pas une fête de petite envergure si l'on songe qu'elle réunissait près de cent personnes. Une fois, en son absence et je me suis portée volontaire pour la préparation du tsimmis. Tout le monde s'entendait pour dire qu'il était acceptable, sans être aussi bon que celui de ma tante et que je devais m'exercer pendant au moins trente ans. (Trente ans ne se sont pas écoulées depuis, mais on admet que je me suis tout de même améliorée!)

Voici sa recette. Elle donne environ 20 portions comme plat d'accompagnement, mais je l'aime bien aussi comme plat principal.

LA FARINE DE MATZO
La farine de matzo consiste en des matzo moulus, un pain sec sans levain consommé traditionnellement à la Pâque juive mais qu'on peut se procurer toute l'année dans le commerce. On peut trouver des matzo et de la farine de matza dans les épiceries juives spécialisées et la plupart des supermarchés. Si vous ne mangez pas de matzo pour des considérations religieuses ou traditionnelles, vous pouvez y substituer de la chapelure ou des biscuits soda broyés.

Donne 12 portions comme plat principal et 20 portions comme plat d'accompagnement

3 kg	**carottes pelées et coupées en morceaux de 2,5 cm (1 po)**	**6 lb**
1/4	**navet pelé et coupé en morceaux de 2,5 cm (1 po)**	**1/4**
1	**patate douce, pelée et coupée en morceaux de 2,5 cm (1 po)**	**1**
1 kg	**poitrine ou haut de côtes de bœuf dégraissé et coupé en morceaux de 2,5 cm (1 po)**	**2 lb**
125 ml	**cassonade**	**1/2 tasse**
175 ml	**farine de matzo (voir la note explicative en marge)**	**3/4 tasse**
5 ml	**sel**	**1 c. à thé**
5 ml	**poivre**	**1 c. à thé**
25 ml	**jus de citron**	**2 c. à table**

1. Disposer une couche de carottes, de navet et de patates douces au fond d'un grand faitout. Ajouter une certaine quantité de viande. Saupoudrer de cassonade, de farine de matzo, de sel, de poivre et de jus de citron. Continuer à créer des couches jusqu'à épuisement des ingrédients.
2. Verser suffisamment d'eau pour recouvrir tout juste les ingrédients, soit environ 2 litres (8 tasses). Porter à ébullition.
3. Mettre le faitout dans un four préchauffé à 140 °C (275 °F), couvrir et cuire environ 12 heures (cette cuisson se fait habituellement la nuit). Enlever le couvercle et cuire encore 1 heure ou 2, ou jusqu'à ce que le dessus du plat commence à dorer et que la plus grande partie du liquide se soit évaporée. Le ragoût devrait être passablement consistant. Rectifier l'assaisonnement au besoin.

APPORT NUTRITIONNEL PAR PORTION

266	calories
41 g	glucides
6 g	fibres
6 g	matières grasses
2 g	gras saturés
15 g	protéines

Excellente source de : vitamine A, niacine, vitamine B_6 et vitamine B_{12}
Bonne source de : riboflavine, fer et acide folique

29 mg	cholestérol
358 mg	sodium
672 mg	potassium

CHILI TEXAN

Ce chili est à base de petits cubes de viande, mais on peut également le préparer à partir de viande hachée.

Donne 12 portions

15 ml	**huile végétale**	**1 c. à table**
750 g	**bœuf maigre en cubes**	**1 1/2 lb**
750 g	**porc maigre en cubes**	**1 1/2 lb**
125 ml	**farine tout usage**	**1/2 tasse**
4	**oignons verts hachés finement**	**4**
6	**gousses d'ail hachées finement**	**6**
1	**boîte de 114 ml (4 oz) de poivrons verts doux égouttés et hachés**	**2**
45 ml	**assaisonnement au chili**	**3 c. à table**
15 ml	**cumin moulu**	**1 c. à table**
15 ml	**origan séché**	**1 c. à table**
5 ml	**piment de Cayenne**	**1 c. à thé**
2 ml	**poivre**	**1/2 c. à thé**
750 ml	**bouillon de bœuf ou 1 boîte de 796 ml (28 oz) de tomates italiennes broyées avec leur jus**	**3 tasses**
250 ml	**bière ou eau**	**1 tasse**
1 l	**haricots rouges cuits ou 2 boîtes de 540 ml (19 oz) de haricots rouges rincés et égouttés**	**4 tasses**
250 ml	**cheddar allégé râpé**	**1 tasse**

1. Chauffer l'huile dans une grande poêle profonde antiadhésive. Assécher le bœuf et le porc en l'épongeant et retourner les cubes dans la farine. Les faire dorer par lots dans l'huile chaude. Les retirer de la poêle et réserver. Laisser 15 ml (1 c. à table) d'huile dans la poêle. Remettre la poêle au feu.
2. Mettre les oignons et l'ail dans la poêle et cuire à feu doux jusqu'à ce qu'ils aient bien ramolli et qu'ils dégagent un arôme agréable, soit environ 10 minutes. Ajouter les poivrons verts, l'assaisonnement au chili, le cumin, l'origan, le piment de Cayenne et le poivre.
3. Remettre le bœuf et le porc dans la poêle et bien remuer. Verser le bouillon et la bière et porter à ébullition. Laisser mijoter de 2 à 3 heures à découvert, jusqu'à ce que la viande soit très tendre et que la préparation ait épaissi. Incorporer les haricots. Rectifier l'assaisonnement.
4. Mettre le chili dans une cocotte d'une capacité de 3 litres (3 pintes), recouvrir de fromage et cuire dans un four préchauffé à 180 °C (350 °F) pendant 30 minutes ou jusqu'à ce que le plat soit bien chaud.

APPORT NUTRITIONNEL PAR PORTION

344	calories
25 g	glucides
7 g	fibres
11 g	matières grasses
4 g	gras saturés
35 g	protéines

Excellente source de : thiamine, niacine, fer, vitamine B_6, acide folique et vitamine B_{12}
Bonne source de : riboflavine

66 mg	cholestérol
265 mg	sodium
952 mg	potassium

Pain de viande *(page 186)* ▶ avec purée de pommes de terre à l'ail *(page 215)*

Macédoine de maïs piquante *(page 211)*

Sauce tomate épicée *(page 186)*

BŒUF SUKIYAKI

Voici un bouillon nourrissant au goût suave et délicieux. Apportez des variantes à la recette en suivant votre inspiration. Vous pouvez préparer ce plat à l'avance jusqu'à l'ajout des nouilles et du bœuf. Réchauffez avant d'ajouter les pâtes et le bœuf cru ; prenez soin de ne pas trop faire cuire.

Donne 6 portions

375 g	**surlonge maigre, débarrassée de tout gras, épaisse d'environ 2,5 cm (1 po)**	**3/4 lb**
1	**gros oignon coupé en rondelles minces**	**1**
500 g	**épinards, bette à carde ou feuilles de betteraves déchirées en morceaux**	**1 lb**
125 g	**germes de haricots**	**1/4 lb**
125 g	**champignons en tranches**	**1/4 lb**
1	**carotte en tranches minces**	**1**
250 g	**tofu extra-ferme coupé en morceaux de 2,5 cm (1 po)**	**1/2 lb**
6	**oignons verts hachés**	**6**
750 ml	**bouillon de bœuf, eau ou dashi (bouillon de poisson japonais)**	**3 tasses**
45 ml	**xérès sec (facultatif)**	**3 c. à table**
15 ml	**sucre granulé**	**1 c. à table**
45 ml	**sauce soja**	**3 c. à table**
90 g	**vermicelles de riz trempées dans l'eau bouillante pendant 5 minutes, rincées et bien égouttées**	**3 oz**

1. Mettre la viande au congélateur pendant 20 minutes. La couper en tranches très minces en diagonale.
2. Entre-temps, disposer les anneaux d'oignon au fond d'une casserole ou d'un faitout d'une capacité de 4 litres (16 tasses). Y mettre les épinards, les germes de haricots, les champignons, la carotte, le tofu et les oignons verts.
3. Mélanger le bouillon, le xérès, le sucre et la sauce soja et verser sur les légumes. Porter à ébullition et laisser mijoter de 5 à 10 minutes ou jusqu'à ce que les oignons aient ramolli.
4. Incorporer les nouilles ramollies et mettre le bœuf sur le dessus. Cuire encore 5 minutes. Rectifier l'assaisonnement au besoin.

APPORT NUTRITIONNEL PAR PORTION

235	calories
27 g	glucides
5 g	fibres
4 g	matières grasses
1 g	gras saturés
24 g	protéines

Excellente source de : vitamine A, niacine, riboflavine, fer, vitamine B_6, acide folique et vitamine B_{12}
Bonne source de : thiamine et calcium

28 mg	cholestérol
531 mg	sodium
951 mg	potassium

◀ Bifteck de flanc à la coréenne *(page 194)*

Épinards au sésame *(page 207)*

Pilaf de céréales variées *(page 221)*

BIFTECK DE FLANC À LA CORÉENNE

Voir photo à la page 193.

Voici une façon délicieuse d'apprêter cette coupe de bœuf maigre. Puisque le bifteck de flanc risque d'être coriace, il gagne à être mariné ; par ailleurs, vu qu'il est plutôt maigre, cette opération peut s'effectuer en un temps relativement court. Servez-le avec du riz ou des vermicelles de riz (p. 146) et des épinards aux graines de sésame (p. 207).

Donne de 4 à 6 portions

500 g	**bifteck de flanc, débarrassé du gras si nécessaire**	**1 lb**
50 ml	**sauce soja**	**1/4 tasse**
50 ml	**sucre granulé**	**1/4 tasse**
10 ml	**huile de sésame**	**2 c. à thé**
25 ml	**jus de citron**	**2 c. à table**
4	**gousses d'ail émincées**	**4**
2 ml	**poivre**	**1/2 c. à thé**

1. Assécher le bifteck en l'épongeant et pratiquer à sa surface de très légères entailles d'environ 2 mm (1/8 po) de profondeur.
2. Mélanger la sauce soja, le sucre, l'huile de sésame, le jus de citron, l'ail et le poivre. Ajouter le bifteck (dans une assiette plate ou dans un sac de plastique robuste). Laisser mariner au réfrigérateur, en le retournant deux ou trois fois, de 4 à 8 heures ou toute la nuit.
3. Immédiatement avant la cuisson, retirer le bifteck de la marinade et l'assécher en l'épongeant. Mettre la marinade dans une petite casserole et porter à ébullition. Cuire quelques minutes jusqu'à ce que la marinade soit légèrement sirupeuse.
4. Préchauffer le gril et cuire le bifteck de 3 à 4 minutes par côté pour une cuisson mi-saignante et pour une tranche épaisse d'environ 2,5 cm (1 po). Pendant la cuisson, badigeonner une fois ou deux avec la marinade qu'on aura laissé réduire. Laisser le bifteck reposer 5 minutes avant de le découper. Le trancher en diagonale.

MARINER LA VIANDE

Mariner de la viande permet d'en enrichir le goût et, parfois, de l'attendrir. Plus les morceaux de viande sont petits et minces, plus la marinade agira rapidement.

Je fais mariner la viande au réfrigérateur. Cependant, si la viande doit être cuite dans l'heure qui suit, on peut se permettre de la laisser dans la marinade à l'extérieur du réfrigérateur. Mettre la viande à mariner dans un sac de plastique refermable ; ainsi, il sera facile de la retourner et le tout se fera sans dégâts. Les restants de marinade utilisés sont susceptibles de contenir des jus de viande crus ; pour cette raison, il est nécessaire de la faire bouillir et cuire quelques minutes avant de la servir comme sauce.

Les vinaigrettes peuvent très bien être utilisées comme marinade (consultez l'index des vinaigrettes).

APPORT NUTRITIONNEL PAR PORTION

245	calories
10 g	glucides
trace	fibres
10 g	matières grasses
4 g	gras saturés
27 g	protéines

Excellente source de : niacine et vitamine B_{12}
Bonne source de : vitamine B_6

46 mg	cholestérol
610 mg	sodium
387 mg	potassium

SURLONGE EN CROÛTE À LA MOUTARDE ET AU POIVRE

Les inconditionnels de la viande se sentent parfois frustrés lorsqu'on leur sert un bifteck de petite taille ; cependant, si vous découpez un grand filet en tranches très minces en diagonale, une portion de 120 g (4 oz) paraîtra plus grosse.

On peut aussi prendre pour cette recette du bifteck de flanc, mais faites-le mariner de 4 à 8 heures ou toute la nuit au réfrigérateur et faites-le cuire de 3 à 4 minutes par côté pour une cuisson saignante. Ou encore, pourquoi ne pas essayer cette recette avec des steaks plus petits ?

Donne de 6 à 8 portions

25 ml	**moutarde de Dijon**	**2 c. à table**
15 ml	**sauce Worcestershire**	**1 c. à table**
15 ml	**poivre noir moulu grossièrement**	**1 c. à table**
2	**gousses d'ail émincées**	**2**
1 ml	**sauce piquante au piment**	**1/4 c. à thé**
1	**bifteck de surlonge de 750 g (1 1/2 lb), épais d'environ 2,5 cm (1 po), de préférence désossé et débarrassé de son gras**	**1**

1. Mélanger la moutarde, la sauce Worcestershire, le poivre, l'ail et la sauce piquante.
2. Assécher les biftecks en les épongeant. Y répandre la marinade et laisser quelques heures au réfrigérateur.
3. Préchauffer l'élément de grillage du four ou le gril et faire cuire les biftecks de 5 à 6 minutes par côté pour une cuisson mi-saignante, ou jusqu'à ce que la viande ait atteint une température interne de 50 °C (120 °F). Laisser reposer quelques minutes avant de découper.
4. Découper les biftecks en tranches minces en diagonale (afin d'obtenir des tranches plus larges). Servir de 3 à 4 tranches par portion.

TEMPS DE CUISSON POUR LES BIFTECKS ET CÔTELETTES

Lorsque vient le moment de déterminer le temps de cuisson des biftecks et des côtelettes, j'emploie la méthode des chefs cuisiniers, laquelle consiste à appuyer sur la surface du bifteck afin d'en mesurer le degré de résistance. Vous pouvez faire de même. Étendez le bras devant vous, en faisant reposer votre avant-bras sur une surface. Détendez-vous et palpez votre biceps. C'est la sensation que donne un steak saignant. Levez maintenant votre avant-bras comme pour faire ressortir le muscle, mais sans le tendre. Palpez votre biceps. Il correspond à une cuisson moyenne. Maintenant, tendez votre muscle et palpez-le : c'est la sensation que donne la viande cuite à point.

APPORT NUTRITIONNEL PAR PORTION

173	calories
1 g	glucides
trace	fibres
6 g	matières grasses
2 g	gras saturés
27 g	protéines

Excellente source de : niacine et vitamine B_{12}
Bonne source de : riboflavine, fer et vitamine B_6

65 mg	cholestérol
117 mg	sodium
365 mg	potassium

CÔTELETTES DE VEAU À LA SAUCE TOMATE EN COCOTTE

Bien qu'il s'agisse d'une très bonne façon d'employer un reste de côtelettes de veau, bientôt, vous les préparerez exprès pour cette recette. Vous pourriez tout simplement servir les côtelettes nappées de sauce tomate, mais je les apprête toujours en cocotte.

Vous pouvez exécuter cette recette avec du poulet, de la dinde ou des côtelettes de porc. Puisque la viande est très mince, 500 g (1 lb) suffiront pour six portions. Pour une version plus épicée, ajouter à la sauce 2 ml (1/2 c. à thé) de pâte de piment ou davantage de flocons de piment. Passez les restes dans des sandwiches de pain croûté.

Donne 6 portions

Sauce tomate :

15 ml	**huile d'olive**	**1 c. à table**
1	**oignon haché**	**1**
2	**gousses d'ail hachées finement**	**2**
pincée	**flocons de piment fort**	**pincée**
1	**branche de céleri hachée**	**1**
1	**carotte hachée**	**1**
2	**boîtes de 796 ml (28 oz) de tomates italiennes avec leur jus**	**2**
1 ml	**poivre**	**1/4 c. à thé**
500 g	**côtelettes de veau**	**1 lb**
125 ml	**farine tout usage**	**1/2 tasse**
4	**blancs d'œufs ou 2 œufs entiers, légèrement battus**	**4**
500 ml	**chapelure fraîche fine**	**2 tasses**
15 ml	**huile d'olive**	**1 c. à table**
50 ml	**persil frais haché**	**1/4 tasse**
	sel au goût	

1. Pour préparer la sauce tomate, chauffer 15 ml (1 c. à table) d'huile d'olive dans une grande poêle. Y mettre l'oignon, l'ail et les flocons de piment. Cuire 5 minutes à feu doux. Ajouter le céleri et la carotte et cuire 5 minutes. Ajouter les tomates, le poivre et le sel. Cuire 20 minutes, jusqu'à ce que la sauce épaississe. Réduire en purée et rectifier l'assaisonnement au besoin.
2. Assécher le veau en l'épongeant. Mettre la farine dans une grande assiette. Mettre les blancs d'œufs dans une autre assiette et la chapelure dans une troisième. Saupoudrer légèrement la viande de farine, la tremper dans l'œuf et la retourner dans la chapelure. Disposer les côtelettes de veau sur une plaque en une seule couche. Garder au réfrigérateur jusqu'au moment de la cuisson.
3. Badigeonner une grande plaque de 15 ml (1 c. à table) d'huile d'olive. La chauffer 5 minutes dans un four préchauffé à 190 °C (375 °F). Disposer les côtelettes sur la plaque en une seule couche et cuire 10 minutes. Retourner et cuire encore de 10 à 15 minutes ou jusqu'à ce que les côtelettes soient à point et dorées.
4. Verser un peu de sauce dans une cocotte peu profonde. Mettre les côtelettes dans la sauce, en les faisant se chevaucher au besoin. Verser le reste de la sauce sur le dessus. Garnir de persil. Cuire au four de 20 à 30 minutes ou jusqu'à ce que le tout soit très chaud et bouillonnant.

APPORT NUTRITIONNEL PAR PORTION

247	calories
29 g	glucides
4 g	fibres
5 g	matières grasses
1 g	gras saturés
23 g	protéines

Excellente source de : vitamine A, niacine, riboflavine, vitamine B_6 et vitamine B_{12}
Bonne source de : vitamine C, thiamine, fer et acide folique

59 mg	cholestérol
594 mg	sodium
984 mg	potassium

GIGOT D'AGNEAU GRILLÉ À LA CANTONAISE

L'agneau est l'une des viandes les plus populaires dans les restaurants. Certaines personnes n'aiment pas l'apprêter à la maison, car elles craignent son goût et son arôme pénétrants. Cependant, si vous achetez de l'agneau jeune, que vous le débarrassez bien de son gras et que vous le cuisez à point, le résultat sera délicieux et d'une saveur discrète. Le fait d'enlever le gras réduit également le risque de flambées sur le gril. Et puisque la viande est mince après avoir été aplatie « en papillon », elle ne met que 30 minutes à cuire. (Si vous ne pouvez la faire cuire sur le gril, contentez-vous de la faire rôtir.)

J'aime servir cette recette d'agneau avec du riz vapeur et une salade d'aubergine au gingembre (voir la note explicative en marge).

Donne de 8 à 10 portions

1	**gigot d'agneau aplati (environ 1,5 kg (3 lb) après l'avoir désossé) dégraissé**	**1**
50 ml	**sauce hoisin**	**1/4 tasse**
25 ml	**moutarde de Dijon**	**2 c. à table**
25 ml	**ketchup**	**2 c. à table**
25 ml	**miel**	**2 c. à table**
15 ml	**sauce soja**	**1 c. à table**
5 ml	**pâte de piment fort**	**1 c. à thé**
5 ml	**poivre noir moulu grossièrement**	**1 c. à thé**
2	**gousses d'ail émincées**	**2**
15 ml	**gingembre frais haché**	**1 c. à table**

1. Ouvrir le morceau de viande en le coupant de façon à l'aplatir au maximum. Éponger.
2. Mélanger la sauce hoisin, la moutarde, le ketchup, le miel, la sauce soja, la pâte de piment fort, le poivre, l'ail et le gingembre. Badigeonner l'agneau de ce mélange.
3. Préchauffer le gril. Pour une viande saignante, cuire l'agneau de 10 à 15 minutes par côté, selon l'épaisseur du morceau. Si l'on fait rôtir la viande, préchauffer le four à 200 °C (400 °F). Préchauffer une plaque légèrement badigeonnée d'huile végétale. Mettre l'agneau sur la plaque chaude et faire rôtir de 30 à 40 minutes. Le thermomètre à viande devrait marquer 55 °C (130°F).
4. Laisser la viande reposer de 5 à 10 minutes avant de la découper. Découper en diagonale au travers de la fibre, en minces tranches.

SALADE D'AUBERGINE AU GINGEMBRE

Servir ce plat en accompagnement comme condiment, trempette ou sauce avec la viande ou la volaille grillée. Faire griller sur le gril ou au four 500 g (1 lb) de tranches d'aubergine, 1 gros poivron rouge et 1 gros oignon en tranches épaisses. Couper l'aubergine et l'oignon en dés. Peler le poivron, en enlever les graines et le couper en dés.

Dans une grande poêle, mélanger 25 ml (2 c. à table) de sauce soja, 25 ml (2 c. à table) de cassonade, 15 ml (1 c. à table) de vinaigre de riz, 25 ml (2 c. à table) de jus d'orange, 2 gousses d'ail émincées, 5 ml (1 c. à thé) de gingembre frais émincé et 1 ml (1/4 c. à thé) de pâte de piment. Porter à ébullition. Incorporer 25 ml (2 c. à table) de coriandre fraîche ou de persil frais haché et 10 ml (2 c. à thé) d'huile de sésame.

Donne environ 750 ml (3 tasses).

APPORT NUTRITIONNEL PAR PORTION

226	calories
7 g	glucides
trace	fibres
8 g	matières grasses
3 g	gras saturés
30 g	protéines

Excellente source de : niacine, riboflavine et vitamine B_{12}
Bonne source de : fer

105 mg	cholestérol
329 mg	sodium
230 mg	potassium

RÔTI D'AGNEAU AU ROMARIN ET AUX POMMES DE TERRE

Les pommes de terre de ce plat absorbent tous les sucs délicieux de l'agneau. Vous pouvez passer tous les restes d'agneau dans une salade de viande grillée.

Donne de 10 à 12 portions

1	**gigot d'agneau de 2 kg (4 lb), avec l'os, bien débarrassé de son gras**	**1**
25 ml	**moutarde de Dijon**	**2 c. à table**
4	**gousses d'ail émincées divisées en deux portions**	**4**
5 ml	**poivre divisé en deux portions**	**1 c. à thé**
25 ml	**romarin frais haché ou 10 ml (2 c. à thé) de romarin séché, divisé en deux portions**	**2 c. à table**
1,5 kg	**pommes de terre pelées et coupées en tranches très fines (6 à 8 grosses)**	**3 lb**
2	**gros oignons en tranches**	**2**
2 ml	**sel**	**1/2 c. à thé**
250 ml	**vin blanc sec, bouillon de poulet ou eau**	**1 tasse**

1. Éponger l'agneau. Dans un petit bol, mélanger la moutarde, 2 gousses d'ail, 2 ml (1/2 c. à thé) de poivre et 15 ml (1 c. à table) de romarin. Étendre sur l'agneau. Laisser mariner tout en préparant les pommes de terre.
2. Disposer les pommes de terre, les oignons et le reste de l'ail au fond d'un plat allant au four. Saupoudrer avec le reste de romarin, de poivre et de sel. Verser le vin sur le dessus.
3. Mettre l'agneau sur les pommes de terre. Pour une cuisson saignante, faire rôtir de 80 à 90 minutes dans un four préchauffé à 200 °C (400 °F). Le thermomètre à viande devrait marquer 55 °C (130 °F). Retourner le rôti une fois pendant la cuisson.
4. Laisser reposer le rôti 10 minutes avant de le découper. Servir avec les pommes de terre et les oignons.

SAUCE AUX COURGES RÔTIES

Les sauces aux légumes rôtis sont une idée géniale pour qui veut réduire sa consommation de matières grasses.

Badigeonner légèrement d'huile d'olive un plat allant au four. Mettre une courge musquée de 500 g (1 lb) (pelée, vidée de ses graines et coupée en gros morceaux) dans le plat avec 3 gousses d'ail non pelées et 1 oignon pelé et coupé en quartiers. Saupoudrer de 5 ml (1 c. à thé) de romarin frais haché ou 1 ml (1 c. à thé) de romarin séché et de 1 ml (1/4 c. à thé) de poivre. Faire rôtir 45 minutes dans un four préchauffé à 190 °C (375 °F). Enlever l'ail dès qu'il est cuit.

Peler l'ail et le réduire en purée avec la courge, l'oignon et 375 ml (1 1/2 tasse) de bouillon de poulet. Saler et poivrer au goût.

Donne environ 625 ml (2 1/2 tasses).

APPORT NUTRITIONNEL PAR PORTION

263	calories
23 g	glucides
2 g	fibres
6 g	matières grasses
3 g	gras saturés
27 g	protéines

Excellente source de : niacine, riboflavine et vitamine B_{12}
Bonne source de : thiamine, fer et vitamine B_6

87 mg	cholestérol
191 mg	sodium
559 mg	potassium

FILET DE PORC GLACÉ À L'ABRICOT

Vous pouvez également employer ce glaçage avec les rôtis de filet, les côtelettes de porc et le poulet.

Donne de 6 à 8 portions

750 g	**filet de porc**	**1 1/2 lb**
125 ml	**confiture d'abricots**	**1/2 tasse**
25 ml	**moutarde de Dijon**	**2 c. à table**
25 ml	**vinaigre balsamique ou vinaigre de cidre**	**2 c. à table**
10 ml	**sauce Worcestershire**	**2 c. à thé**

1. Éponger le porc.
2. Mélanger la confiture, la moutarde, le vinaigre et la sauce Worcestershire. Enrober le porc de ce mélange.
3. Mettre le porc sur une grille placée au-dessus d'une plaque doublée de papier d'aluminium. Faire rôtir de 40 à 50 minutes dans un four préchauffé à 190 °C (375 °F) ou jusqu'à ce que la viande soit à point (la température interne devrait être de 70 °C (160 °F)).

LE TEMPS DE CUISSON DES RÔTIS

Le temps de cuisson de la viande dépend de son poids, de son épaisseur et de sa forme. Le thermomètre à viande est la seule méthode permettant d'avoir à une certitude. Les thermomètres à fine tige et à lecture instantanée sont les meilleurs. Lorsque vous estimez que la viande est à point, enfoncez le thermomètre au centre du rôti en prenant soin de ne pas faire entrer l'instrument en contact avec le plat, un os ou un morceau de gras. Le thermomètre permettra d'obtenir une lecture en 10 secondes. J'aime cuire le bœuf jusqu'à 55 °C (130 °F) pour une cuisson saignante. Je cuis habituellement le porc jusqu'à 70 °C (160 °F). La dinde ou le poulet farci devraient être rôtis à 85 °C (185 °F) afin de s'assurer que le liquide contenu dans la farce soit bien cuit.

APPORT NUTRITIONNEL PAR PORTION

196	calories
15 g	glucides
trace	fibres
4 g	matières grasses
1 g	gras saturés
24 g	protéines

Excellente source de : thiamine et niacine

Bonne source de : riboflavine, vitamine B_6 et vitamine B_{12}

57 mg	cholestérol
123 mg	sodium
476 mg	potassium

RÔTI DE PORC MÉRIDIONAL

De nos jours, le rôti de porc est passablement maigre, et la cuisson lente le rend très tendre. J'en prépare toujours un gros morceau car il se conserve très facilement au congélateur, et son goût ne souffre pas lorsqu'on le réchauffe, bien au contraire. (Réfrigérez le rôti si vous ne l'utilisez pas immédiatement et réchauffez-le 1 heure dans un four préchauffé à 180 °C (350 °F).)

Donne de 10 à 12 portions

Sauce barbecue :

10 ml	**huile végétale**	**2 c. à thé**
1	**oignon haché**	**1**
2	**gousses d'ail hachées finement**	**2**
500 ml	**ketchup**	**2 tasses**
250 ml	**vinaigre de cidre**	**1 tasse**
250 ml	**cassonade**	**1 tasse**
45 ml	**sauce Worcestershire**	**3 c. à table**
5 ml	**sauce piquante au piment (facultative)**	**1 c. à thé**
15 ml	**moutarde de Dijon**	**1 c. à table**
250 ml	**eau**	**1 tasse**
1,5 kg	**rôti de porc (jambon) désossé et dégraissé**	**3 lb**

1. Pour préparer la sauce barbecue, chauffer l'huile dans une grande casserole. Y mettre l'oignon et l'ail et cuire à feu doux jusqu'à ce que l'oignon ait ramolli, soit pendant environ 5 minutes.
2. Ajouter le ketchup, le vinaigre, le sucre, la sauce Worcestershire, la sauce piquante, la moutarde et l'eau. Porter à ébullition. Cuire en remuant fréquemment environ 20 minutes ou jusqu'à ce que la sauce ait atteint la consistance du ketchup. Rectifier l'assaisonnement au besoin en salant, poivrant ou en ajoutant de la sauce piquante.
3. Frotter la viande en utilisant 250 ml (1 tasse) de cette sauce. Mettre le rôti dans un plat allant au four, y verser 250 ml (1 tasse) d'eau, couvrir et cuire pendant 3 heures dans un four préchauffé à 160 °C (325 °F).
4. Retirer le rôti du plat. Enlever tout le gras qui flotte à la surface du liquide. Mélanger 125 ml (1/2 tasse) de ce bouillon dégraissé avec la sauce barbecue réservée (environ 375 ml (1 1/2 tasse)) et mettre dans une cocotte. Trancher ou couper le porc en lanières et le mettre dans la sauce. Couvrir et cuire au four pendant 1 heure.

APPORT NUTRITIONNEL PAR PORTION

326	calories
39 g	glucides
1 g	fibres
8 g	matières grasses
3 g	gras saturés
26 g	protéines

Excellente source de : thiamine, niacine, vitamine B_6 et vitamine B_{12}
Bonne source de : riboflavine et fer

65 mg	cholestérol
798 mg	sodium
890 mg	potassium

PORC À L'ORIENTALE

Je préfère employer des ingrédients frais toutes les fois que j'en ai la chance.

Donne de 4 à 6 portions

375 g	**côtelettes de porc bien dégraissées**	**3/4 lb**
15 ml	**sauce soja**	**1 c. à table**
15 ml	**vin de riz ou saké**	**1 c. à table**
15 ml	**eau**	**1 c. à table**
5 ml	**fécule de maïs**	**1 c. à thé**

Sauce :

50 ml	**bouillon de poulet maison (p. 59)**	**1/4 tasse**
15 ml	**sauce hoisin**	**1 c. à table**
15 ml	**fécule de maïs**	**1 c. à table**
5 ml	**huile de sésame (facultatif)**	**1 c. à thé**

Cuisson :

10 ml	**huile végétale**	**2 c. à thé**
2	**gousses d'ail hachées finement**	**2**
3	**oignons verts hachés**	**3**
15 ml	**gingembre frais haché finement**	**1 c. à table**
500 ml	**bouquets de brocoli**	**2 tasses**
500 ml	**carottes en tranches minces**	**2 tasses**
1	**boîte de 398 ml (14 oz) maïs nain rincé et égoutté**	**1**
50 ml	**bouillon de poulet maison ou eau**	**1/4 tasse**
50 ml	**ciboulette ou coriandre fraîche hachée**	**1/4 tasse**

1. Découper le porc en tranches minces. Dans un grand bol, mélanger le porc avec la sauce soja, le vin de riz, l'eau et 5 ml (1 c. à thé) de fécule de maïs. Bien remuer. Laisser mariner de 5 à 10 minutes.
2. Pour préparer la sauce, mélanger dans un petit bol 50 ml (1/4 tasse) de bouillon, la sauce hoisin, 15 ml (1 c. à table) de fécule de maïs et l'huile de sésame.
3. Chauffer l'huile végétale dans un wok ou une grande poêle profonde. Y mettre l'ail, les oignons verts et le gingembre ; cuire environ 30 secondes. Ajouter les tranches de porc et faire revenir à feu vif en remuant jusqu'à ce que la viande ait perdu sa couleur rosée.
4. Ajouter le brocoli et les carottes. Bien mélanger. Verser 50 ml (1/4 tasse) de bouillon. Couvrir. Cuire environ 2 minutes, jusqu'à ce que les légumes soient tendres.
5. Remuer la sauce encore une fois. La verser dans le wok et porter à ébullition. Cuire de 1 à 2 minutes. Saupoudrer de coriandre.

APPORT NUTRITIONNEL PAR PORTION

223	calories
16 g	glucides
3 g	fibres
8 g	matières grasses
2 g	gras saturés
21 g	protéines

Excellente source de : vitamine A, vitamine C, thiamine, niacine, vitamine B_6 et vitamine B_{12}
Bonne source de : riboflavine et acide folique

47 mg	cholestérol
366 mg	sodium
736 mg	potassium

LES LÉGUMES ET LES PLATS D'ACCOMPAGNEMENT

BROCOLI OU RAPPINI AUX RAISINS SECS ET AUX PIGNONS

Voir photo à la page 161.

Le brocoli est un légume populaire. Voici une façon raffinée de l'apprêter. Le rappini, issu d'un croisement entre le brocoli et les feuilles de navet, est de plus en plus facile à trouver. Enlevez-en les extrémités en conservant cependant les parties feuillues avec les tiges et les bouquets.

Donne 4 portions

1	**grosse botte de brocoli ou de rappini (environ 750 g (1½ lb), parée et coupée en morceaux de 5 cm (2 po))**	**1**
5 ml	**huile d'olive**	**1 c. à thé**
1	**petit oignon haché**	**1**
1	**gousse d'ail hachée finement**	**1**
50 ml	**raisins secs**	**¼ tasse**
15 ml	**pignons rôtis (p. 245)**	**1 c. à table**

1. Porter à ébullition le contenu d'une grande casserole remplie d'eau. Y jeter le brocoli. Porter à nouveau à ébullition et cuire de 3 à 5 minutes ou jusqu'à ce que le légume commence à être tendre. Rincer à l'eau froide afin d'interrompre la cuisson et de fixer la couleur et la texture du légume.
2. Chauffer l'huile dans une grande poêle. Y mettre l'oignon et l'ail et cuire à feu doux jusqu'à ce que l'oignon soit tendre (verser un peu d'eau au besoin afin d'empêcher de brûler). Ajouter les raisins secs et les pignons et cuire encore quelques minutes.
3. Ajouter le brocoli et le retourner délicatement pour le réchauffer et l'enrober d'oignons. Servir chaud ou tiède.

LE RAPPINI

Le rappini est légèrement amer mais son goût est beaucoup plus riche que celui du brocoli. La variété chinoise est habituellement moins amère que l'italienne. Employez-le avec les pâtes (p. 97), les soupes (p.51) ou comme légume d'accompagnement (p. 203).

APPORT NUTRITIONNEL PAR PORTION

101	calories
18 g	glucides
4 g	fibres
3 g	matières grasses
trace	gras saturés
5 g	protéines

Excellente source de : vitamine C et acide folique
Bonne source de : vitamine A et vitamine B_6

0 mg	cholestérol
39 mg	sodium
535 mg	potassium

CAROTTES GLACÉES AU CUMIN

Le cumin qui donne à ce plat sucré son goût mystérieux est utilisé dans la cuisine de l'Inde, du Sud-Ouest asiatique et du Moyen-Orient. Si vous n'en avez pas, remplacez-le par 2 ml (1/2 c. à thé) de poudre de cari ou d'assaisonnement au chili. Dans la recette qui suit, on peut également prendre du sirop d'érable ou de la cassonade au lieu du miel.

Donne de 4 à 6 portions

1 kg	**carottes**	**2 lb**
10 ml	**huile végétale**	**2 c. à thé**
1	**gousse d'ail hachée finement**	**1**
15 ml	**gingembre frais haché finement**	**1 c. à table**
7 ml	**cumin moulu**	**1 1/2 c. à thé**
15 ml	**miel**	**1 c. à table**
pincée	**sel**	**pincée**
375 ml	**bouillon de poulet maison (p. 59) ou eau**	**1 1/2 tasse**

1. Peler les carottes et les couper en tranches diagonales de 5 mm (1/4 po) d'épaisseur) .
2. Chauffer l'huile dans une poêle profonde ; y ajouter l'ail et le gingembre. Cuire 1 minute à feu doux. Ajouter le cumin et cuire encore 30 secondes.
3. Ajouter les carottes, le miel, le sel et le bouillon. Cuire à feu moyen à découvert jusqu'à ce que tout le liquide se soit évaporé et que les carottes soient tendres et glacées. (Si le liquide s'évapore avant que les carottes soient tendres, ajouter tout simplement de l'eau dans la poêle.) Les carottes devraient mettre de 20 à 25 minutes à cuire. Rectifier l'assaisonnement au besoin.

CHAMPIGNONS « SAUVAGES » SAUTÉS

Ces champignons sont fabuleux sur la viande et les pâtes. Voici un truc pour donner aux champignons ordinaires l'apparence de champignons sauvages.

Chauffer 5 ml (1 c. à thé) d'huile d'olive dans une grande poêle. Ajouter 1 oignon haché et 3 gousses d'ail hachées finement ; cuire à feu doux jusqu'à ce que le tout dégage un arôme agréable (en versant un peu d'eau au besoin). Ajouter 500 g (1 lb) de champignons en boutons tranchés et un ou deux sachets de champignons sauvages déshydratés, reconstitués, nettoyés et hachés (p. 67). Ajouter le liquide de trempage, filtré, et cuire jusqu'à ce que tout le liquide se soit évaporé ou qu'il ait été absorbé par les champignons. Assaisonner de sel, de poivre et de persil.

Donne 250 à 375 ml (1 à 1 1/2 tasse).

APPORT NUTRITIONNEL PAR PORTION

141	calories
25 g	glucides
3 g	fibres
5 g	matières grasses
trace	gras saturés
4 g	protéines

Excellente source de :
vitamine A et vitamine B_6

0 mg	cholestérol
138 mg	sodium
535 mg	potassium

ASPERGES AU GINGEMBRE

Cette recette est également délicieuse avec des pois « Sugar snap » ou du brocoli.

Donne 6 portions

5 ml	**huile de sésame**	**1 c. à thé**
15 ml	**gingembre frais haché**	**1 c. à table**
3	**oignons verts hachés**	**3**
750 g	**asperges parées et coupées en tronçons de 5 cm (2 po)**	**1½ lb**
15 ml	**sauce soja**	**1 c. à table**
15 ml	**vinaigre balsamique**	**1 c. à table**
2 ml	**miel**	**½ c. à thé**

1. Chauffer l'huile dans un wok ou une poêle. Y mettre le gingembre et les oignons verts et cuire 1 minute à feu doux ou jusqu'à ce que le tout dégage un arôme agréable.
2. Ajouter les asperges et les faire sauter environ 2 minutes en remuant jusqu'à ce qu'elles commencent à cuire.
3. Mélanger la sauce soja, le vinaigre et le miel. Verser dans la poêle et cuire 1 minute ou jusqu'à ce que les asperges soient tendres. Rectifier l'assaisonnement au besoin.

L'ASPERGE

Achetez des asperges dont les « feuilles » sont bien resserrées. Je préfère les tiges dodues et juteuses à celles minces comme un crayon. D'habitude, je coupe (plutôt que je ne casse) 2,5 cm (1 po) d'extrémité ligneuse coriace et je pèle l'asperge sur un pouce ou deux. Bien que cette méthode exige du temps, les extrémités ainsi pelées sont très tendres et je gaspille moins.

Je fais cuire les asperges couchées dans une poêle dans 2,5 cm ou 5 cm (1 ou 2 po.) d'eau, au lieu de les étuver à la verticale. L'extrémité et la tige pelée cuisent à la même vitesse. Faites cuire les asperges de 3 à 5 minutes, jusqu'à ce qu'elles soient d'un beau vert et que les pointes se replient légèrement lorsqu'on tient l'asperge à la verticale. Après la cuisson, servez les asperges immédiatement si vous avez l'intention de les présenter chaudes ; si vous les servez froides, rincez-les à l'eau froide afin d'en fixer la texture et la couleur et épongez-les.

APPORT NUTRITIONNEL PAR PORTION

27	calories
4 g	glucides
1 g	fibres
1 g	matières grasses
trace	gras saturés
2 g	protéines

Excellente source de :
acide folique

0 mg	cholestérol
146 mg	sodium
125 mg	potassium

OIGNONS ROUGES RÔTIS AU VINAIGRE BALSAMIQUE

ÉPINARDS AU SÉSAME
Chauffer 5 ml (1 c. à thé) d'huile de sésame dans une grande poêle. Ajouter 1 gousse d'ail hachée finement et 15 ml (1 c. à table) d'eau. Cuire quelques minutes à feu doux jusqu'à ce que le tout dégage un arôme agréable. Ajouter 1 kg (2 lb) d'épinards frais parés et lavés et les retourner dans la poêle jusqu'à ce qu'ils s'affaissent. Saler et poivrer au goût et saupoudrer de 5 ml (1 c. à thé) de graines de sésame rôties.

Donne 4 portions.

LE NETTOYAGE DES ÉPINARDS
Les épinards frais contiennent parfois du sable. Pour les nettoyer, remplissez l'évier d'eau froide et faites-y tremper les épinards pendant une minute ou deux en remuant. Laissez-les ensuite reposer quelques minutes. Le sable tombera au fond de l'évier et les épinards flotteront. Soulevez les feuilles délicatement ; répétez l'opération au besoin.

APPORT NUTRITIONNEL PAR PORTION

108	calories
25 g	glucides
4 g	fibres
1 g	matières grasses
trace	gras saturés
3 g	protéines

Excellente source de :
vitamine B_6 et acide folique

0 mg	cholestérol
8 mg	sodium
416 mg	potassium

Ce plat se conserve facilement quelques jours au réfrigérateur ; on peut donc le préparer à l'avance. Mettez les oignons en cubes dans les salades, en tranches dans les sandwiches ou en quartiers dans une assiette d'amuse-gueule. Servez-les froids avec des tranches de dinde, ou chauds avec du poulet rôti.

Donne 8 portions

8	**oignons rouges (d'environ 7,5 cm (3 po) de diamètre**	**8**
75 ml	**vinaigre balsamique**	**1/3 tasse**
75 ml	**eau**	**1/3 tasse**
pincée	**sel**	**pincée**
pincée	**poivre**	**pincée**
50 ml	**basilic ou persil frais haché**	**1/4 tasse**

1. Jeter les enveloppes fibreuses de l'oignon sans en entamer la peau.
2. Disposer les oignons en une seule couche dans un plat allant au four et les cuire dans un four préchauffé à 190 °C (375 °F) de 1 1/4 à 1 1/2 heure ou jusqu'à ce qu'ils soient tendres. Laisser refroidir quelque peu.
3. Couper les oignons en deux et jeter toutes les enveloppes fibreuses qui auraient pu demeurer. Mettre les oignons, côté coupé orienté vers le haut, dans un plat de service.
4. Verser le vinaigre et l'eau dans le plat. Le déglacer en grattant les sucs caramélisés (en prenant soin de jeter les morceaux de peau pouvant adhérer au fond). Cuire à découvert jusqu'à ce que la sauce ait été réduite à quelques cuillerées seulement. Arroser la surface des oignons coupés.
5. Saupoudrer les oignons de sel, de poivre et de basilic. Servir chaud, tiède ou froid.

BETTERAVES ET OIGNONS CARAMÉLISÉS

Cette recette a été inspirée par Linda Stephen qui enseigne à mon école et adore les betteraves. Faites cuire les betteraves dans leur peau, vous améliorerez ainsi leur couleur, leur goût et leur valeur nutritive.

Ce plat peut être préparé à l'avance et réchauffé. Les betteraves sont délicieuses chaudes ou froides, elles peuvent aussi être hachées et servir de relish ou de garniture à sandwiches.

Donne de 4 à 6 portions

6	**betteraves de taille moyenne (environ 750 g (1 1/2 lb))**	**6**
45 ml	**sucre granulé**	**3 c. à table**
3	**oignons en tranches épaisses**	**3**
75 ml	**jus de pomme**	**1/3 tasse**
25 ml	**vinaigre de vin rouge**	**2 c. à table**
1 ml	**poivre**	**1/4 c. à thé**
25 ml	**eau**	**2 c. à table**
	sel au goût	

1. Enlever les feuilles des betteraves, en laissant environ 2,5 cm (1 po) de tige. Laver les betteraves sans les peler ni les couper. Les mettre dans une casserole, recouvrir d'eau et cuire jusqu'à ce qu'elles soient tendres, soit pendant environ 45 minutes. On peut également les faire rôtir en les cuisant de 1 à 1 1/2 heure dans un four préchauffé à 200 °C (400 °F) ou au four à micro-ondes (p. 79).

2. Entre-temps, saupoudrer de sucre le fond d'une grande poêle profonde. Faire dorer le sucre à feu moyen. Incorporer en remuant les oignons et cuire pendant 10 minutes à feu doux, jusqu'à ce que les oignons soient dorés.

3. Verser le jus de pomme et le vinaigre et laisser mijoter jusqu'à ce que les oignons soient très mous. Les garder dans la poêle en attendant que les betteraves soient cuites.

4. Laisser refroidir légèrement les betteraves sous l'eau froide et les peler. Couper en bâtonnets épais comme des frites. Les incorporer aux oignons. Ajouter le poivre, le sel et l'eau et réchauffer jusqu'à ce que tout le liquide se soit évaporé. Rectifier l'assaisonnement au besoin.

LES BETTERAVES

On a parfois tendance à trop faire cuire les betteraves. Cuites au four, leur couleur et leur saveur ne risquent pas de se perdre dans l'eau. Si vous les faites cuire dans l'eau bouillante, laissez-leur la peau et un pouce de tige. Ne les pelez qu'une fois cuites.

SALADE DE BETTERAVE

Une amie m'a transmis cette merveilleuse recette ; je n'avais jamais mangé de betteraves crues auparavant, mais celles-ci se sont révélées délicieuses.

Peler la quantité de betteraves désirée. Peler et étrogner le même nombre de pommes. Râper les pommes et les betteraves et mélanger. Déguster comme salade ou comme accompagnement de poisson ou de viande.

APPORT NUTRITIONNEL PAR PORTION

118	calories
28 g	glucides
4 g	fibres
trace	matières grasses
0 g	gras saturés
2g	protéines

Excellente source de :
acide folique

0 mg	cholestérol
67 mg	sodium
554 mg	potassium

MAÏS À L'AIL ET À LA CIBOULETTE

Le maïs surgelé ou des grains détachés de l'épi conviennent très bien à la recette suivante. Parmi les légumes surgelés, ce sont le maïs et les pois que je préfère. En fait, on pourrait très bien les servir dans un même plat. Pour détacher les grains de l'épi, coupez celui-ci en deux de manière à ce qu'il puisse tenir debout sur une planche à découper. En le tenant fermement, récupérez les grains en tranchant de haut en bas, tel que le montre l'illustration.

Donne de 4 à 6 portions

10 ml	**huile d'olive**	**2 c. à thé**
2	**gousses d'ail hachées finement**	**2**
1 l	**maïs en grains frais ou surgelé**	**4 tasses**
pincée	**poivre**	**pincée**
50 ml	**ciboulette fraîche ou oignons verts hachés**	**1/4 tasse**
	sel au goût	

1. Chauffer l'huile dans une grande poêle et y cuire l'ail jusqu'à ce qu'il dégage un arôme agréable.
2. Ajouter le maïs et cuire de 3 à 5 minutes ou jusqu'à ce qu'il soit tout juste cuit et bien chaud. Ajouter le poivre, le sel et la ciboulette. Rectifier l'assaisonnement au besoin.

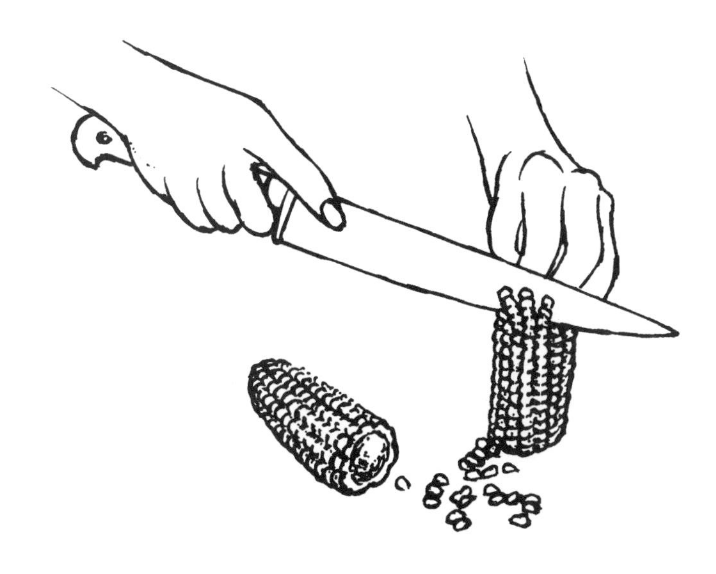

LE MAÏS

Le maïs surgelé est déjà blanchi ; si vous voulez en mettre dans une salade, il suffit de le faire décongeler ; si vous l'employez dans un plat qui devra être chauffé, vous n'avez pas à le faire décongeler. Bien que vous puissiez aussi employer du maïs en conserve, j'estime que le maïs surgelé est supérieur, et il n'est pas aussi salé. Si vous prenez du maïs frais, il suffit d'enlever les grains de l'épi. Si le maïs est cru, faites cuire les grains 1 minute dans l'eau bouillante.

APPORT NUTRITIONNEL PAR PORTION

151	calories
33 g	glucides
4 g	fibres
2 g	matières grasses
trace	gras saturés
5 g	protéines

Excellente source de :
acide folique

0 mg	cholestérol
8 mg	sodium
233 mg	potassium

ÉPIS DE MAÏS GRILLÉS AUX FINES HERBES

Voir photo à la page 97.

Chacun semble avoir sa méthode pour griller le maïs en épi. Lorsque je l'emploie en salade ou si je veux vraiment un goût de « brûlé », je l'épluche complètement et le fais cuire directement sur la grille jusqu'à ce qu'il soit légèrement carbonisé. Lorsque je recherche une saveur plus délicate, c'est la recette ci-dessous que j'utilise. Elle donne un maïs délicieux et juteux, et ne requiert aucune matière grasse.

Donne 6 portions

6	**épis de maïs frais**	**6**
	brins de fines herbes fraîches comme l'estragon et la ciboulette	

1. Enlever la pelure d'un côté de l'épi seulement. Éloigner légèrement les feuilles restantes de l'épi. Ne pas enlever la barbe.
2. Placer un ou deux brins de fines herbes fraîches contre l'épi et remettre les feuilles en place.
3. Préchauffer le gril et mettre les épis directement sur la grille. Refermer le couvercle du gril ou déposer une feuille de papier d'aluminium sur les épis. Faire griller de 3 à 5 minutes. Les feuilles noirciront mais l'intérieur de l'épi sera tendre.

LES FINES HERBES FRAÎCHES

Même si bien des livres vous recommandent d'employer trois fois plus d'herbes fraîches que d'herbes séchées, je ne suis pas d'accord avec cette règle. Quand j'ai des fines herbes fraîches sous la main, j'en emploie de grandes quantités, mais je suis très parcimonieuse dans l'emploi des herbes séchées.

Lavez les fines herbes fraîches délicatement, asséchez-les bien, enveloppez-les d'un chiffon et conservez-les dans un contenant hermétique au réfrigérateur. Consommez-les rapidement et ne les mettez qu'à la fin de la préparation afin que la cuisson ne vienne pas altérer leur goût délicat.

APPORT NUTRITIONNEL PAR PORTION

130	calories
30 g	glucides
4 g	fibres
2 g	matières grasses
trace	gras saturés
4 g	protéines

Excellente source de : acide folique
Bonne source de : thiamine

0 mg	cholestérol
20 mg	sodium
299 mg	potassium

Voir photo à la page 192.

MACÉDOINE DE MAÏS PIQUANTE

Voici un plat d'accompagnement intéressant à servir avec un pain à la viande (p. 186), du poulet ou du saumon grillé. Il est savoureux toute l'année, même s'il est fait à partir de maïs congelé, et c'est une façon merveilleuse de jeter un rayon de soleil sur votre table en plein milieu de l'hiver.

Si vous n'aimez pas les mets épicés, omettez le piment chipotle ou le piment jalapeño.

Donne de 8 à 10 portions

10 ml	**huile d'olive**	**2 c. à thé**
2	**gousses d'ail hachées finement**	**2**
1	**oignon rouge coupé en dés**	**1**
2	**poivrons rouges coupés en dés**	**2**
1	**boîte de 114 ml (4 oz) de piments verts doux, rincés, égouttés et hachés**	**1**
1	**piment chipotle (p. 149) réduit en purée ou 1 piment jalapeño haché (facultatif)**	**1**
2 l	**maïs en grains frais ou surgelé**	**8 tasses**
250 ml	**bouillon de poulet maison (p. 59) ou eau**	**1 tasse**
375 g	**épinards frais parés et hachés**	**3/4 lb**
1 ml	**poivre**	**1/4 c. à thé**
75 ml	**coriandre ou persil frais haché**	**1/3 tasse**
	sel au goût	

1. Chauffer l'huile dans une grande poêle profonde ou un faitout. Y mettre l'ail et l'oignon. Cuire à feu doux jusqu'à ce que l'oignon soit mou et qu'il dégage un arôme agréable, sans rôtir.
2. Ajouter les poivrons rouges, les piments verts doux et le piment chipotle. Cuire de 5 à 10 minutes.
3. Incorporer le maïs et bien mélanger. Verser le bouillon et porter à ébullition. Cuire 5 minutes à feu doux. Incorporer les épinards et cuire encore 5 minutes, jusqu'à ce qu'ils commencent à s'affaisser. Ajouter le poivre, le sel et la coriandre. Rectifier l'assaisonnement au besoin.

APPORT NUTRITIONNEL PAR PORTION

184	calories
41 g	glucides
6 g	fibres
2 g	matières grasses
trace	gras saturés
8 g	protéines

Excellente source de : vitamine A, vitamine C et acide folique
Bonne source de : thiamine, niacine, riboflavine, fer et vitamine B_6

0 mg	cholestérol
178 mg	sodium
577 mg	potassium

COURGE À LA SICILIENNE

Pour faciliter l'épluchage de la courge, coupez-la en rondelles et pelez ensuite chaque morceau séparément. On peut également acheter des morceaux de courge déjà pelés.

Donne de 4 à 6 portions

1 kg	**courge musquée ou d'hiver**	**2 lb**
15 ml	**huile d'olive**	**1 c. à table**
75 ml	**vinaigre de vin rouge**	**1/3 tasse**
1	**gousse d'ail émincée**	**1**
25 ml	**sucre granulé**	**2 c. à table**
2 ml	**poivre**	**1/2 c. à thé**
1 ml	**sel**	**1/4 c. à thé**
50 ml	**persil frais haché**	**1/4 tasse**
25 ml	**menthe fraîche hachée ou 2 ml (1/2 c. à thé) de menthe séchée**	**2 c. à table**

1. Trancher la courge en rondelles de 1 cm (1/2 po) ; les peler. Les disposer en une seule couche sur une plaque antiadhésive ou doublée de papier sulfurisé. Badigeonner d'huile d'olive.
2. Cuire la courge dans un four préchauffé à 200 °C (400 °F) de 30 à 40 minutes ou jusqu'à ce qu'elle soit tendre.
3. Entre-temps, mélanger le vinaigre, l'ail, le sucre, le poivre et le sel. Agiter jusqu'à dissolution du sucre et du sel.
4. Lorsque la courge est tendre, la transférer dans un plat de service et y verser le mélange à base de vinaigre. Saupoudrer de persil et de menthe.

LES COURGES

Lorsqu'une recette exige une courge d'été, il est habituellement question de la courgette jaune ou verte ou d'autres cucurbitacées à graines molles comme le pâtisson ou la courge à cou tors. Les courges musquée, Hubbard, poivrée et spaghetti sont des courges d'hiver. La courge musquée est ma courge d'hiver préférée parce qu'elle est plus douce et moins aqueuse que la plupart des autres variétés, mais c'est aussi la plus chère.

Les courges d'été n'ont pas besoin d'être pelées, contrairement aux courges d'hiver. Au lieu de les peler avant la cuisson, on peut les cuire au four ou les passer aux micro-ondes et récupérer la pulpe cuite à la cuillère.

APPORT NUTRITIONNEL PAR PORTION

153	calories
32 g	glucides
6 g	fibres
4 g	matières grasses
1 g	gras saturés
2 g	protéines

Bonne source de : vitamine C, thiamine, vitamine B_6 et acide folique

0 mg	cholestérol
152 mg	sodium
750 mg	potassium

POLENTA CRÉMEUSE AU MAÏS ET À L'AIL RÔTI

J'ai expérimenté cette recette dans le cadre d'un cours sur la cuisine du Sud-Ouest, et elle a connu un succès retentissant. Vous pouvez la servir comme plat d'accompagnement ou en plat principal avec une salade.

Ce mets peut être fait une heure avant le service ; conservez-le au chaud dans un bain-marie. Si vous n'avez pas le temps de faire rôtir l'ail, contentez-vous d'en ajouter une gousse émincée.

Donne de 8 à 10 portions

4	**gousses d'ail non pelées**	**4**
1,75 l	**eau**	**7 tasses**
4 ml	**sel**	**3/4 tasse**
5 ml	**poivre**	**1 c. à thé**
375 ml	**farine de maïs (régulière ou à cuisson instantanée)**	**1 1/2 tasse**
250 ml	**maïs en grains frais ou surgelé**	**1 tasse**
1	**boîte de 114 ml (4 oz) de piments verts doux, rincés, égouttés et hachés**	**1**
25 ml	**coriandre ou persil frais haché (facultatif)**	**2 c. à table**
175 ml	**lait**	**3/4 tasse**

1. Mettre l'ail non pelé dans une grosse poêle. À feu très doux et en secouant la poêle fréquemment, cuire l'ail environ 40 minutes ou jusqu'à ce qu'il ramollisse. Également, on peut mettre l'ail sur une plaque et le faire rôtir pendant 30 minutes dans un four préchauffé à 160 °C (325 °F). Laisser l'ail refroidir, le peler et l'émincer.
2. Mettre l'eau dans un faitout et porter à ébullition. Saler et poivrer. Incorporer au fouet la farine de maïs, lentement et en remuant constamment. Lorsque la préparation projette des bulles, réduire le feu et laisser cuire à feu doux 5 minutes pour la farine de maïs à cuisson instantanée et de 20 à 30 minutes pour la farine de maïs régulière. Remuer de temps en temps. Si la préparation devient trop épaisse, y verser un peu d'eau bouillante.
3. Ajouter l'ail, les grains de maïs et les piments ; laisser cuire environ 5 minutes.
4. Incorporer la coriandre et une quantité de lait suffisante pour obtenir une pâte de la consistance d'une purée de pommes de terre très crémeuse. Rectifier l'assaisonnement au besoin.

LA POLENTA
Lorsqu'on fait cuire de la farine de maïs dans de l'eau, du lait ou du bouillon, on obtient une bouillie crémeuse appelée polenta, une sorte de gruau au maïs. Faire cuire la polenta en remuant fréquemment à feu doux (ou sans surveillance dans un bain-marie).

APPORT NUTRITIONNEL PAR PORTION

128	calories
27 g	glucides
2 g	fibres
1 g	matières grasses
trace	gras saturés
4 g	protéines
2 mg	cholestérol
372 mg	sodium
136 mg	potassium

PURÉE DE PATATES DOUCES ÉPICÉE

Voir photo à la page 161.

La patate douce est si délicieuse que je m'étonne qu'elle ne soit pas plus populaire ! Voici une façon « piquante » de l'apprêter. Si vous aimez les patates vraiment douces, prenez note de la variante proposée qui comporte l'ajout de sirop d'érable.

Donne de 6 à 8 portions

6	**grosses patates douces (1,5 kg (3 lb))**	**6**
1	**pomme de terre (250 g (1/2 lb))**	**1**
45 ml	**cassonade ou miel**	**3 c. à table**
2 ml	**poivre**	**1/2 c. à thé**
2 ml	**piment de Cayenne (au goût)**	**1/2 c. à thé**
pincée	**muscade**	**pincée**
	sel au goût	

1. Piquer les patates et la pomme de terre et les mettre sur une plaque. Cuire dans un four préchauffé à 180 °C (350 °F) pendant 1 heure ou jusqu'à ce qu'elles soient très tendres sous les dents de la fourchette.
2. Récupérer la chair à la cuillère ; la mettre dans un bol.
3. Réduire en purée avec le sucre, le poivre, le piment de Cayenne, la muscade et le sel. Rectifier l'assaisonnement au besoin.

Purée de patates douces à l'érable : Remplacer la cassonade par du sirop d'érable. Omettre le piment de Cayenne. Ajouter 2 ml (1/2 c. à thé) de cannelle et une pincée de piment de Cayenne.

PEAUX DE POMMES DE TERRE AU FOUR

Couper la peau de pommes de terre cuites en fines lanières et assaisonner de sel, de poivre, de condiments (poudre de cari, assaisonnement au chili ou autres) et d'un peu d'huile d'olive si on le désire. Étendre sur une plaque et cuire dans un four préchauffé à 200 °C (400 °F) de 15 à 20 minutes ou jusqu'à ce qu'elles soient très croustillantes. Remuer toutes les 5 minutes. Émietter et mettre sur les soupes, salades, ou laisser entières et servir comme friandise salée.

APPORT NUTRITIONNEL PAR PORTION

191	calories
46 g	glucides
5 g	fibres
trace	matières grasses
0 g	gras saturés
3 g	protéines

Excellente source de : vitamine A, vitamine C et vitamine E

Bonne source de : vitamine B_6 et acide folique

0 mg	cholestérol
17 mg	sodium
599 mg	potassium

Voir photo à la page 192.

PURÉE DE POMMES DE TERRE À L'AIL

Dans cette recette, on peut remplacer l'eau devant entrer dans la composition de la purée de pommes de terre par du lait chaud. Ne faite jamais votre purée dans un robot culinaire ; c'est de la colle que vous obtiendriez alors !

Donne 6 portions

1 kg	**pommes de terre pelées et coupées en morceaux de 5 cm (2 po)**	**2 lb**
6	**gousses d'ail pelées**	**6**
15 ml	**huile d'olive**	**1 c. à table**
2 ml	**poivre**	**1/2 c. à thé**
	sel au goût	

1. Mettre les pommes de terre et l'ail dans une grande casserole ou un faitout et recouvrir abondamment d'eau. Porter à ébullition et cuire les pommes de terre jusqu'à ce qu'elles soient molles, soit de 20 à 25 minutes.
2. Sortir les pommes de terre et l'ail de l'eau, en réservant le liquide de cuisson. Réduire les pommes de terre et l'ail en purée à l'aide d'un pilon ou les passer au presse-purée.
3. Incorporer lentement en battant l'huile d'olive et une certaine quantité du liquide de cuisson jusqu'à l'obtention d'une purée de la consistance souhaitée (on aura besoin d'environ 125 à 175 ml (1/2 à 3/4 tasse) de liquide). Saler et poivrer. Rectifier l'assaisonnement au besoin.

Pommes de terre battues : Fouetter les pommes de terre cuites avec l'huile d'olive, le sel et le poivre (la préparation contiendra encore des grumeaux). Ajouter 25 ml (2 c. à table) de menthe ou d'aneth frais haché, 50 ml (1/4 tasse) de ciboulette fraîche ou d'oignons verts hachés et 50 ml (1/4 tasse) de persil ou de basilic frais haché. (J'utilise parfois pour cette recette des pommes de terre à peau rouge nettoyées mais non pelées.)

LA PURÉE DE POMMES DE TERRE

En Amérique du Nord, les restaurants branchés servent maintenant une purée de pommes de terre anoblie. Voici quelques versions de ce plat faible en calories que vous pourrez essayer à la maison :

- pour préparer la purée, prendre du babeurre au lieu du liquide de cuisson des pommes de terre ;
- essayer moitié pommes de terre et moitié navets ; n'ajouter du liquide que si cela se révèle nécessaire ;
- incorporer une petite quantité de raifort râpé ou de moutarde de Dijon ;
- incorporer de la ciboulette fraîche ou des oignons verts hachés.

APPORT NUTRITIONNEL PAR PORTION

120	calories
23 g	glucides
2 g	fibres
2 g	matières grasses
trace	gras saturés
2 g	protéines
Bonne source de : vitamine B_6	
0 mg	cholestérol
7 mg	sodium
376 mg	potassium

FRITES AU ROMARIN

Ces bâtonnets de pomme de terre cuits au four sont moins riches en matières grasses que les frites faites en pleine friture. Pour les enfants qui aiment les plats simples, omettez le romarin et le poivre.

Donne 6 portions

1 kg	**pommes de terre**	**2 lb**
15 ml	**huile végétale ou huile d'olive**	**1 c. à table**
2 ml	**sel**	**1/2 c. à thé**
1 ml	**poivre**	**1/4 c. à thé**
15 ml	**romarin frais haché ou 2 ml (1/2 c. à thé) de romarin séché**	**1 c. à table**

1. Peler les pommes de terre et les couper en forme de frites. (Les tremper 20 minutes dans l'eau froide si on les désire très croustillantes. Bien les éponger.)
2. Retourner les bâtonnets dans l'huile. Mélanger le sel, le poivre et le romarin et répandre sur les pommes de terre.
3. Disposer les pommes de terre en une seule couche sur une grille placée au-dessus d'une plaque. Cuire dans un four préchauffé à 200 °C (400 °F) de 40 à 45 minutes ou jusqu'à ce que les bâtonnets soient cuits et dorés.

Frites au cari : Omettre le romarin et ajouter 1 ml (1/4 c. à thé) de poudre de cari.

Frites au chili : Omettre le romarin et ajouter 15 ml (1 c. à table) d'assaisonnement au chili.

Patates douces frites : Remplacer les pommes de terre par des patates douces.

LES POMMES DE TERRE

Il existe plusieurs variétés de pommes de terre. Les pommes de terre Russet, Idaho, à peau rouge et Yukon Gold se prêtent merveilleusement bien à la préparation de la purée ou à la cuisson au four (entières ou en bâtonnets). Les pommes de terre nouvelles, sont bonnes bouillies, étuvées ou en salade. Les pommes de terre tout usage ou de table peuvent être utilisées pour la préparation de tous les plats.

APPORT NUTRITIONNEL PAR PORTION

115	calories
22 g	glucides
2 g	fibres
2 g	matières grasses
trace	gras saturés
2 g	protéines

Bonne source de : vitamine B_6

0 mg	cholestérol
197 mg	sodium
364 mg	potassium

Voir photo à la page 161.

LÉGUMES RACINES RÔTIS

J'exécute parfois cette recette avec des pommes de terre ou des patates douces. On peut préparer également le chou-fleur de cette façon. Le goût est alors très concentré. Faites rôtir les bouquets de 25 à 30 minutes.

Donne de 4 à 6 portions

500 g	**pommes de terre nettoyées**	**1 lb**
500 g	**patates douces pelées**	**1 lb**
1	**grosse carotte pelée ou nettoyée**	**1**
1	**panais pelé**	**1**
125 g	**rutabaga pelé**	**1/4 lb**
20 ml	**huile d'olive**	**1 1/2 c. à table**
2	**gousses d'ail**	**2**
25 ml	**romarin frais haché ou 5 ml (1 c. à thé) de romarin séché**	**2 c. à table**
2 ml	**sel**	**1/2 c. à thé**
1 ml	**flocons de piment fort (facultatif)**	**1/4 c. à thé**
2 ml	**poivre**	**1/2 c. à thé**

1. Couper les légumes en morceaux de 4 cm (1 1/2 po). Les mettre dans l'eau froide s'ils commencent à se décolorer. Bien les égoutter et assécher en épongeant.
2. Mélanger l'huile, l'ail, le romarin, le sel, les flocons de piment et le poivre. Retourner les légumes dans ce mélange.
3. Répandre les légumes en une seule couche sur une plaque anti-adhésive ou doublée de papier sulfurisé (en prenant deux feuilles au besoin). Cuire dans un four préchauffé à 220 °C (425 °F) de 45 à 55 minutes ou jusqu'à ce que les légumes soient dorés et tendres. Remuer deux fois pendant la cuisson.

PRODUITS DE CULTURE BIOLOGIQUE

Dans le sens le plus strict, les produits de culture biologique sont obtenus sans le recours de produits chimiques. Bien que de nombreuses personnes croient que ces produits ont davantage de saveur, ils sont souvent coûteux et difficiles à trouver. Cependant, quand je peux, j'en achète parce que j'en apprécie la saveur et que je veux accorder mon soutien aux producteurs qui pratiquent ce type de culture respectueux de l'environnement.

APPORT NUTRITIONNEL PAR PORTION

253	calories
49 g	glucides
7 g	fibres
6 g	matières grasses
1 g	gras saturés
4 g	protéines

Excellente source de : vitamine A, vitamine C, vitamine E et vitamine B_6

Bonne source de : thiamine et acide folique

0 mg	cholestérol
327 mg	sodium
831 mg	potassium

HARICOTS BLANCS BRAISÉS

J'aime servir ce plat avec de l'agneau ou du poulet. On peut prendre des haricots en boîte au lieu de haricots séchés ; prenez deux boîtes de 540 ml (19 oz) de haricots que vous rincerez afin de les débarrasser de leur excédent de sel. Bien qu'ils ne soient pas aussi fermes que les haricots déshydratés, ils sont quand même bons.

Donne 8 portions

500 g	**haricots blancs séchés (petits haricots blancs, doliques à œil noir ou un mélange de plusieurs variétés – environ 500 ml (2 tasses))**	**1 lb**
15 ml	**huile d'olive**	**1 c. à table**
1 ml	**flocons de piment fort**	**1/4 c. à thé**
1	**gros oignon**	**1**
3	**gousses d'ail hachées finement**	**3**
5 ml	**romarin frais haché ou 1 ml (1/4 c. à thé) de romarin séché**	**1 c. à thé**
5 ml	**sauge fraîche hachée ou une pincée de sauge séchée**	**1 c. à thé**
500 ml	**bouillon de poulet maison (p. 59) ou eau**	**2 tasses**
1 ml	**poivre**	**1/4 c. à thé**
15 ml	**jus de citron**	**1 c. à table**
50 ml	**persil frais haché**	**1/4 tasse**
	sel au goût	

1. Recouvrir les haricots d'eau froide et les laisser tremper toute la nuit au réfrigérateur. Ou encore, suivre la méthode de trempage rapide (p. 128).
2. Égoutter les haricots. Recouvrir d'eau froide encore une fois, porter à ébullition, réduire le feu et laisser mijoter 1 heure ou jusqu'à ce que les haricots soient presque à point. Rincer et égoutter.
3. Chauffer l'huile dans une grande poêle profonde. Ajouter les flocons de piment, l'oignon et l'ail. Cuire à feu doux jusqu'à ce que la préparation dégage un arôme agréable. Ajouter le romarin, la sauge, le bouillon et les haricots égouttés. Cuire de 15 à 20 minutes ou jusqu'à ce que les haricots soient très tendres et que le bouillon soit presque complètement évaporé.
4. Ajouter le poivre, le sel et le jus de citron. Rectifier l'assaisonnement au besoin. Saupoudrer de persil.

LE SEL

J'emploie du sel de mer ou du sel kascher en raison de leur goût incroyablement subtil. Le sel kashcer possède une texture idéale pour la cuisine : il n'est pas trop fin, de sorte qu'on peut aisément le doser avec les doigts, tout en n'étant pas assez gros pour exiger d'être moulu. De plus, il ne contient aucun additif chimique.

LES SUBSTITUTS DU SEL

Si vous désirez réduire la quantité de sel utilisée dans la cuisson, vous pouvez le remplacer de multiples façons :

- prenez des ingrédients frais et de bonne qualité ;
- employez beaucoup de fines herbes fraîches (ou des quantités discrètes de fines herbes séchées) ;
- mettez des épices ou de la moutarde dans vos mets ;
- faites usage de piments forts, de zeste d'agrumes, de vinaigre, de vin et de jus de fruits.

APPORT NUTRITIONNEL PAR PORTION

225	calories
38 g	glucides
11 g	fibres
3 g	matières grasses
1 g	gras saturés
13 g	protéines

Excellente source de : fer et acide folique
Bonne source de : thiamine, niacine et vitamine B_6

0 mg	cholestérol
11 mg	sodium
588 mg	potassium

PURÉE DE HARICOTS BLANCS AU CUMIN

Ce plat est succulent avec de l'agneau ou du poulet rôti. Si vous voulez, vous pouvez en accélérer la préparation en prenant deux boîtes de 540 ml (19 oz) de haricots blancs que vous rincerez et laisserez égoutter. Vous réduirez alors le temps de cuisson à 30 minutes. Voici un usage parfait pour les haricots blancs en conserve car ils sont déjà réduits en purée.

Pour donner un surcroît de saveur, ajoutez aux haricots avant la cuisson un morceau de 60 g (2 oz) de pancetta ou de bacon bien débarrassé de son gras. Enlever et jeter le morceau après la préparation de la purée. Ou encore, vous pouvez ajouter 15 à 25 ml (1 à 2 c. à table) d'huile d'olive à la purée avant de la servir.

Donne de 6 à 8 portions

500 g	**haricots blancs séchés**	**1 lb**
4	**gousses d'ail pelées**	**4**
5 ml	**cumin moulu**	**1 c. à thé**
2 ml	**poivre**	**1/2 c. à thé**
	sel au goût	

1. Bien recouvrir les haricots d'eau froide et laisser tremper toute la nuit au réfrigérateur.
2. Rincer les haricots et les égoutter. Les mettre dans une grande casserole et recouvrir d'eau froide. Ajouter l'ail, le cumin et le poivre. Porter à ébullition, couvrir et laisser mijoter jusqu'à ce que les haricots soient très tendres, soit pendant environ 1 à 1 1/2 heure.
3. Égoutter les haricots en réservant le liquide de cuisson. Les réduire en purée par lots en prenant chaque fois un peu de liquide de cuisson pour obtenir un mélange ayant la consistance d'une purée de pommes de terre. Saler. Rectifier l'assaisonnement au besoin.

RÉDUIRE LE SEL

- Sachez que les aliments en conserve ou traités contiennent du sel « caché ». Avant de les employer, rincez-les.
- Fabriquez votre propre sauce soja allégée en mélangeant à parts égales de la sauce soja et de l'eau. Elle sera plus économique et aura meilleur goût.
- Goûtez deux fois les aliments avant de saler (on a tendance à ne pas faire attention au goût du sel et certaines autres saveurs peuvent ne pas être enregistrées immédiatement).

APPORT NUTRITIONNEL PAR PORTION

260	calories
47 g	glucides
19 g	fibres
1 g	matières grasses
trace	gras saturés
18 g	protéines

Excellente source de : thiamine, fer et acide folique
Bonne source de : niacine et vitamine B_6

0 mg	cholestérol
5 mg	sodium
827 mg	potassium

COUSCOUS À L'ORIENTALE

Pour améliorer la présentation du plat, huiler six ramequins et remplissez-les de couscous. On peut les transvider immédiatement dans des plats de service ou les préparer à l'avance et les recouvrir d'aluminium. Avant le service, placez les ramequins dans un plat allant au four de plus grande taille rempli d'eau très chaude (son niveau devrait atteindre la moitié de la hauteur des ramequins) et réchauffez dans un four préchauffé à 180 °C (350 °F) 15 à 20 minutes avant de les démouler.

Donne de 6 à 8 portions

250 ml	**couscous**	**1 tasse**
375 ml	**eau bouillante**	**1½ tasse**
5 ml	**huile d'olive**	**1 c. à thé**
2	**oignons verts pelés**	**2**
4 ml	**cumin moulu**	**¾ c. à thé**
1 ml	**curcuma**	**¼ c. à thé**
pincée	**cannelle**	**pincée**
250 ml	**tomates italiennes en boîte, égouttées et hachées**	**1 tasse**
45 ml	**raisins secs**	**3 c. à table**
25 ml	**pistaches hachées (facultatif)**	**2 c. à table**
25 ml	**persil frais haché**	**2 c. à table**

1. Mettre le couscous dans un plat carré de 2 litres (8 po de côté). Y verser l'eau bouillante. Bien couvrir de papier d'aluminium et laisser reposer 10 minutes ou jusqu'à ce que le couscous soit prêt. Défaire légèrement à la fourchette.
2. Entre-temps, chauffer l'huile dans une grande poêle. Y mettre les oignons verts et cuire 2 minutes à feu doux. Ajouter le cumin, le curcuma et la cannelle ; cuire 30 secondes.
3. Ajouter les tomates, bien laisser égoutter et cuire quelques minutes, jusqu'à l'obtention d'une pâte très épaisse. Ajouter les raisins secs, les pistaches, le persil et le couscous. Bien mélanger. Rectifier l'assaisonnement au besoin.

LE QUINOA

Le quinoa est une céréale traditionnelle dont la teneur en protéines est très élevée si on la compare à celles des autres grains. Prenez soin de bien le rincer avant la cuisson, car sa couche extérieure (saponine) a un goût légèrement amer dont il faut se débarrasser. Si vous le désirez, faites griller le quinoa rincé avant la cuisson. Mettez-le dans une poêle et faites-le cuire en remuant jusqu'à ce qu'il brunisse un peu. Cette opération lui conférera un goût de noisette sans ajout de matières grasses.

Pour cuire le quinoa, rincer 375 ml (1½ tasse) de céréale à l'eau froide courante jusqu'à ce qu'elle ressorte transparente. Porter à ébullition 750 ml (3 tasses) d'eau avec 5 ml (1 c. à thé) de sauce soja. Y jeter le quinoa, couvrir et laisser mijoter 15 minutes. Défaire légèrement avant de servir.

Donne de 4 à 6 portions.

APPORT NUTRITIONNEL PAR PORTION

148	calories
30 g	glucides
2 g	fibres
1 g	matières grasses
trace	gras saturés
5 g	protéines
0 mg	cholestérol
73 mg	sodium
214 mg	potassium

PILAF DE CÉRÉALES VARIÉES

Voir photo à la page 193.

Les différentes céréales utilisées ici rendent ce pilaf particulièrement intéressant. Mais vous pouvez vous contenter d'en prendre une ou deux si vous ne pouvez les trouver toutes. Je tiens cette idée de mon amie Mary Risley qui dirige l'école Tante Marie School of Cooking de San Francisco.

Donne de 4 à 6 portions

10 ml	**huile végétale**	**2 c. à thé**
1	**oignon haché**	**1**
2	**gousses d'ail hachées finement**	**2**
15 ml	**assaisonnement au chili**	**1 c. à table**
1 ml	**piment de Cayenne**	**1/4 c. à thé**
5 ml	**cumin moulu**	**1 c. à thé**
125 ml	**riz à grains longs, de préférence du riz basmati**	**1/2 tasse**
125 ml	**orge perlé**	**1/2 tasse**
50 ml	**quinoa rincé**	**1/4 tasse**
50 ml	**riz wehani**	**1/4 tasse**
750 ml	**bouillon de poulet maison (p. 59) ou 1 boîte de 284 ml (10 oz) de bouillon de poulet dilué d'eau**	**3 tasses**
2	**poivrons rouges, de préférence rôtis (p. 154), pelés et coupés en dés**	**2**
15 ml	**pignons rôtis (p. 245)**	**1 c. à table**
50 ml	**coriandre ou persil frais haché**	**1/4 tasse**

1. Chauffer l'huile dans une grande poêle. Y mettre l'oignon et l'ail ; cuire à feu doux jusqu'à ce que l'oignon ait ramolli. Incorporer l'assaisonnement au chili, le piment de Cayenne et le cumin. Cuire environ 30 secondes en remuant constamment jusqu'à ce que l'oignon dégage un arôme agréable.
2. Ajouter le riz basmati, l'orge, le quinoa et le riz wehani. Bien mélanger.
3. Verser le bouillon et porter à ébullition. Réduire le feu, couvrir et laisser mijoter de 40 à 45 minutes jusqu'à ce que le liquide ait été absorbé et que le riz soit tendre.
4. Incorporer les poivrons, les pignons et la coriandre. Rectifier l'assaisonnement au besoin.

LE RIZ À GRAINS COURTS

Prenez du riz à grains courts lorsque vous désirez une céréale qui « colle » (comme dans les sushis) ou lorsque vous souhaitez obtenir un mets de consistance crémeuse (comme dans les risottos et le pouding au riz). Le riz à grains courts, comme le riz arborio, convient parfaitement au risotto. La texture du plat fini doit être crémeuse, mais on devrait encore être en mesure de distinguer chaque grain de riz.

On peut se servir de riz à grains longs dans les recettes qui exigent un riz à grains courts, et inversement, mais la texture finale sera différente.

LE RIZ WEHANI

Le riz wehani est un riz brun qui ressemble au riz sauvage. Sa couche extérieure est ferme ; il est très croquant et savoureux. Prenez pour sa cuisson deux fois plus d'eau que pour le riz ordinaire et faites-le cuire 40 à 50 minutes ou jusqu'à ce qu'il soit à point. Lorsque le riz est mou, laissez-le égoutter dans un tamis.

APPORT NUTRITIONNEL PAR PORTION

354	calories
64 g	glucides
8 g	fibres
7 g	matières grasses
1 g	gras saturés
11 g	protéines

Excellente source de : vitamine A, vitamine C, niacine et fer
Bonne source de : thiamine, vitamine B_6 et acide folique

1 mg	cholestérol
55 mg	sodium
561 mg	potassium

PILAF DE RIZ NAVAJO

Voici un excellent plat d'accompagnement, mais je le sers aussi comme plat principal végétarien. On peut y ajouter environ 125 g (1/4 lb) de fromage de chèvre ou de feta émietté et le mettre au four 15 minutes.

Donne 6 à 8 portions

250 ml	**riz à grains longs**	**1 tasse**
550 ml	**eau**	**2¼ tasses**
10 ml	**huile d'olive**	**2 c. à thé**
1	**gros oignon haché**	**1**
2	**gousses d'ail hachées finement**	**2**
1	**courgette coupée en dés**	**1**
1	**poivron rouge coupé en dés**	**1**
375 ml	**maïs en grains frais ou surgelé**	**1½ tasse**
1	**boîte de 114 ml (4 oz) de piments verts doux, rincés, égouttés et hachés**	**1**
50 ml	**coriandre ou persil frais haché**	**¼ tasse**
1 ml	**poivre**	**¼ c. à thé**

1. Bien rincer le riz. Le mettre dans une casserole remplie d'eau et porter à ébullition. Réduire le feu, couvrir et laisser mijoter 40 minutes.
2. Entre-temps, chauffer l'huile dans une grande poêle ou un faitout. Y mettre l'oignon et l'ail. Cuire 5 minutes à feu doux ou jusqu'à ce que l'oignon soit très mou.
3. Ajouter la courgette et cuire 5 minutes. Ajouter le poivron rouge, le maïs et les piments ; cuire encore de 5 à 10 minutes. Incorporer la coriandre et le poivre. Retirer du feu.
4. Lorsque le riz est à point, réchauffer le mélange de légumes et l'incorporer au riz. Rectifier l'assaisonnement au besoin.

LE RIZ BASMATI

Le riz basmati est un riz à grains longs, aromatique, provenant de l'Inde. Avant la cuisson, ce riz devrait être rincé à l'eau froide jusqu'à ce que l'eau ressorte transparente. On peut trouver dans le commerce du riz basmati brun ou blanc et, bien que les deux variétés soient excellentes, c'est le riz blanc que je trouve le plus aromatique. Les autres riz aromatiques comme le riz au jasmin et le riz à l'arôme thaïlandais sont également délicieux.

LE RIZ BRUN

Le riz brun possède davantage de valeur nutritive que le riz blanc, car sa couche externe renferme du son, des fibres et des vitamines. Le riz brun met habituellement deux fois plus de temps à cuire que le riz blanc, et il est plus coûteux. Il ne se conserve pas aussi longtemps que le riz blanc. Achetez-le en petites quantités et conservez-le au réfrigérateur si vous ne l'employez pas rapidement.

APPORT NUTRITIONNEL PAR PORTION

185	calories
38 g	glucides
4 g	fibres
3 g	matières grasses
trace	gras saturés
5 g	protéines

Excellente source de : vitamine C
Bonne source de : niacine et vitamine B_6

0 mg	cholestérol
192 mg	sodium
280 mg	potassium

RIZ AUX PÂTES ET AUX POIS CHICHES

Bien qu'il puisse sembler inhabituel de mettre des pâtes dans un riz pilaf, c'est une pratique assez courante dans les recettes du Moyen-Orient, et j'ai appris à en apprécier le goût et la texture.

Donne de 4 à 6 portions

10 ml	**huile d'olive**	**2 c. à thé**
125 ml	**spaghettini ou vermicelles brisées**	**1/2 tasse**
1	**oignon haché**	**1**
250 ml	**riz à grains longs**	**1 tasse**
375 ml	**bouillon de poulet maison (p. 59) ou eau**	**1 1/2 tasse**
1	**boîte de 540 ml (19 oz) de pois chiches rincés et égouttés ou 500 ml (2 tasses)de pois chiches cuits**	**1**
1 ml	**poivre**	**1/4 c. à thé**
	sel au goût	
25 ml	**coriandre ou persil frais haché**	**2 c. à table**

1. Chauffer l'huile dans une casserole. Y mettre les pâtes et les faire dorer légèrement. Ajouter l'oignon et cuire à feu doux jusqu'à ce qu'il ait ramolli, soit pendant environ 5 minutes.
2. Incorporer le riz et bien l'enrober d'huile. Verser le bouillon et porter à ébullition. Réduire le feu, couvrir et laisser mijoter 15 minutes.
3. Ajouter les pois chiches et cuire encore 10 minutes à couvert jusqu'à ce que tout le liquide ait été absorbé. Incorporer le poivre et le sel. Ajouter la coriandre. Rectifier l'assaisonnement au besoin.

LES POIS CHICHES

Les pois chiches se prêtent bien à la préparation de délicieux plats d'accompagnement, mais ils font également des merveilles dans les soupes, les salades et les mets à base de céréales. Je laisse habituellement tremper les pois chiches séchés dans l'eau toute une nuit au réfrigérateur et je les cuis ensuite pendant 1 1/2 heure ou jusqu'à ce qu'ils soient à point. Les pois chiches en boîte sont un bon substitut ; contrairement à beaucoup d'autres légumineuses en conserve, ils conservent davantage leur texture. J'en garde toujours une réserve dans mon placard en vue de préparer une entrée rapide comme le hoummos (p. 37), pour hausser la teneur en protéines et en fibres d'une salade ou pour en enrichir le goût.

APPORT NUTRITIONNEL PAR PORTION

403	calories
74 g	glucides
5 g	fibres
5 g	matières grasses
1 g	gras saturés
15 g	protéines

Excellente source de : vitamine B_6 et acide folique
Bonne source de : niacine

0 mg	cholestérol
220 mg	sodium
308 mg	potassium

RISOTTO À LA COURGE

Le risotto devient de plus en plus populaire ; voici une de mes versions préférées. Sa couleur est attrayante et son goût, et sa texture riches. Pour obtenir un plat végétarien, remplacez le bouillon de poulet par du bouillon de légumes. On peut le servir en entrée, comme plat principal ou comme plat d'accompagnement avec de la viande et du poisson rôtis ou grillés.

Cuire le risotto à feu moyen. Après l'ajout du bouillon, le riz devrait mettre de 15 à 18 minutes avant d'atteindre la consistance idéale. (Si le liquide est absorbé en moins de 15 minutes, ajouter davantage de bouillon et réduire le feu la prochaine fois ; si le riz est à point et qu'il reste encore du liquide dans la casserole, augmenter le feu la prochaine fois.)

Donne de 6 à 8 portions

15 ml	**huile d'olive**	**1 c. à table**
2	**poireaux ou petits oignons parés et coupés en dés**	**2**
1	**gousse d'ail hachée finement**	**1**
375 ml	**riz à grains courts, de préférence du riz arborio**	**1 1/2 tasse**
500 ml	**courge musquée pelée et coupée en dés**	**2 tasses**
1 l	**bouillon de poulet maison (p. 59) ou 1 boîte de 284 ml (10 oz) de bouillon de poulet dilué d'eau bouillante**	**4 tasses**
2 ml	**poivre**	**1/2 c. à thé**
25 ml	**ciboulette fraîche ou oignons verts hachés**	**2 c. à table**
	sel au goût	

1. Chauffer l'huile dans un faitout. Y mettre les poireaux et l'ail. Cuire à feu doux jusqu'à ce que le mélange dégage un arôme agréable, sans dorer.
2. Incorporer le riz et bien l'enrober d'huile. Ajouter la courge et bien mélanger.
3. À feu moyen, verser 250 ml (1 tasse) de bouillon. En remuant constamment, cuire jusqu'à ce que le bouillon se soit évaporé. Continuer à verser du bouillon à raison de 125 ml (1/2 tasse) à la fois. Toujours en remuant, cuire jusqu'à ce que le liquide ait été absorbé avant de poursuivre. Après 15 minutes, goûter le riz afin de vérifier s'il est à point. Saler et poivrer. Incorporer la ciboulette. Rectifier l'assaisonnement au besoin. Servir immédiatement.

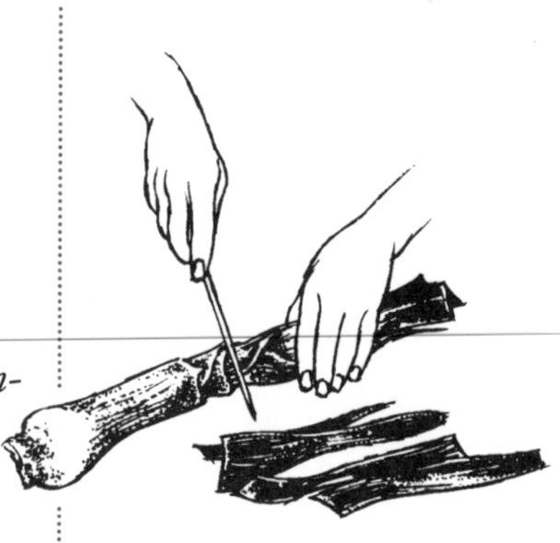

LES POIREAUX

Les poireaux ont un délicat goût d'oignon. Servez-vous des parties blanches et vert pâle ; pour éviter le gaspillage de la tête, enlevez-en les feuilles de couleur vert foncé.

Les poireaux retiennent le sable et doivent être nettoyés avec soin. Coupez l'extrémité de la racine et enlevez les couches vert foncé. Coupez le poireau en rondelles et agitez-les dans un bol rempli d'eau. Les rondelles remonteront à la surface, tandis que les saletés et le sable tomberont au fond. En les soulevant délicatement, récupérez les rondelles de poireau.

APPORT NUTRITIONNEL PAR PORTION

258	calories
49 g	glucides
2 g	fibres
4 g	matières grasses
1 g	gras saturés
7 g	protéines

Bonne source de : niacine

10 mg	cholestérol
27 mg	sodium
357 mg	potassium

Boisson battue à la banane ▶ *(page 227)*

Muffins aux canneberges *(page 240)*

LES PETITS DÉJEUNERS ET LES BRUNCHES

◀ Crêpes à la ricotta
et au citron *(page 232)*

PAMPLEMOUSSE CALYPSO

Ce fruit peut être servi comme entrée à l'occasion d'un brunch ou d'un déjeuner, et aussi comme un dessert simple et délicieux. J'aime prendre des pamplemousses roses, mais on peut également se servir de pamplemousses ordinaires. Si vous hésitez à flamber le rhum, contentez-vous de le verser sans l'allumer, cette opération n'étant ici que du tape-à-l'œil (p. 262-263).

Donne 6 portions

3	**pamplemousses**	**3**
125 ml	**cassonade**	**1/2 tasse**
2 ml	**cannelle**	**1/2 c. à thé**
pincée	**muscade**	**pincée**
pincée	**piment de la Jamaïque**	**pincée**
25 ml	**rhum brun (facultatif)**	**2 c. à table**

1. Couper les pamplemousses en deux et en détacher les sections à l'aide d'un couteau à pamplemousse, sans les retirer du fruit. Mettre les pamplemousses sur des plaques.
2. Mélanger sucre, cannelle, muscade et piment de la Jamaïque. Appliquer le mélange sur la surface des demi-pamplemousses.
3. Immédiatement avant le service, préchauffer l'élément de grillage du four et cuire les pamplemousses de 3 à 5 minutes, jusqu'à ce que le sucre projette des bulles et que le fruit soit chaud.
4. Chauffer le rhum à feu doux dans une casserole. Lorsqu'il commence à bouillonner, le flamber. Le verser alors sur les pamplemousses ou le verser tout simplement sans l'allumer.

APPORT NUTRITIONNEL PAR PORTION

106	calories
27 g	glucides
2 g	fibres
trace	matières grasses
0 g	gras saturés
1 g	protéines

Excellente source de :
vitamine C

0 mg	cholestérol
6 mg	sodium
222 mg	potassium

Voir photo à la page 224.

BOISSON BATTUE À LA BANANE

Voici une boisson consistante et mousseuse, parfaite pour ceux qui ne tolèrent pas le lactose mais qui veulent consommer un liquide « crémeux ». On peut prendre n'importe quelle combinaison de jus de fruits, mais assurez-vous d'inclure la banane si vous tenez à obtenir une texture veloutée.

Donne 2 portions

1	**banane mûre**	**1**
25 ml	**concentré de jus d'orange congelé**	**2 c. à table**
125 ml	**jus d'ananas, de nectar de poire ou jus de mangue non sucré**	**1/2 tasse**
125 ml	**fraises (ou autres fruits) en tranches**	**1/2 tasse**
125 ml	**glace concassée**	**1/2 tasse**

1. Peler la banane, la couper en morceaux et la mettre dans le mélangeur. Réduire en purée avec le concentré de jus d'orange.
2. Ajouter le jus, les fraises et la glace et mélanger jusqu'à ce que la boisson soit très mousseuse. Servir dans des verres avec une paille.

Lait battu pour le petit déjeuner : Prendre du lait au lieu du jus d'ananas.

COCKTAIL AUX CANNEBERGES ET À L'ORANGE

Voici une merveilleuse boisson rafraîchissante pour les jours de canicule. Mélanger dans un grand pichet 1 boîte de 275 ml (9 oz) de concentré de jus de canneberge congelé et 1 boîte de 355 ml (12 1/2 oz) de concentré de jus d'orange. Ajouter 1,5 litre (6 tasses) de soda et 1 litre (4 tasses) de glaçons.

Donne environ 2,5 litres (10 tasses).

APPORT NUTRITIONNEL PAR PORTION

127	calories
32 g	glucides
2 g	fibres
1 g	matières grasses
trace	gras saturés
1 g	protéines

Excellente source de : vitamine C, vitamine B_6 et acide folique

0 mg	cholestérol
3 mg	sodium
493 mg	potassium

FROMAGE DE YOGOURT

Bon nombre de mes élèves sont surpris de constater à quel point le fromage de yogourt est onctueux et succulent, même préparé à partir de yogourt léger à 1 %. On peut l'employer dans de nombreuses recettes à la place de la crème sure, de la crème à fouetter (il ne se fouette pas mais on peut l'incorporer aux sauces-desserts comme la crème pâtissière au citron (p. 268)). De plus, contrairement au yogourt ordinaire, il ne « suinte » pas dans les vinaigrettes. Bien qu'on puisse également prendre les nouveaux yogourts épais, le fromage de yogourt ne contient pas d'agents épaississants ni de gélatine et il a, à mon avis, une texture et un goût beaucoup plus naturels. Pour sa préparation, assurez-vous de prendre du yogourt nature ne contenant pas d'agents stabilisants, de gélatine ni d'agents épaississants.

Donne 375 ml (1 1/2 tasse)

750 ml	**yogourt nature allégé**	**3 tasses**

1. Doubler une passoire d'un coton à fromage, d'essuie-tout ou d'un filtre à café. La placer au-dessus d'un bol.
2. Mettre le yogourt dans la passoire et recouvrir d'une pellicule transparente. Laisser reposer 3 heures ou toute une nuit au réfrigérateur. Après 3 heures, le fromage sera d'une consistance moyenne (fromage de yogourt crémeux) ; si on le laisse égoutter toute une nuit, il devrait être épais comme du fromage à la crème (fromage de yogourt ferme). Jeter le liquide (ou s'en servir pour cuire le riz, comme on fait parfois au Moyen-Orient) et mettre le fromage de yogourt dans un autre contenant. Couvrir et utiliser au besoin. Le fromage de yogourt se conserve environ 1 semaine.

SUGGESTIONS D'EMPLOI DU FROMAGE DE YOGOURT

- Mettre du **fromage de yogourt** au lieu de la crème sure dans les trempettes, sur les pommes de terre au four ou comme garniture dans les soupes. Il remplace la mayonnaise dans les sandwiches ou les vinaigrettes et peut se substituer à la crème légèrement fouettée dans les desserts.
- Prendre du **fromage de yogourt ferme** au lieu du fromage à la crème pour les tartinades ou sur les bagels au saumon fumé.

APPORT NUTRITIONNEL PAR 15 ml (cuillerée à table)

15	calories
1 g	glucides
0 g	fibres
trace	matières grasses
trace	gras saturés
2 g	protéines
2 mg	cholestérol
13 mg	sodium
46 mg	potassium

CROQUANT AUX FRUITS

Lorsque j'étais en Irlande, j'ai eu droit à un de ces petits déjeuners célèbres dans le monde entier, lequel comprenait un gruau fabuleusement onctueux, des plats de poissons merveilleux, des scones, des pâtisseries et un croquant aux fruits servi (comme presque tout le reste d'ailleurs) avec de la crème caillée.

Maintenant, je fais un croquant aux fruits pour le petit déjeuner et je le sers avec du sirop d'érable ou du fromage de yogourt crémeux (p. 228) ou du yogourt ordinaire.

J'aime bien la combinaison de fruits utilisée dans cette recette, mais on pourrait la simplifier en prenant quatre pommes et 250 ml (1 tasse) d'abricots déshydratés.

Donne de 8 à 12 portions

2	**pommes pelées et tranchées**	**2**
2	**poires pelées et tranchées**	**2**
125 ml	**pruneaux dénoyautés**	**1/2 tasse**
125 ml	**abricots déshydratés coupés en deux**	**1/2 tasse**
125 ml	**cerises ou canneberges déshydratées**	**1/2 tasse**
25 ml	**sirop d'érable**	**2 c. à table**
50 ml	**jus de pomme ou d'orange**	**1/4 tasse**

Garniture :

250 ml	**flocons d'avoine**	**1 tasse**
125 ml	**farine tout usage**	**1/2 tasse**
75 ml	**son de blé**	**1/3 tasse**
125 ml	**cassonade**	**1/2 tasse**
2 ml	**cannelle**	**1/2 c. à thé**
50 ml	**margarine molle ou beurre non salé fondu**	**1/4 tasse**
75 ml	**jus de pomme ou d'orange**	**1/3 tasse**

1. Mélanger les pommes, les poires, les pruneaux, les abricots, les cerises, le sirop d'érable et 75 ml (1/3 tasse) de jus de pomme. Mettre dans un plat allant au four d'une capacité de 2 litres (8 po de diamètre).
2. Pour préparer la garniture, mélanger les flocons d'avoine, la farine, le son, la cassonade et la cannelle. Incorporer la margarine ou le beurre fondu ainsi que 75 ml (1/3 tasse) de jus. Étendre à la cuillère sur les fruits.
3. Cuire dans un four préchauffé à 180 °C (350 °F) de 50 à 60 minutes ou jusqu'à ce que les fruits soient tendres et la garniture croustillante.

TARTINADE DE FROMAGE AUX FINES HERBES

Mélanger 250 ml (1 tasse) de fromage de yogourt ferme avec 2 gousses d'ail émincées et 15 ml (1 c. à table) de chacune des herbes suivantes : persil frais, ciboulette ou oignons verts et estragon ou aneth (si l'on prend ces herbes séchées, utiliser environ 1 ml (1/4 c. à thé) de chacune). Assaisonner de sel au goût, de poivre et de sauce piquante au piment.

Donne environ 250 ml (1 tasse).

GARNITURE DE DESSERTS

Mélanger 250 ml (1 tasse) de fromage de yogourt crémeux avec 25 ml (2 c. à table) de sucre granulé, 5 ml (1 c. à thé) de vanille et 5 ml (1 c. à thé) de zeste d'orange râpé. Utiliser ce mélange pour remplacer la crème fouettée.

Donne environ 250 ml (1 tasse).

APPORT NUTRITIONNEL PAR PORTION

298	calories
59 g	glucides
7 g	fibres
7 g	matières grasses
1 g	gras saturés
4 g	protéines

Bonne source de : fer

0 mg	cholestérol
83 mg	sodium
470 mg	potassium

MÜESLI HELVÈTE

Il existe deux versions du müesli. Une des versions est sèche comme des « granolas » et l'autre, celle que je vous propose, est fondante et fruitée.

J'aime mon müesli épais, mais vous pouvez mettre du yogourt ordinaire si vous l'aimez plus liquide. Cette préparation se conservera quelques jours au réfrigérateur.

Donne de 6 à 8 portions

375 ml	**flocons d'avoine**	**1 1/2 tasse**
175 ml	**eau**	**3/4 tasse**
1	**pomme râpée**	**1**
45 ml	**miel**	**3 c. à table**
500 ml	**baies fraîches ou congelées écrasées**	**2 tasses**
250 ml	**fromage de yogourt crémeux (p. 228) ou yogourt épais**	**1 tasse**

1. Mélanger les flocons d'avoine avec l'eau, la pomme et le miel. Étendre au fond d'une cocotte profonde d'une capacité de 3 litres (12 tasses).
2. Ajouter les fruits écrasés sur le mélange à base de flocons d'avoine. Couvrir d'une pellicule transparente et réfrigérer quelques heures ou toute la nuit.
3. Au moment de servir, incorporer le fromage de yogourt dans le mélange.

LES GRANOLAS

Dans un grand bol, mélanger 1 litre (4 tasses) de flocons d'avoine, 250 ml (1 tasse) d'amandes émincées, 125 ml (1/2 tasse) de noix de coco non sucrée, 125 ml (1/2 tasse) de graines de tournesol, 125 ml (1/2 tasse) de son de blé et 2 ml (1/2 c. à thé) de cannelle.

Dans une casserole, mélanger 125 ml (1/2 tasse) de cassonade et 75 ml (1/3 tasse) de sirop d'érable. Porter à ébullition. Incorporer au mélange à base de flocons d'avoine. Mettre la préparation sur une grande plaque doublée de papier sulfurisé ou légèrement huilée. Cuire dans un four préchauffé à 160 °C (325 °F) de 35 à 40 minutes ou jusqu'à ce que les granolas soient légèrement dorés. Mettre une seconde feuille de papier sulfurisé ou de papier huilé sur les granolas et couvrir d'une seconde plaque. Retourner, enlever la première plaque et le papier et mettre encore de 10 à 15 minutes au four.

Séparer les granolas et laisser refroidir. Y incorporer 250 ml (1 tasse) de fruits secs hachés. Conserver dans un contenant hermétique.

Donne environ 1,5 litre (6 tasses).

APPORT NUTRITIONNEL PAR PORTION

187	calories
35 g	glucides
4 g	fibres
3 g	matières grasses
1 g	gras saturés
8 g	protéines

Excellente source de : vitamine C
Bonne source de : thiamine et vitamine B_{12}

4 mg	cholestérol
38 mg	sodium
356 mg	potassium

PAIN DORÉ AU FOUR

Beaucoup ignorent qu'il n'est pas nécessaire de faire frire le pain doré ; on peut en effet le faire cuire au four. Ce mets peut être préparé à l'avance ; on laisse tremper le pain au réfrigérateur toute la nuit. Bien entendu, la recette fonctionne également bien si on laisse tremper le pain pendant environ 15 minutes.

Servez les tranches de pain doré avec du sirop d'érable, des fruits ou du fromage de yogourt crémeux et sucré (p. 228).

Donne 6 portions

4	**œufs**	**4**
8	**blancs d'œufs**	**8**
375 ml	**lait**	**1 1/2 tasse**
50 ml	**sucre granulé**	**1/4 tasse**
10 ml	**vanille**	**2 c. à thé**
2 ml	**cannelle**	**1/2 c. à thé**
12	**tranches de pain aux raisins secs épaisses de 1 cm (1/2 po), de callah de blé entier (p. 252) ou de pain de blé entier**	**12**
15 ml	**margarine molle ou beurre non salé**	**1 c. à table**

1. Dans un grand plat peu profond, battre les œufs avec les blancs d'œufs, le lait, le sucre, la vanille et la cannelle. (Passer le mélange au tamis si vous le désirez.)

2. Tremper le pain dans le mélange et le retourner afin de bien l'enrober. Laisser les tranches tremper au moins 15 minutes ou toute une nuit au réfrigérateur.

3. Doubler des plaques à pâtisserie de papier sulfurisé et badigeonner de margarine ou d'huile. Disposer le pain en une seule couche sur le papier. Parsemer de noix de margarine ou de beurre.

4. Cuire dans un four préchauffé à 190 °C (375 °F) de 25 à 30 minutes jusqu'à ce que les tranches soient dorées et gonflées (on peut les retourner après 15 minutes si on le désire).

BEURRE DE POMME

Utilisez cette tartinade sans matières grasses comme telle ou avec du fromage de yogourt (p. 228) sur des rôties ou des bagels.

Si l'on ne dispose pas d'un moulin, étrogner et peler les pommes. Les faire cuire et les réduire en purée dans un mélangeur ou un robot culinaire.

Laver six grosses pommes et les couper en quartiers (on devrait en obtenir 2 litres (8 tasses)). Dans une grande poêle ou un faitout, mélanger les pommes avec 125 g (1/4 lb) de pommes séchées en tranches (environ 375 ml (1 1/2 tasse)), 500 ml (2 tasses) de jus de pomme, 15 ml (1 c. à table) de cannelle, 1 ml (1/4 c. à thé) de piment de la Jamaïque et 1 ml (1/4 c. à thé) de clous de girofle moulus. Porter à ébullition, réduire le feu, couvrir et laisser mijoter 20 minutes jusqu'à épaississement de la préparation. Découvrir et cuire jusqu'à ce que le mélange devienne très épais (on devrait obtenir de 500 à 750 ml (de 2 à 3 tasses) de préparation). Réduire en purée dans un moulin.

Donne environ 500 ml (2 tasses).

APPORT NUTRITIONNEL PAR PORTION

305	calories
43 g	glucides
2 g	fibres
8 g	matières grasses
2 g	gras saturés
15 g	protéines

Excellente source de : riboflavine
Bonne source de : thiamine, niacine, acide folique et vitamine B_{12}

149 mg	cholestérol
377 mg	sodium
331 mg	potassium

CRÊPES À LA RICOTTA ET AU CITRON

Voir photo à la page 225.

Au petit déjeuner, il est merveilleux de commencer la journée avec le goût citronné de ces crêpes, mais elles sont si légères et délicates qu'elle sont un délice à tout moment de la journée. Au moment de servir, vous pouvez, si vous le voulez, saupoudrer les crêpes d'un peu de sucre à glacer passé au tamis.

Donne 6 portions
(environ 20 crêpes de 7,5 cm (3 po) de diamètre)

250 ml	**fromage ricotta allégé bien égoutté**	**1 tasse**
3	**jaunes d'œufs**	**3**
125 ml	**farine tout usage**	**1/2 tasse**
50 ml	**sucre granulé**	**1/4 tasse**
10 ml	**zeste de citron râpé**	**2 c. à thé**
pincée	**muscade**	**pincée**
15 ml	**margarine molle ou beurre non salé fondu**	**1 c. à table**
4	**blancs d'œufs**	**4**
75 ml	**jus de citron**	**1/3 tasse**
50 ml	**sucre à glacer tamisé**	**1/4 tasse**

1. Dans un grand bol, battre au fouet la ricotta avec les jaunes d'œufs, la farine, le sucre granulé, le zeste de citron, la muscade et la margarine fondue.
2. Dans un autre bol, battre les blancs d'œufs jusqu'à ce qu'ils soient légers et mousseux. Incorporer un tiers des blancs d'œufs dans la pâte à base de ricotta. Y incorporer délicatement le reste des blancs.
3. Chauffer à feu moyen une grande poêle antiadhésive. Verser la pâte dans la poêle à grosses cuillerées, en l'aplatissant légèrement avec le dos de la cuillère. Cuire environ 2 minutes par côté ou jusqu'à ce que les crêpes soient à point.
4. Dans une casserole, chauffer le jus de citron et incorporer le sucre à glacer. En badigeonner les crêpes.

APPORT NUTRITIONNEL PAR PORTION

194	calories
24 g	glucides
trace	fibres
7 g	matières grasses
2 g	gras saturés
10 g	protéines

Bonne source de : riboflavine et vitamine B_{12}

120 mg	cholestérol
118 mg	sodium
120 mg	potassium

CRÊPES AUX FLOCONS D'AVOINE ET AU BABEURRE

Mes enfants adorent ces crêpes pas plus grosses qu'une pièce d'un dollar.

Servez ces crêpes avec une lampée de sirop d'érable ou un nuage de sucre à glacer.

Donne environ 6 portions (48 petites crêpes)

2	**œufs**	**2**
375 ml	**babeurre**	**1 1/2 tasse**
10 ml	**margarine molle ou beurre non salé fondu**	**2 c. à thé**
125 ml	**farine de blé entier**	**1/2 tasse**
75 ml	**farine tout usage**	**1/3 tasse**
125 ml	**flocons d'avoine**	**1/2 tasse**
4 ml	**bicarbonate de sodium**	**3/4 c. à thé**
pincée	**sel**	**pincée**
45 ml	**sucre granulé**	**3 c. à table**

1. Battre les œufs légèrement avec le babeurre et la margarine ou le beurre.
2. Dans un autre bol, mélanger la farine de blé entier, la farine tout usage, les flocons d'avoine, le bicarbonate de sodium, le sel et le sucre. Bien mélanger.
3. Battre le mélange à base d'œufs dans le mélange de farine jusqu'à homogénéité.
4. Badigeonner une poêle antiadhésive d'un peu d'huile et chauffer. Laisser tomber la pâte par cuillerées pour obtenir des crêpes de la taille d'un dollar. Cuire d'un côté jusqu'à ce que des bulles se forment et que la surface passe du brillant au mat. Retourner et cuire l'autre côté environ 45 secondes.

APPORT NUTRITIONNEL PAR PORTION

170	calories
26 g	glucides
2 g	fibres
4 g	matières grasses
1 g	gras saturés
7 g	protéines
74 mg	cholestérol
250 mg	sodium
185 mg	potassium

CRÊPES MULTIGRAIN

Ces crêpes se distinguent par leur texture particulière, située entre celle du muffin anglais et celle de la crêpe ordinaire. Servez-les avec du sirop d'érable, des poires ou des pommes caramélisées. Pour obtenir des crêpes plus fines, ajouter un peu plus de babeurre.

Donne 6 portions
(environ 24 crêpes de 7,5 cm (3 po) de diamètre)

2	**œufs**	**2**
500 ml	**babeurre**	**2 tasses**
20 ml	**margarine ou beurre non salé fondu**	**1 1/2 c. à table**
250 ml	**farine tout usage**	**1 tasse**
125 ml	**farine de blé entier**	**1/2 tasse**
125 ml	**flocons d'avoine**	**1/2 tasse**
125 ml	**farine de maïs**	**1/2 tasse**
25 ml	**sucre granulé**	**2 c. à table**
5 ml	**levure chimique**	**1 c. à thé**
2 ml	**bicarbonate de sodium**	**1/2 c. à thé**

1. Battre les œufs et les incorporer dans le babeurre et la margarine ou le beurre fondu. Réserver.
2. Dans un grand bol, mélanger les farines avec les flocons d'avoine, le sucre, la levure chimique et le bicarbonate.
3. Incorporer les ingrédients liquides et mélanger jusqu'à homogénéité. La pâte devrait être assez épaisse.
4. Chauffer une plaque en fonte épaisse antiadhésive ou deux poêles. Badigeonner d'un peu d'huile et déposer à la cuillère la pâte sur la surface chaude de façon à obtenir des ronds de 7,5 cm (3 po) de diamètre. (Les cuire en lots.) Lorsque des bulles se forment et que la surface perd son brillant, retourner les crêpes et cuire l'autre côté 1 minute.

BACON ET SAUCISSES

Si vous aimez les aliments très riches en matières grasses comme le bacon et la saucisse, servez-les comme condiments plutôt que comme aliment principal. Comptez par personne une demi-tranche de bacon croustillant et bien égoutté, et émiettez dans une salade. Ou encore, faites cuire une petite quantité de saucisse et mettez-en dans les soupes ou les sauces pour les pâtes. Ainsi, vous obtiendrez la saveur qui vous attire sans ingérer une quantité importante de matières grasses.

APPORT NUTRITIONNEL PAR PORTION

277	calories
45 g	glucides
3 g	fibres
6 g	matières grasses
2 g	gras saturés
10 g	protéines

Bonne source de : thiamine, niacine et riboflavine

75 mg	cholestérol
286 mg	sodium
251 mg	potassium

CRÊPE LEVÉE À LA POIRE CARAMÉLISÉE

Cette crêpe est tellement bonne qu'on peut même la servir comme dessert. De plus, sa préparation est très rapide. Servez-la chaude ou froide et, pour faire changement, essayez des pommes au lieu des poires. Si vous ne disposez pas d'une poêle antiadhésive avec une poignée isolante, transférez les poires dans un plat d'une capacité de 2 litres (11 po × 7 po) et versez-y le mélange à base d'œufs avant de mettre le plat au four.

Donne 6 portions

45 ml	**margarine molle ou de beurre non salé fondu**	**3 c. à table**
4	**poires mûres pelées et tranchées finement**	**4**
2 ml	**cannelle**	**1/2 c. à thé**
75 ml	**cassonade**	**1/3 tasse**
3	**œufs**	**3**
25 ml	**sucre granulé**	**2 c. à table**
125 ml	**lait**	**1/2 tasse**
125 ml	**farine tout usage**	**1/2 tasse**
15 ml	**sucre à glacer tamisé**	**1 c. à table**

1. Faire fondre la margarine ou le beurre dans une poêle antiadhésive de 25 cm (10 po) allant au four. Retirer la moitié du beurre de la poêle et réserver.
2. Mettre les poires, la cannelle et la cassonade dans la poêle et cuire 5 minutes.
3. Entre-temps, à l'aide du robot culinaire, d'un mélangeur ou d'un fouet, mélanger la margarine ou le beurre réservé, les œufs, le sucre granulé, le lait et la farine. Verser la pâte sur les poires et cuire dans un four préchauffé à 220 °C (425 °F) de 20 à 25 minutes ou jusqu'à ce que les crêpes soient dorées et gonflées.
4. Retirer la poêle du four et la secouer afin d'en détacher les poires. Renverser délicatement dans un grand plat. Saupoudrer de sucre à glacer. Servir la crêpe coupée en pointes.

APPORT NUTRITIONNEL PAR PORTION

268	calories
43 g	glucides
3 g	fibres
9 g	matières grasses
2 g	gras saturés
5 g	protéines
109 mg	cholestérol
121 mg	sodium
245 mg	potassium

SOUFFLÉ DE FROMAGE DE CHÈVRE AUX FINES HERBES

Attendez toujours l'arrivée des invités avant de mettre un soufflé au four et servez-le rapidement, avant qu'il ne s'affaisse. (Dégonflé, son goût est encore délicieux ; mais il perd tout simplement son panache !) Ce plat est merveilleux servi seul ou avec une sauce aux poivrons rouges rôtis.

Même si la création de soufflés vous effraie, celui-ci ne devrait pas vous intimider. Bien qu'il gonfle, personne ne sait vraiment la forme que ce soufflé est censé avoir puisqu'il se cuit dans un moule inhabituel.

Donne 8 portions

500 ml	**lait froid**	**2 tasses**
125 ml	**farine tout usage**	**1/2 tasse**
1	**gousse d'ail émincée**	**1**
2 ml	**sel**	**1/2 c. à thé**
2 ml	**poivre**	**1/2 c. à thé**
1 ml	**muscade**	**1/4 c. à thé**
1 ml	**piment de Cayenne**	**1/4 c. à thé**
15 ml	**thym frais haché ou 2 ml (1/2 c. à thé) de thym séché**	**1 c. à table**
15 ml	**romarin frais haché ou 2 ml (1/2 c. à thé) de romarin séché**	**1 c. à table**
25 ml	**persil frais haché**	**2 c. à table**
4	**jaunes d'œufs**	**4**
90 g	**fromage de chèvre ou feta émietté (125 ml (1/2 tasse))**	**3 oz**
60 g	**ricotta allégée, égouttée et émiettée (75 ml (1/3 tasse))**	**2 oz**
7	**blancs d'œufs**	**7**
15 ml	**parmesan râpé**	**1 c. à table**

SAUCE AUX POIVRONS ROUGES RÔTIS

Servez cette sauce avec des frittatas, du pain de viande ou des viandes rôties. On peut se servir ici de poivrons non rôtis, mais il sera peut-être préférable de réduire la sauce en purée dans un moulin afin d'en retirer les morceaux de peau avant de la servir.

Dans une casserole, mélanger 1 gousse d'ail émincée, un trait de sauce piquante au piment, 3 poivrons rouges rôtis, vidés de leurs graines et pelés (p. 154) et 250 ml (1 tasse) de bouillon de poulet. Cuire 5 minutes à feu doux (15 minutes si les poivrons ne sont pas rôtis). Réduire la sauce en purée et bien la réchauffer. Saler et poivrer au goût. (Si la sauce est trop épaisse, ajouter un peu plus de bouillon ou d'eau.)

Donne environ 500 ml (2 tasses).

1. Huiler légèrement un plat à gratin d'une capacité de 3 litres (12 po × 8 po). Préchauffer le four à 220 °C (425 °F).
2. Dans une casserole de 3 litres (12 tasses), incorporer au fouet la farine dans le lait jusqu'à homogénéité. Ajouter l'ail et porter lentement à ébullition en remuant fréquemment.
3. Incorporer le sel, le poivre, la muscade, le poivre de Cayenne, le thym, le romarin et le persil. Retirer du feu.
4. Incorporer en battant les jaunes d'œufs. Incorporer un peu de sauce chaude dans les jaunes et verser dans la casserole. Incorporer le fromage de chèvre et la ricotta. Goûter la sauce ; elle devrait être très relevée.
5. Dans un grand bol, battre les blancs d'œufs jusqu'à ce qu'ils forment des pics. Incorporer un quart des blancs dans la sauce afin de l'éclaircir puis incorporer délicatement les autres blancs.
6. Déposer à la cuillère le mélange à soufflé dans le plat à gratin et saupoudrer de parmesan. Réduire la température du four à 200 °C (400 °F). Cuire le soufflé de 20 à 25 minutes jusqu'à ce qu'il soit doré et gonflé. Servir immédiatement.

LE FROMAGE DE CHÈVRE

La plupart des recettes données ici exigent un fromage de chèvre mou et crémeux. Ce fromage a une teneur élevée en matières grasses, mais vous pouvez vous préparer une tartinade moins riche en le mélangeant avec du fromage cottage allégé ou du fromage de yogourt crémeux (p. 228). Certaines personnes trouvent le goût du fromage de chèvre trop prononcé ; mélangé à des fines herbes ou d'autres ingrédients et chaud, il est irrésistible.

APPORT NUTRITIONNEL PAR PORTION

146	calories
11 g	glucides
trace	fibres
7 g	matières grasses
4 g	gras saturés
10 g	protéines

Excellente source de : vitamine B_{12}
Bonne source de : riboflavine et calcium

128 mg	cholestérol
372 mg	sodium
179 mg	potassium

PIZZA DU PETIT DÉJEUNER

Voici un des mets les plus spectaculaires que j'ai jamais servi à l'occasion d'un brunch. Son allure est étonnante.

Cette recette autorise un nombre incalculable de variantes : pourquoi ne pas faire l'essai du prosciutto ou de la truite fumée en fines tranches au lieu du saumon fumé, ou encore omettre les œufs ? Servez chaud ou froid.

Donne 8 portions

1	**croûte à pizza cuite de 30 cm (12 po) ou une foccacia de 20 cm × 38 cm (8 po × 15 po)**	**1**
250 ml	**fromage de yogourt crémeux (p.228) ou yogourt épais**	**1 tasse**
15 ml	**moutarde au miel**	**1 c. à table**
50 ml	**ciboulette fraîche hachée ou oignons verts divisés en deux portions**	**1/4 tasse**
25 ml	**aneth ou persil frais haché**	**2 c. à table**
4	**œufs**	**4**
6	**blancs d'œufs**	**6**
50 ml	**eau**	**1/4 tasse**
	sel au goût	
2 ml	**poivre divisé en deux portions**	**1/2 c. à thé**
15 ml	**huile végétale ou beurre non salé**	**1 c. à table**
175 g	**saumon fumé en fines tranches**	**6 oz**

1. Réchauffer la croûte à pizza 10 minutes dans un four préchauffé à 180 °C (350 °F).
2. Entre-temps, mélanger le fromage de yogourt, la moutarde, 25 ml (2 c. à table) de ciboulette et d'aneth. Réserver.
3. Battre les œufs, les blancs d'œufs, l'eau, le sel et 1 ml (1/4 c. à thé) de poivre jusqu'à homogénéité.
4. Chauffer l'huile dans une grande poêle antiadhésive et y mettre le mélange à base d'œufs. Cuire et remuer délicatement jusqu'à la formation de grumeaux tout en s'assurant que la préparation demeure humide.
5. Répandre le mélange à base de yogourt sur la croûte chaude. Y déposer les œufs à la cuillère. Disposer le saumon fumé sur les œufs. Saupoudrer du reste de poivre et de ciboulette. Couper en pointes ou en carrés. Servir chaud ou tiède.

APPORT NUTRITIONNEL PAR PORTION

261	calories
28 g	glucides
1 g	fibres
8 g	matières grasses
2 g	gras saturés
18 g	protéines

Excellente source de : vitamine B_{12}
Bonne source de : riboflavine

115 mg	cholestérol
558 mg	sodium
239 mg	potassium

LES PAINS

Muffins aux canneberges

Muffins au son de blé et d'avoine et aux abricots séchés

Muffins aux pommes et à la cannelle

Bâtonnets de muffin gloire du matin

Roulés au miel et à l'avoine

Pain de maïs aux piments verts doux

Biscuits au babeurre et au poivre noir

Scones aux flocons d'avoine et au babeurre

Scones aux pommes de terre

Pain multigrain au yogourt

Challah de blé entier au miel et aux raisins secs

Pain aux céréales Red River

Pain au romarin

Pain irlandais au carvi

MUFFINS AUX CANNEBERGES

Voir photo à la page 224.

Les canneberges sont dodues et délicieuses mais suffisamment acides pour conférer une saveur très intéressante aux pâtisseries. Cette recette se réalise également très bien avec des bleuets.

Donne 12 muffins

500 ml	**farine tout usage**	**2 tasses**
15 ml	**levure chimique**	**1 c. à table**
1 ml	**sel**	**1/4 c. à thé**
1	**œuf**	**1**
150 ml	**sucre granulé**	**2/3 tasse**
50 ml	**huile végétale**	**1/4 tasse**
250 ml	**lait**	**1 tasse**
25 ml	**zeste de citron ou d'orange râpé**	**2 c. à table**
375 ml	**canneberges fraîches ou surgelées**	**1 1/2 tasse**
50 ml	**cassonade**	**1/4 tasse**
5 ml	**cannelle**	**1 c. à thé**

1. Mélanger la farine, la levure et le sel. Réserver.
2. Dans un grand bol, battre l'œuf, le sucre granulé, l'huile, le lait et le zeste d'agrume.
3. Mélanger la farine avec l'œuf. Incorporer les canneberges.
4. À l'aide d'une cuillère, déposer la pâte dans 12 grands moules à muffins huilés, antiadhésifs ou doublés de papier.
5. Mélanger la cassonade et la cannelle. Saupoudrer sur les muffins. Cuire de 20 à 25 minutes dans un four préchauffé à 200 °C (400 °F).

LES CANNEBERGES

Les canneberges se trouvent fraîches, surgelées ou déshydratées dans le commerce. Si vous prenez des canneberges surgelées pour les pâtisseries, utilisez-les à l'état congelé afin qu'elles ne suintent pas trop et ne décolorent pas ainsi la pâte environnante.

Mettez des canneberges dans les muffins ou dans la sauce aux canneberges (p. 182). Les canneberges déshydratées peuvent être consommées comme friandise ou employées à la place des raisins dans les muffins, les pains et les pilafs.

APPORT NUTRITIONNEL PAR MUFFIN

200	calories
35 g	glucides
1 g	fibres
6 g	matières grasses
1 g	gras saturés
3 g	protéines
19 mg	cholestérol
130 mg	sodium
88 mg	potassium

MUFFINS AU SON DE BLÉ ET D'AVOINE ET AUX ABRICOTS SÉCHÉS

Le son de blé est une fibre insoluble qui favorise la régularité du transit intestinal. Le son d'avoine est une fibre soluble qui abaisse les concentrations sanguines de cholestérol. Par conséquent, ne sacrifiez pas l'un au profit de l'autre puisqu'ils ont des fonctions disctinctes et importantes. Ces délicieux muffins marient différents goûts et textures.

Donne 12 muffins

175 ml	**farine tout usage**	**3/4 tasse**
125 ml	**farine de blé entier**	**1/2 tasse**
125 ml	**son de blé**	**1/2 tasse**
125 ml	**son d'avoine**	**1/2 tasse**
5 ml	**levure chimique**	**1 c. à thé**
5 ml	**bicarbonate de sodium**	**1 c. à thé**
1 ml	**sel**	**1/4 c. à thé**
2 ml	**cannelle**	**1/2 c. à thé**
pincée	**muscade**	**pincée**
2	**bananes mûres**	**2**
1	**œuf**	**1**
125 ml	**babeurre ou yogourt maigre**	**1/2 tasse**
50 ml	**huile végétale**	**1/4 tasse**
125 ml	**cassonade**	**1/2 tasse**
125 ml	**abricots déshydratés hachés**	**1/2 tasse**

1. Dans un grand bol, mélanger la farine tout usage, la farine de blé entier, le son de blé, le son d'avoine, la levure, le bicarbonate, le sel, la cannelle et la muscade. Bien mélanger.
2. Dans un autre bol, écraser les bananes et les incorporer au fouet dans l'œuf, le babeurre, l'huile et le sucre.
3. Incorporer les ingrédients liquides dans les ingrédients secs jusqu'à un début d'homogénéité. Incorporer les abricots déshydratés.
4. À l'aide d'une cuillère, déposer la pâte dans 12 moules à muffins antiadhésifs ou doublés de moules de papier et cuire de 20 à 25 minutes dans un four préchauffé à 190 °C (375 °F).

L'ART DE MÉLANGER LES INGRÉDIENTS SECS

Lorsqu'on mélange des ingrédients secs pour les pains rapides, les muffins ou les gâteaux, on peut tamiser tous les ingrédients secs ensemble, en prenant soin de bien les mélanger par la suite.
Ou encore, on peut placer uniquement les ingrédients qui ont tendance à former des grumeaux (le bicarbonate de sodium, la levure, le sucre à glacer et le cacao) dans un petit tamis et les tamiser sur la farine et les autres ingrédients.

APPORT NUTRITIONNEL PAR MUFFIN

177	calories
31 g	glucides
4 g	fibres
6 g	matières grasses
1 g	gras saturés
4 g	protéines
18 mg	cholestérol
187 mg	sodium
288 mg	potassium

MUFFINS AUX POMMES ET À LA CANNELLE

Servez-vous d'une cuillère à crème glacée pour mettre la pâte dans les moules à muffins. Ils auront ainsi un beau dessus bien arrondi.

Donne 12 muffins

250 ml	**farine de blé entier**	**1 tasse**
250 ml	**farine tout usage**	**1 tasse**
15 ml	**levure chimique**	**1 c. à table**
2 ml	**bicarbonate de sodium**	**1/2 c. à table**
2 ml	**cannelle**	**1/2 c. à table**
pincée	**sel, muscade, piment de la Jamaïque et gingembre**	**pincée**
50 ml	**huile végétale**	**1/4 tasse**
125 ml	**cassonade**	**1/2 tasse**
1	**œuf**	**1**
125 ml	**yogourt à faible teneur en matières grasses**	**1/2 tasse**
250 ml	**compote de pommes**	**1 tasse**

Garniture :

25 ml	**cassonade**	**2 c. à table**
1 ml	**cannelle**	**1/4 c. à thé**
25 ml	**pacanes finement hachées**	**2 c. à table**

1. Mélanger les farines, la levure, le bicarbonate, la cannelle, le sel, la muscade, le piment de la Jamaïque et le gingembre.
2. Dans un grand bol, mélanger l'huile végétale, la cassonade, l'œuf, le yogourt et la compote de pommes.
3. Mettre tous les ingrédients secs dans les ingrédients liquides et remuer jusqu'à homogénéité.
4. Déposer la pâte dans 12 moules à muffins antiadhésifs huilés ou doublés de moules de papier.
5. Mélanger les ingrédients de la garniture et saupoudrer sur les muffins. Cuire 25 minutes dans un four préchauffé à 190 °C (375 °F).

LE BICARBONATE DE SODIUM

Le bicarbonate de sodium fait lever les pâtisseries par une réaction chimique avec l'acide contenu dans des ingrédients comme le yogourt, la crème sure et la mélasse. Dans un contenant hermétique, il se conserve environ un an.

Mélanger le bicarbonate avec les ingrédients secs. Mélanger les ingrédients secs et liquides immédiatement avant la cuisson, car le bicarbonate perdra de son efficacité si la préparation n'est pas mise immédiatement au four.

Le bicarbonate de sodium possède également de multiples usages non alimentaires. Pour plus de détails, lisez la notice sur l'emballage.

APPORT NUTRITIONNEL PAR MUFFIN

193	calories
32 g	glucides
2 g	fibres
6 g	matières grasses
1 g	gras saturés
4 g	protéines
18 mg	cholestérol
130 mg	sodium
140 mg	potassium

BÂTONNETS DE MUFFIN GLOIRE DU MATIN

Nous avons mis au point ces muffins en forme de bâtonnets lors de notre cours de survie à l'université. Nous désirions créer un petit déjeuner sain et rapide, dont la préparation ne nécessite pas d'équipement spécialisé. Ces barres ont connu un grand succès, et elles se prêtent bien à la congélation. Bien entendu, on pourrait aussi les cuire en forme de muffins.

LA LEVURE CHIMIQUE
Comme le bicarbonate de sodium, la levure chimique favorise la levée des pâtisseries. Elle se conserve environ un an (si elle bouillonne lorsqu'on y verse de l'eau bouillante, c'est qu'elle est encore active). Prenez-en environ 5 ml (1 c. à thé) par tasse de farine exigée dans la recette et, une fois les ingrédients liquides ajoutés à la préparation, mettez la préparation au four immédiatement. Conserver la levure chimique dans un endroit sec dans un contenant hermétique.

Donne 24 bâtonnets

375 ml	**farine tout usage**	**1 1/2 tasse**
375 ml	**céréale de son**	**1 1/2 tasse**
50 ml	**graines de sésame rôties (p. 34)**	**1/4 tasse**
15 ml	**levure chimique**	**1 c. à table**
5 ml	**cannelle**	**1 c. à thé**
5 ml	**piment de la Jamaïque (facultatif)**	**1 c. à thé**
2 ml	**bicarbonate de sodium**	**1/2 c. à thé**
pincée	**sel**	**pincée**
1	**œuf**	**1**
175 ml	**babeurre ou yogourt maigre**	**3/4 tasse**
215 ml	**cassonade**	**1/2 tasse**
75 ml	**huile végétale**	**1/3 tasse**
25 ml	**mélasse ou miel**	**2 c. à table**
375 ml	**carottes râpées**	**1 1/2 tasse**
125 ml	**dattes hachées ou raisins secs**	**1/2 tasse**

1. Dans un grand bol, mélanger la farine, les céréales de son, les graines de sésame, la levure, la cannelle, le piment de la Jamaïque, le bicarbonate de sodium et le sel.
2. Dans un autre bol, battre au fouet l'œuf avec le babeurre, la cassonade, l'huile et la mélasse.
3. Incorporer le mélange à base d'œuf dans le mélange à base de farine jusqu'à ce que la farine soit humectée. Incorporer les carottes et les dattes.
4. Étendre le mélange dans un plat allant au four d'une capacité de 3,5 litres (13 po × 9 po) et cuire dans un four préchauffé à 180 °C (350 °F) de 25 à 30 minutes ou jusqu'à ce que le centre reprenne rapidement sa forme lorsqu'on y appuie délicatement. Laisser refroidir et découper en bâtonnets.

APPORT NUTRITIONNEL PAR BÂTONNET

119	calories
20 g	glucides
3 g	fibres
4 g	matières grasses
1 g	gras saturés
3 g	protéines
Bonne source de : vitamine A	
9 mg	cholestérol
127 mg	sodium
164 mg	potassium

ROULÉS AU MIEL ET À L'AVOINE

J'adore les roulés au müesli qu'on trouve dans les pâtisseries européennes ; ils regorgent de toutes sortes de saveurs. En voici ma version. Elle remplira votre maison des arômes du pain sortant du four.

Vous pouvez aussi cuire la préparation en un pain pouvant se découper en tranches à sandwiches.

Donne 16 rouleaux

5 ml	**sucre granulé**	**1 tasse**
125 ml	**eau chaude**	**1/2 tasse**
1	**sachet de levure sèche**	**1**
375 ml	**farine tout usage (davantage si nécessaire)**	**1 1/2 tasse**
375 ml	**farine de blé entier**	**1 1/2 tasse**
5 ml	**sel**	**1 c. à thé**
300 ml	**eau chaude**	**1 1/4 tasse**
50 ml	**miel**	**1/4 tasse**
25 ml	**huile végétale**	**2 c. à table**
125 ml	**raisins secs**	**1/2 c. à tasse**
125 ml	**flocons d'avoine**	**1/2 tasse**
75 ml	**noix de Grenoble ou pacanes hachées**	**1/3 tasse**
75 ml	**graines de tournesol**	**1/3 tasse**
15 ml	**graines de sésame**	**1 c. à table**
5 ml	**graines de carvi**	**1 c. à thé**

Garniture :

15 ml	**miel**	**1 c. à table**
15 ml	**eau chaude**	**1 c. à table**
15 ml	**flocons d'avoine**	**1. c. à table**

LES NOIX

Bien que les noix ne contiennent pas de cholestérol, la plupart sont très riches en matières grasses et doivent être consommées avec modération. Si vous utilisez des noix dans la cuisine, assurez-vous qu'elles soient fraîches. Dans la mesure du possible, goûtez-les avant de les acheter. Les noix ont tendance à rancir ; congelez donc toutes les noix que vous n'utilisez pas sur-le-champ. Les noix de Grenoble rancissent particulièrement rapidement ; lorsque je peux, je prends des noix de Grenoble californiennes parce qu'elles sont récoltées efficacement, se conservent facilement au réfrigérateur et sont bien conditionnées. Si je ne peux en trouver, je les remplace souvent par des pacanes.

Plusieurs personnes sont allergiques aux noix, avertissez donc toujours vos invités si vos mets en contiennent. Si vous ne pouvez pas mettre de noix dans vos plats ou, si vous ne voulez pas leur ajouter trop de matières grasses, mettez des céréales croustillantes, des raisins secs, des cerises ou des canneberges séchées.

1. Dissoudre le sucre dans 125 ml (1/2 tasse) d'eau chaude. Saupoudrer de levure. Laisser reposer 10 minutes ou jusqu'à ce que la levure ait doublé de volume.
2. Entre-temps, mélanger la farine tout usage, la farine de blé entier et le sel.
3. Dans un autre bol, mélanger 300 ml (1 1/4 tasse) d'eau chaude, 50 ml (1/4 tasse) de miel et l'huile.
4. Incorporer la solution de levure en remuant et la mélanger dans l'eau contenant le miel. Y incorporer le mélange de farines et ajouter de la farine tout usage jusqu'à l'obtention d'une pâte très molle. Pétrir 5 minutes au mélangeur, 10 minutes à la main ou 1 minute dans le robot culinaire.
5. Incorporer les raisins, 125 ml (1/2 tasse) de flocons d'avoine, les noix de Grenoble, les graines de tournesol, de sésame et de carvi. Ajouter davantage de farine au besoin. La pâte devrait être très molle sans être collante.
6. Mettre la pâte dans un grand bol huilé et couvrir d'une pellicule transparente. Laisser lever dans un endroit chaud pendant 1 heure ou jusqu'à ce que la pâte ait doublé de volume.
7. Abaisser la pâte et la diviser en deux portions. Roulez chaque moitié en un cordon d'environ 5 cm (2 po) de diamètre et le couper en tronçons de 7,5 cm (3 po). Les mettre sur une plaque à pâtisserie doublée de papier sulfurisé. Couvrir légèrement d'une pellicule transparente huilée et laisser lever jusqu'à ce que la pâte ait doublé de volume, soit environ 45 minutes.
8. Pour préparer la garniture, mélanger le miel et l'eau chaude et badigeonner légèrement la pâte de ce mélange. Disperser les flocons d'avoine sur le dessus. Cuire de 20 à 25 minutes dans un four chauffé à 180 °C (350 °F). Laisser refroidir sur une grille.

L'ART DE RÔTIR LES NOIX

Pour obtenir le maximum de saveur des noix et des graines, faites-les rôtir avant de les utiliser. Les disposer en une seule couche sur une plaque à pâtisserie et cuire de 3 à 10 minutes dans un four préchauffé à 180 °C (350 °F) en les surveillant de près.

APPORT NUTRITIONNEL PAR ROULEAU

182	calories
30 g	glucides
3 g	fibres
6 g	matières grasses
1 g	gras saturés
5 g	protéines

Bonne source de : thiamine, vitamine E et acide folique

0 mg	cholestérol
147 mg	sodium
159 mg	potassium

PAIN DE MAÏS AUX PIMENTS VERTS DOUX

Voir photo à la page 160.

Le pain de maïs est un pain maison très intéressant. Cette recette facile peut être réalisée avec ou sans fromage, on peut lui donner du piquant par l'ajout de deux piments jalapeños hachés, ou on peut en faire des muffins en cuisant la pâte environ 20 minutes dans 12 moules à muffins antiadhésifs.

Donne 16 morceaux

250 ml	**farine tout usage**	**1 tasse**
250 ml	**farine de maïs**	**1 tasse**
45 ml	**sucre granulé**	**3 c. à table**
2 ml	**sel**	**1/2 c. à thé**
15 ml	**levure chimique**	**1 c. à table**
175 ml	**cheddar léger râpé (facultatif)**	**3/4 tasse**
250 ml	**lait**	**1 tasse**
2	**œufs**	**2**
45 ml	**huile végétale**	**3 c. à table**
1	**boîte de 114 ml (4 oz) de piments verts doux rincés, égouttés et hachés**	**1**
250 ml	**maïs en grain frais ou surgelé**	**1 tasse**

1. Dans un grand bol, mélanger les farines, le sucre, le sel et la levure. Incorporer le fromage.
2. Dans un autre bol, mélanger le lait, les œufs, l'huile et les piments.
3. Remuer le mélange à base de lait dans la farine jusqu'à homogénéité. Incorporer le maïs.
4. Déposer à la cuillère la pâte dans un moule carré d'une capacité de 2 litres (8 po) huilé. Cuire dans un four préchauffé à 200 °C (400 °F) pendant 25 minutes ou jusqu'à ce que le pain soit bien doré.

APPORT NUTRITIONNEL PAR MORCEAU

119	calories
19 g	glucides
1 g	fibres
4 g	matières grasses
1 g	gras saturés
3 g	protéines
28 mg	cholestérol
205 g	sodium
80 mg	potassium

BISCUITS AU BABEURRE ET AU POIVRE NOIR

Ces biscuits sont irrésistibles. On peut les servir avec des tartinades, des soupes ou des plats en sauce comme les crevettes grillées *(p. 50)**. Ils sont délicieux servis frais, chauds ou tièdes. De plus, ils se congèlent facilement.*

Donne environ 10 biscuits

500 ml	**farine tout usage**	**2 tasses**
25 ml	**farine de maïs**	**2 c. à table**
15 ml	**levure chimique**	**1 c. à table**
5 ml	**sucre granulé**	**1 c. à thé**
5 ml	**poivre noir moulu grossièrement**	**1 c. à thé**
2 ml	**sel**	**1/2 c. à thé**
45 ml	**margarine molle ou beurre non salé froid**	**3 c. à table**
225 ml	**babeurre**	**7/8 tasse**

Garniture :

25 ml	**babeurre**	**2 c. à table**
15 ml	**farine de maïs**	**1 c. à table**
2 ml	**poivre noir moulu grossièrement**	**1/2 c. à thé**
pincée	**sel**	**pincée**
2 ml	**sucre granulé**	**1/2 c. à thé**

1. Dans un grand bol, mélanger la farine tout usage, 25 ml (2 c. à table) de farine de maïs, la levure, 5 ml (1 c. à thé) de sucre, 5 ml (1 c. à thé) de poivre et 2 ml (1/2 c. à thé) de sel.
2. Incorporer la margarine ou le beurre dans la farine en le coupant jusqu'à ce que le mélange ressemble à de la chapelure fraîche.
3. Verser 225 ml (7/8 tasse) de babeurre sur le mélange et pétrir de façon à obtenir une pâte grossière. Pétrir doucement pendant 5 secondes.
4. Abaisser délicatement la pâte sur une surface enfarinée jusqu'à ce qu'elle ait environ 2 cm (3/4 po). Découper en rondelles de 7,5 cm (3 po). Mettre sur une plaque à pâtisserie légèrement saupoudrée de farine de maïs ou doublée de papier sulfurisé.
5. Pour préparer la garniture, badigeonner légèrement les biscuits de 25 ml (2 c. à table) de babeurre. Mélanger 15 ml (1 c. à table) de farine de maïs, 2 ml (1/2 c. à thé) de poivre, une pincée de sel et 2 ml (1/2 c. à thé) de sucre. En saupoudrer la surface des biscuits.
6. Cuire les biscuits dans un four préchauffé à 220 °C (425 °F) pendant 15 minutes ou jusqu'à ce qu'ils soient légèrement dorés. Laisser refroidir sur une grille.

LE BABEURRE

À cause de son nom et de sa texture, bien des gens croient que le babeurre est riche en matières grasses. Traditionnellement, c'était le lait qui restait après la fabrication du beurre ; par conséquent, il contenait très peu de matières grasses. De nos jours, on le fabrique industriellement. Il contient environ 1 % de matières grasses. Si vous n'avez pas de babeurre sous la main, remplacez-le par du yogourt, de la crème sure ou du lait sur. Pour faire du lait sur, mesurer 15 ml (1 c. à table) de jus de citron dans une tasse à mesurer et y verser du lait de manière à obtenir 250 ml (1 tasse) de liquide. Laisser reposer 10 minutes avant usage.

APPORT NUTRITIONNEL PAR BISCUIT

145	calories
24 g	glucides
1 g	fibres
4 g	matières grasses
1 g	gras saturés
4 g	protéines
1 mg	cholestérol
263 g	sodium
76 mg	potassium

SCONES AUX FLOCONS D'AVOINE ET AU BABEURRE

Lorsque j'ai visité Victoria en Colombie-Britannique, je ne pouvais en croire mes yeux devant la taille des scones vendus dans les salons de thé! Un seul était suffisant pour quatre personnes. Mais j'aime également les petits scones délicats comme ceux-ci, et je retiens l'idée des salons de thé de Victoria de les saupoudrer de sucre à glacer. Servez-les avec du fromage de yogourt crémeux légèrement sucré (p. 228) ou du yogourt et de la confiture de fraises.

Donne environ 12 scones

375 ml	**farine tout usage**	**1 1/2 tasse**
45 ml	**sucre granulé**	**3 c. à table**
5 ml	**levure chimique**	**1 c. à thé**
2 ml	**sel**	**1/2 c. à thé**
2 ml	**bicarbonate de sodium**	**1/2 c. à thé**
75 ml	**margarine molle ou beurre non salé froid**	**1/3 tasse**
250 ml	**flocons d'avoine**	**1 tasse**
125 ml	**raisins secs ou de Corinthe**	**1/2 tasse**
125 ml	**babeurre**	**1/2 tasse**
25 ml	**sucre à glacer**	**2 c. à table**

1. Dans un grand bol, tamiser ou mélanger la farine, le sucre, la levure, le sel et le bicarbonate de sodium.
2. Incorporer la margarine ou le beurre dans le mélange de farine en le découpant jusqu'à ce qu'il n'en reste plus que de petits morceaux.
3. Incorporer au mélange les flocons d'avoine et les raisins de Corinthe. Verser le babeurre sur la préparation et en former une boule. Éviter de trop pétrir.
4. Abaisser délicatement la pâte sur une surface enfarinée jusqu'à ce qu'elle ait environ 2,5 cm (1 po). Découper en rondelles de 5 cm (2 po). Récupérer les retailles et continuer d'en découper des rondelles jusqu'à épuisement de la pâte.
5. Mettre les scones sur une plaque à pâtisserie doublée de papier sulfurisé. Cuire dans un four préchauffé à 190 °C (375 °F) de 15 à 20 minutes ou jusqu'à ce que les scones soient gonflés et dorés. Laisser refroidir sur une grille. Saupoudrer du sucre à glacer sur les scones.

MARGARINE OU BEURRE?

Les recettes du présent ouvrage ne requièrent que des quantités minimes de matières grasses, car la réduction du gras dans l'alimentation est fondamentale pour la santé. Certaines des recettes donnent le beurre comme substitut à la margarine molle. Bien des gens préfèrent le goût du beurre; si vous choisissez le beurre, vous devriez savoir que la quantité de matières grasses demeurera la même dans la recette mais que la nature des gras sera différente.

Ainsi, une portion de 10 ml (2 c. à thé) contient:

	margarine molle	beurre
calories (kJ)	70	70
Gras total (g)	8	8
gras saturés (g)	2	5

Pour en apprendre davantage sur les gras alimentaires, voir l'annexe à la p. 288.

APPORT NUTRITIONNEL PAR SCONE

165	calories
26 g	glucides
2 g	fibres
6 g	matières grasses
1 g	gras saturés
3 g	protéines
0 mg	cholestérol
245 mg	sodium
111 mg	potassium

SCONES AUX POMMES DE TERRE

Ces scones sont délicieux pour des occasions spéciales ou en tout temps. Si vous n'avez pas encore lu l'introduction du présent ouvrage empressez-vous de le faire. Il regorge de renseignements intéressants sur la santé.

Donne 8 gros scones

375 ml	**farine tout usage**	**1 1/2 tasse**
50 ml	**sucre granulé**	**1/4 tasse**
15 ml	**levure chimique**	**1 c. à table**
2 ml	**sel**	**1/2 c. à thé**
45 ml	**margarine molle, shortening ou beurre non salé, froid et coupé en petits morceaux**	**3 c. à table**
125 ml	**restant de purée de pommes de terre ou 1 pomme de terre, pelée, cuite, réduite en purée et refroidie**	**1/2 tasse**
50 ml	**raisins secs**	**1/4 tasse**
1	**œuf battu**	**1**
50 ml	**lait**	**1/4 tasse**
15 ml	**sucre granulé**	**1 c. à table**

1. Tamiser la farine, 50 ml (1/4 tasse) de sucre, la levure et le sel.
2. Incorporer dans le mélange la margarine, le shortening ou le beurre en frottant jusqu'à ce que la préparation soit fine et qu'elle ressemble à une farine grossière. Du bout des doigts, incorporer dans le mélange la purée de pommes de terre en mélangeant jusqu'à homogénéité. Incorporer les raisins secs.
3. Mélanger l'œuf et le lait. Réserver environ 15 ml (1 c. à table) de ce mélange. Incorporer le reste dans la farine et en former délicatement une boule.
4. Pétrir la pâte 8 à 10 fois sur une surface légèrement enfarinée et en former un rond aplati de 18 cm (7 po) de diamètre. Esquisser 8 entailles sur la surface. Badigeonner du mélange d'œuf réservé et y saupoudrer 15 ml (1 c. à table) de sucre.
5. Transférer sur une plaque à pâtisserie légèrement huilée ou doublée de papier sulfurisé. Cuire dans un four préchauffé à 200 °C (400 °F) de 25 à 30 minutes ou jusqu'à ce que les scones soient bien dorés.

APPORT NUTRITIONNEL PAR SCONE

197	calories
34 g	glucides
1 g	fibres
5 g	matières grasses
1 g	gras saturés
4 g	protéines
27 g	cholestérol
310 mg	sodium
142 mg	potassium

PAIN MULTIGRAIN AU YOGOURT

Si vous aimez les pains de texture et de saveur originales, essayez celui-ci. J'adore vraiment le goût très subtil et l'arôme de réglisse de l'anis. Ce pain fait de bonnes rôties et se prête aussi très bien à la cuisson de pain à hot-dogs ou à hamburgers (cuire au four de 35 à 40 minutes).

Donne 2 pains

125 ml	**flocons d'avoine**	**1/2 tasse**
125 ml	**farine de maïs**	**1/2 tasse**
375 ml	**eau bouillante**	**1 1/2 tasse**
50 ml	**miel ou cassonade**	**1/4 tasse**
15 ml	**huile végétale**	**1 c. à table**
7 ml	**sel**	**1 1/2 c. à thé**
2 ml	**graines d'anis entières ou moulues (facultatif)**	**1/2 c. à thé**
10 ml	**sucre granulé**	**2 c. à thé**
125 ml	**eau chaude**	**1/2 tasse**
2	**sachets de levure sèche**	**2**
500 ml	**farine tout usage (davantage si nécessaire)**	**2 tasses**
500 ml	**farine de blé entier**	**2 tasses**
125 ml	**son de blé**	**1/2 tasse**
125 ml	**son d'avoine**	**1/2 tasse**
250 ml	**yogourt maigre**	**1 tasse**

Garniture :

25 ml	**œuf battu**	**2 c. à table**
1 ml	**sel**	**1/4 c. à thé**

LA LEVURE

La levure est un organisme vivant et c'est sans doute pourquoi bien des gens sont réticents à l'employer dans la préparation du pain. La levure affectionne les endroits chauds ; il faut en tenir compte quand vient le moment de l'employer, de la dissoudre dans l'eau ou de mettre la pâte à lever.

La levure se présente sous deux formes, soit sèche ou en tablettes. La levure sèche peut être régulière ou à dissolution instantanée. Un sachet de levure correspond tout juste à une cuillerée à table et suffit pour environ 1,25 litre (5 tasses) de farine dans une recette de pain. Je préfère la levure en tablettes, car elle lève un peu plus vite et a meilleur goût ; j'en achète alors une bonne quantité que je congèle. Toutefois, elle est parfois un peu difficile à trouver et est très périssable. Enfin, dissolvez-la toujours dans l'eau chaude avant usage.

1. Dans un grand bol, mélanger les flocons d'avoine et la farine de maïs. Y incorporer l'eau bouillante, le miel, l'huile, 7 ml (1 1/2 c. à thé) de sel et l'anis. Laisser la préparation refroidir 20 minutes ou jusqu'à ce qu'elle soit tiède.
2. Dissoudre le sucre dans l'eau chaude. Saupoudrer la levure à la surface. Laisser reposer 10 minutes ou jusqu'à ce que le volume ait doublé et qu'il commence à mousser.
3. Dans un autre bol, mélanger la farine tout usage, la farine de blé entier, le son de blé et le son d'avoine.
4. Lorsque la solution de levure est prête, la remuer et la verser dans le mélange de flocons d'avoine. Incorporer le yogourt et les ingrédients secs. Ajouter davantage de farine tout usage au besoin afin d'obtenir une pâte molle mais souple qui ne colle pas aux doigts.
5. Pétrir la pâte 10 minutes à la main, 5 minutes au mélangeur de pâte électrique ou 1 minute dans un grand robot culinaire.
6. Mettre la pâte dans un bol huilé et la retourner afin qu'elle soit complètement enrobée d'huile. Couvrir d'une pellicule transparente et laisser lever dans un endroit chaud pendant environ 1 heure ou jusqu'à ce que la pâte ait doublé de volume.
7. Abaisser la pâte et la diviser en deux. La former de façon qu'elle puisse entrer dans deux moules à pain d'une capacité de 2 litres (9 po × 5 po). Huiler les moules et les doubler de papier sulfurisé. Y mettre la pâte. Couvrir d'une pellicule transparente huilée et laisser lever de 45 à 60 minutes ou jusqu'à ce que la pâte ait encore doublé de volume.
8. Mélanger l'œuf et le sel et en badigeonner les pains. Cuire de 45 à 55 minutes dans un four préchauffé à 200 °C (400 °F). Retirer les pains immédiatement et laisser refroidir sur des grilles.

TESTER LA LEVURE SÈCHE

Bien qu'on puisse mélanger la levure sèche directement dans la farine, je la « teste » toujours en la dissolvant dans un peu d'eau chaude sucrée afin de vérifier si elle est encore active. De l'eau chaude entre 43 °C et 50 °C (110 °F et 120 °F) convient parfaitement. Si la levure ne lève pas dans l'eau chaude, c'est soit que l'eau était trop chaude et l'a tuée, soit que la levure était inactive. Ne vous servez pas de levure inactive ; si la levure ne fermente pas dans l'eau chaude, elle ne fera pas lever la pâte.

APPORT NUTRITIONNEL PAR TRANCHE
(1/16 de pain)

93	calories
19 g	glucides
2 g	fibres
1 g	matières grasses
trace	gras saturés
3 g	protéines
5 g	cholestérol
134 mg	sodium
97 mg	potassium

CHALLAH DE BLÉ ENTIER AU MIEL ET AUX RAISINS SECS

***Pour** les Juifs, le challah est un pain réservé aux grandes occasions ; toutefois, le simple fait de le servir constitue une occasion **en soi** ! Cette variante légèrement épicée remplit la maison d'un **arôme** enivrant.*

Donne un gros pain

250 ml	**eau chaude**	**1 tasse**
15 ml	**sucre granulé**	**1 c. à table**
1	**sachet de levure sèche**	**1**
1	**œuf**	**1**
50 ml	**miel**	**1/4 tasse**
25 ml	**huile végétale**	**2 c. à table**
5 ml	**sel**	**1 c. à thé**
500 ml	**farine de blé entier**	**2 tasses**
250 ml	**farine tout usage (davantage si nécessaire)**	**1 tasse**
2 ml	**cannelle**	**1/2 c. à thé**
pincée	**muscade**	**pincée**
pincée	**clous de girofle moulus**	**pincée**
pincée	**gingembre moulu**	**pincée**
50 ml	**raisins secs (facultatif)**	**1/4 tasse**

Garniture :

25 ml	**œuf battu**	**2 c. à table**
pincée	**sel**	**pincée**
15 ml	**graines de sésame**	**1 c. à table**

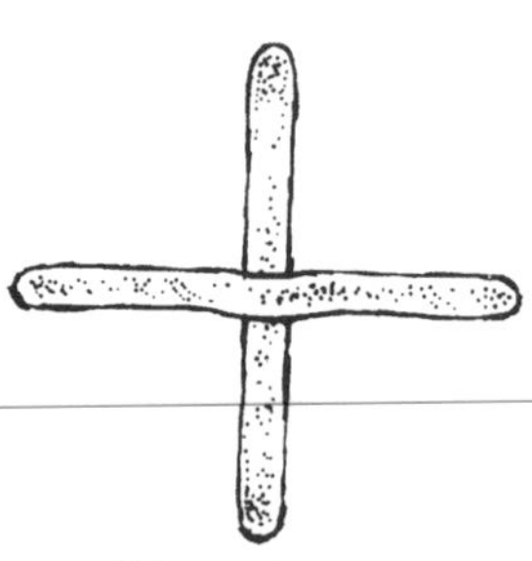

Disposer les serpents de la façon indiquée.

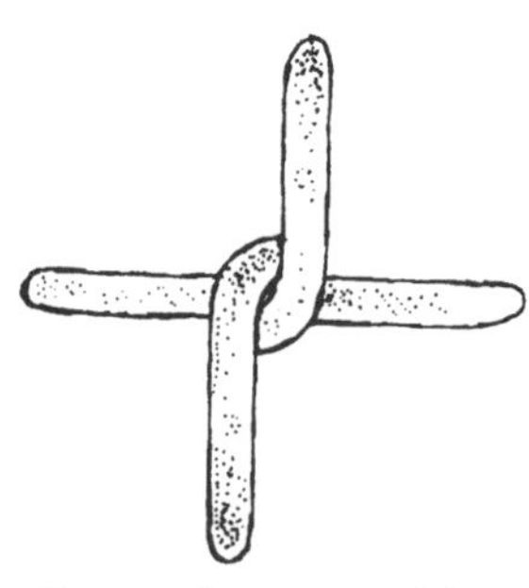

Ramener le serpent supérieur vers le bas, le serpent inférieur vers le haut.

Rabattre le serpent de droite vers la gauche et le serpent de gauche vers la droite.

Répéter ces étapes dans le même ordre jusqu'à l'obtention de la tresse.

1. Dans un grand bol, mélanger l'eau chaude et le sucre. Saupoudrer la levure sur l'eau et laisser reposer 10 minutes. Le mélange devrait mousser et doubler de volume.
2. Entre-temps, dans un autre bol, mélanger l'œuf, le miel, l'huile et le sel.
3. Mettre la farine de blé entier, la farine tout usage, la cannelle, la muscade, les clous de girofle et le gingembre dans un grand bol ; bien mélanger.
4. Lorsque la solution de levure a doublé de volume, l'enfoncer en remuant et mélanger avec le mélange à base d'œuf. Ajouter à la farine et mélanger jusqu'à la formation d'une pâte collante. Ajouter la farine tout usage jusqu'à ce que la pâte prenne la forme d'une boule et puisse être pétrie. (Ne pas ajouter trop de farine ; autrement, le pain sera sec et dur.) Pétrir la pâte 10 minutes sur une surface enfarinée. (Ou pétrir la pâte dans un mélangeur robuste pendant 5 minutes ou 1 minute dans un robot culinaire.)
5. Mettre la pâte dans un bol huilé, couvrir d'une pellicule transparente huilée et mettre à lever dans un endroit chaud. Laisser doubler de volume, ce qui prendra environ 1 heure.
6. Abaisser la pâte et y incorporer les raisins secs en pétrissant. Pour donner au pain la forme d'une couronne, rouler la pâte en un « serpent » d'environ 60 cm (24 po) de long. En maintenant une extrémité en place, enrouler le reste de la pâte en une spirale assez serrée dont le centre est légèrement surélevé. Pour exécuter une tresse, diviser la pâte en trois portions égales dont on formera des serpents d'environ 30 cm (12 po) de longueur, pincer les trois extrémités et à partir de ce point tresser les serpents. Pour créer une tresse à quatre brins, diviser la pâte en deux portions, la rouler de façon à obtenir deux très longs serpents et tresser en suivant l'illustration.
7. Pour obtenir un pain de forme libre, mettre la pâte sur une plaque à pâtisserie huilée ou doublée de papier sulfurisé. Couvrir d'une pellicule transparente huilée et laisser lever dans un endroit chaud jusqu'à ce que la pâte ait doublé de volume, soit pendant environ 45 minutes. (Si l'on désire utiliser le pain surtout en sandwiches, on peut aussi cuire la pâte dans un moule à pain.)
8. Pour préparer la garniture, mélanger 25 ml (2 c. à table) d'œuf et une pincée de sel ; badigeonner le pain légèrement de ce mélange. Saupoudrer de graines de sésame.
9. Cuire 25 minutes dans un four préchauffé à 180 °C (350 °F). Réduire la température à 160 °C (325 °F) et poursuivre la cuisson encore 25 minutes.

APPORT NUTRITIONNEL PAR TRANCHE
(1/16 de pain)

126	calories
22 g	glucides
2 g	fibres
3 g	matières grasses
trace	gras saturés
4 g	protéines
22 mg	cholestérol
152 mg	sodium
91 mg	potassium

PAIN AUX CÉRÉALES RED RIVER

La céréale Red River est un produit bien de chez nous. On peut également utiliser dans cette recette la céréale aux cinq grains ou des flocons d'avoine. Ce pain est consistant et un peu lourd ; ne vous attendez donc pas à un produit léger et aéré !

Donne deux pains

250 ml	**céréale Red River**	**1 tasse**
500 ml	**eau bouillante**	**2 tasses**
45 ml	**miel**	**3 c. à table**
15 ml	**huile végétale**	**1 c. à table**
5 ml	**sel**	**1 c. à thé**
15 ml	**sucre granulé**	**1 c. à table**
125 ml	**eau chaude**	**1/2 tasse**
2	**sachets de levure sèche**	**2**
750 ml	**farine tout usage (davantage si nécessaire)**	**3 tasses**
375 ml	**farine de blé entier**	**1 1/2 tasse**
125 ml	**son de blé**	**1/2 tasse**

1. Mélanger la céréale, l'eau bouillante, le miel, l'huile et le sel. Laisser reposer 20 minutes ou jusqu'à ce que le mélange soit tiède.
2. Dissoudre le sucre dans l'eau chaude et y saupoudrer la levure. Laisser reposer 10 minutes ou jusqu'à ce que le mélange ait doublé de volume.
3. Dans un grand bol, mélanger 625 ml (2 1/2 tasses) de farine tout usage avec la farine de blé entier et le son. Bien mélanger.
4. Enfoncer la levure en remuant et l'ajouter au mélange de céréales. Incorporer le mélange de farines. Si la pâte est trop collante, ajouter un peu de farine tout usage jusqu'à ce que la pâte soit très molle sans trop adhérer aux doigts. Pétrir 10 minutes à la main, 5 minutes dans un mélangeur ou 1 minute dans le robot culinaire.
5. Mettre la pâte dans un bol huilé et la retourner de façon à l'enrober de toutes parts. Couvrir d'une pellicule transparente et laisser doubler de volume dans un endroit chaud pendant environ 1 1/2 heure.
6. Abaisser la pâte, la diviser en deux et en former deux pains. Mettre dans deux moules huilés de 2 litres (9 po × 5 po) et couvrir d'une pellicule transparente huilée. Laisser lever la pâte jusqu'à ce qu'elle ait doublé de volume, soit pendant 1 heure environ.
7. Cuire de 35 à 45 minutes dans un four préchauffé à 200 °C (400 °F). Laisser refroidir sur des grilles.

APPORT NUTRITIONNEL PAR TRANCHE
(1/16 de pain)

93	calories
19 g	glucides
2 g	fibres
1 g	matières grasses
trace	gras saturés
3 g	protéines
0 mg	cholestérol
74 mg	sodium
58 mg	potassium

Voir photo à la page 32.

PAIN AU ROMARIN

Dans cette recette, la pâte à pain est formée en deux boules qu'on roule dans un mélange de romarin et de poivre et qu'on fait cuire côte à côte dans un moule à pain. Lorsque la cuisson est terminée, on sépare les deux pains. On peut également appliquer cette technique à la pâte à pain surgelée. Bien entendu, il est possible de faire cuire la pâte comme un pain ordinaire, avec ou sans le mélange d'herbes. (Cette recette donne une merveilleuse pâte à pizza.) Pour obtenir un pain à motif spiralé, abaissez la pâte et saupoudrez-la du mélange de romarin. Roulez-la serré et cuisez-la dans un moule à pain.

Donne 12 portions

375 ml	**eau chaude**	**1 1/2 tasse**
15 ml	**sucre granulé**	**1 c. à table**
1	**sachet de levure sèche**	**1**
750 ml	**farine tout usage (davantage si nécessaire)**	**3 tasses**
175 ml	**farine de maïs**	**3/4 tasse**
7 ml	**sel**	**1 1/2 c. à thé**
60 ml	**huile d'olive (en deux portions)**	**4 c. à table**
25 ml	**romarin frais haché ou 5 ml (1 c. à thé) de romarin séché**	**2 c. à table**
5 ml	**poivre noir moulu grossièrement**	**1 c. à thé**
1	**gousse d'ail**	**1**

1. Mettre l'eau chaude dans un petit bol et y dissoudre le sucre. Y saupoudrer la levure et laisser reposer 10 minutes ou jusqu'à ce que la solution soit mousseuse.
2. Dans un grand bol, mélanger la farine tout usage, la farine de maïs et le sel.
3. Enfoncer la levure en remuant et ajouter 15 ml (1 c. à table) d'huile. Incorporer dans la farine. Ajouter un peu de farine au besoin afin d'obtenir une pâte souple. Pétrir 10 minutes. Mettre la farine dans un bol huilé et couvrir. Laisser lever dans un lieu chaud de 1 à 1 1/2 heure ou jusqu'à ce que la pâte ait doublé de volume.
4. Diviser la pâte en 12 boules. Mélanger 45 ml (3 c. à table) d'huile d'olive avec le romarin, le poivre et l'ail. Rouler les boules dans ce mélange.
5. Doubler un grand moule à pain de papier sulfurisé et y mettre les boules. Couvrir et laisser lever dans un endroit chaud environ 1 heure ou jusqu'à ce que la pâte ait doublé de volume. Cuire de 40 à 50 minutes dans un four préchauffé à 190 °C (375 °F) ou jusqu'à ce que les pains soient gonflés et dorés.

APPORT NUTRITIONNEL PAR PORTION

192	calories
32 g	glucides
2 g	fibres
5 g	matières grasses
1 g	gras saturés
4 g	protéines
0 mg	cholestérol
289 mg	sodium
65 mg	potassium

PAIN IRLANDAIS AU CARVI

Ce pain rapide est parfait avec un repas ou comme collation. Au lieu du carvi, on peut prendre 5 ml (1 c. à thé) de romarin séché, de graines de cumin ou d'anis.

Donne 16 portions

375 ml	**farine tout usage**	**1 1/2 tasse**
250 ml	**farine de blé entier**	**1 tasse**
25 ml	**sucre granulé**	**2 c. à table**
7 ml	**levure chimique**	**1 1/2 c. à thé**
2 ml	**bicarbonate de sodium**	**1/2 c. à thé**
2 ml	**sel**	**1/2 c. à thé**
75 ml	**raisins secs ou de Corinthe**	**1/3 tasse**
15 ml	**graines de carvi**	**1 c. à table**
1	**œuf**	**1**
300 ml	**babeurre**	**1 1/4 tasse**
45 ml	**huile végétale**	**3 c. à table**

1. Dans un grand bol, mélanger la farine tout usage, la farine de blé entier, le sucre, la levure, le bicarbonate et le sel. Bien mélanger.
2. Incorporer les raisins et les graines de carvi dans le mélange de farines.
3. Dans un autre bol, mélanger l'œuf, le babeurre et l'huile. Y verser les ingrédients liquides sur le mélange de farines et mélanger délicatement de façon à obtenir une pâte brute.
4. Mettre la pâte dans un moule à charnière d'une capacité de 2,5 litres (9 po) doublé de papier sulfurisé. Cuire de 50 à 55 minutes dans un four préchauffé à 180 °C (350 °F). Retirer du moule et laisser refroidir sur une grille.

LES FRUITS SÉCHÉS

Bien que les fruits séchés apportent beaucoup de calories, ils ne contiennent pas de matières grasses et peuvent, grâce à leur saveur concentrée, enrichir grandement le goût des plats. Ils sont fantastiques dans les muffins, les pains et les pilafs.

Les pruneaux, les abricots, les raisins, les dattes et les figues, et les cerises, les canneberges, les bleuets, les pommes et les poires, comptent au nombre des fruits séchés que l'on trouve sur le marché.

APPORT NUTRITIONNEL PAR PORTION

119	calories
19 g	glucides
2 g	fibres
3 g	matières grasses
trace	gras saturés
4 g	protéines
14 mg	cholestérol
157 mg	sodium
108 mg	potassium

Gâteau des anges au coulis de baies *(page 274)* ▶

LES DESSERTS

◀ Biscottes au miel et aux amandes *(page 282)*

Trempette de yogourt pour fruits et coulis de pêches *(page 263)*

FRAISES AU VINAIGRE BALSAMIQUE

Je ne me lasse jamais de ces fraises aromatisées d'un ingrédient mystère, le vinaigre balsamique. Et vous ne vous lasserez certainement jamais de préparer ce dessert, car il ne demande qu'une minute ! (Assurez-vous d'employer un vinaigre balsamique de bonne qualité.)

Cette recette se réussit très bien avec le vinaigre de framboise ou le jus de citron. Servez-les fraises telles quelles ou dans une coupe formée d'un demi-cantaloup.

Donne 6 portions

1 l	**fraises**	**4 tasses**
45 ml	**sucre granulé**	**3 c. à table**
45 ml	**vinaigre balsamique**	**3 c. à table**

1. Rincer les fraises et les assécher en les épongeant. Les parer et les couper en deux ou en quatre, selon leur taille.
2. Saupoudrer les fraises de sucre et les asperger de vinaigre. Remuer délicatement et laisser mariner environ 10 minutes avant de servir.

LES BAIES

Les baies fraîches doivent être traitées avec soin. Achetez des baies de couleur uniforme et assurez-vous que les emballages ne soient pas souillés. Consommez les baies fraîches rapidement, car elles ne mûriront plus une fois cueillies. Conservez-les dans des contenants plats et larges plutôt que dans des contenants profonds où elles risquent d'être écrasées. Les baies trop mûres perdent leur pectine, qui assure leur potentiel épaississant ; ne les utilisez donc pas pour la fabrication de confitures. Plutôt, pochez-les, faites-les cuire au four ou utilisez-les dans des sauces.

Pour congeler les baies, disposez-les en une seule couche sur une plaque à pâtisserie doublée de papier ciré, congelez-les ainsi et mettez-les dans des sacs ou des contenants. Ainsi, elles demeureront séparées les unes des autres, et vous pourrez en prélever la quantité qui vous convient. Les baies congelées perdent leur texture en décongelant ; ne les employez donc que si elles doivent être cuites ou réduites en purée dans une sauce. On peut acheter les baies congelées dans leur sirop, mais je préfère celles surgelées nature.

APPORT NUTRITIONNEL PAR PORTION

55	calories
14 g	glucides
2 g	fibres
trace	matières grasses
0 g	gras saturés
1 g	protéines

Excellente source de :
vitamine C

0 mg	cholestérol
1 mg	sodium
173 mg	potassium

POIRES POCHÉES DANS DU VIN ROUGE ÉPICÉ

Voici l'un des desserts les plus populaires que je présente dans mon cours de cuisine italienne. Vous pouvez servir les poires telles quelles, dans des coupes de meringue ou sur un sorbet. Vous pouvez même réduire les poires cuites en purée avec le jus réduit et tamisé et congeler le tout pour en faire un fabuleux sorbet!

L'anis étoilé est une épice au goût de réglisse vendue dans les épiceries asiatiques.

Donne 8 portions

1	**bouteille de vin rouge sec italien**	**1**
250 ml	**porto ou jus d'orange**	**1 tasse**
500 ml	**eau**	**2 tasses**
125 ml	**sucre granulé**	**1/2 tasse**
	zeste d'une orange coupé en morceaux	
	zeste d'un citron coupé en morceaux	
1	**bâton de cannelle brisé**	**1**
2	**morceaux d'anis étoilé (facultatif)**	**2**
8	**poires mûres**	**8**
	brins de menthe fraîche	

1. Mettre le vin, le porto, l'eau, le sucre, les zestes d'orange et de citron, le bâton de cannelle et l'anis étoilé dans une casserole et porter à ébullition.
2. Peler les poires, les couper en deux, les étrogner avec une cuillère à melon. Mettre les poires dans le liquide et les pocher de 20 à 30 minutes jusqu'à ce qu'elles soient tendres. Si on le désire et afin de s'assurer que les poires demeurent submergées pendant la cuisson, mettre un chiffon propre ou une assiette retournée sur la surface du liquide afin d'immerger les poires.
3. Mettre les poires dans un plat de service. Laisser réduire le liquide de cuisson à environ 500 ml (2 tasses). Filtrer et en arroser les poires. Garnir de menthe fraîche.

LES POIRES

Les poires, tout comme les bananes, sont l'un des rares fruits à mûrir une fois cueillies. Dans mes recettes, je m'efforce de prendre des poires mûres (je préfère les Bartlett ou les Bosc), car les poires non arrivées à maturité sont fades. On peut utiliser des poires dans presque toutes les recettes qui exigent des pommes. Pour déguster quelque chose de différent, essayez le coulis de poires ou le croquant aux poires.

APPORT NUTRITIONNEL PAR PORTION

201	calories
43 g	glucides
3 g	fibres
1 g	matières grasses
0 g	gras saturés
1 g	protéines
0 mg	cholestérol
9 mg	sodium
324 mg	potassium

COMPOTE DE FRUITS HIVERNAUX CARAMÉLISÉE

Voici un dessert nourrissant à servir avec du gâteau des anges (p. 274), des scones (p. 248) ou seul. Essayez de vous procurer des figues de la Californie car elles sont plus tendres et cuisent plus rapidement que les autres variétés.

On peut simplifier cette recette en ne prenant que des pommes ; son goût sera encore des plus intéressants, mais j'apprécie personnellement la richesse des goûts et des textures du mélange de fruits.

Donne 8 portions

250 ml	**sucre granulé**	**1 tasse**
50 ml	**eau**	**1/4 tasse**
2	**pommes pelées et coupées en tranches épaisses**	**2**
2	**poires pelées et coupées en tranches épaisses**	**2**
125 ml	**nectar d'abricot, jus d'orange ou jus de pomme**	**1/2 tasse**
250 ml	**prunes dénoyautées**	**1 tasse**
250 ml	**abricots séchés**	**1 tasse**
250 ml	**figues séchées**	**1 tasse**
25 ml	**cognac ou brandy**	**2 c. à table**
125 ml	**fromage de yogourt crémeux (p. 228) ou yogourt épais (facultatif)**	**1/2 tasse**

1. Mettre le sucre et l'eau dans une grande casserole ou un faitout. Chauffer en remuant jusqu'à la dissolution du sucre. Passer les parois de la casserole au pinceau trempé dans l'eau froide afin de dissoudre le sucre non dissous. Porter le mélange à ébullition sans remuer pendant environ 5 minutes ou jusqu'à ce que la solution prenne une couleur de caramel. Ne pas s'éloigner une seconde de la cuisinière, car la préparation pourrait brûler ; ne remuer surtout pas !
2. Ajouter les pommes, les poires et le nectar d'abricot, en se tenant bien éloigné de la casserole afin d'éviter les éclaboussures. Cuire 5 minutes en remuant jusqu'à ce que les fruits commencent à ramollir.
3. Ajouter les prunes, les abricots, les figues et le cognac. Cuire de 5 à 10 minutes ou jusqu'à ce que tous les fruits aient ramolli et que la sauce ait épaissi. Servir chaud ou froid avec une cuillerée de fromage de yogourt crémeux.

CONSEILS POUR LA CUISINE FAIBLE EN MATIÈRES GRASSES

- Pinceau à dorure : utilisez-le pour étendre une mince couche d'huile au fond d'une poêle ou sur une plaque à pâtisserie.
- Papier sulfurisé : ce papier est revêtu d'une couche de silicone qui empêche les aliments de coller. Servez-vous-en pour doubler les plats, ce qui vous évitera d'utiliser de l'huile.
- Moules à pain de viande : ces moules sont équipés d'un faux fond perforé servant à laisser égoutter l'excédent de gras.

APPORT NUTRITIONNEL PAR PORTION

292	calories
75 g	glucides
9 g	fibres
1 g	matières grasses
trace	gras saturés
2 g	protéines

Excellente source de :
vitamine A

0 mg	cholestérol
6 mg	sodium
631 mg	potassium

POMMES CUITES AU FOUR AUX BISCUITS AMARETTI

Bien que dans mon enfance j'eusse l'habitude de manger des pommes cuites au four, aucune n'avait aussi bon goût que cette version italienne. Dans cette recette, on peut tout aussi bien prendre des poires, et remplacer les biscuits Amaretti (qu'on trouve dans les commerces d'alimentation fine, les boulangeries et les supermarchés) par des biscuits au gingembre.

Servez les pommes garnies de brins de menthe, d'une cuillerée de yogourt sucré ou de fromage de yogourt crémeux (p. 228).

Donne 6 portions

6	**pommes**	**6**
25 ml	**miel**	**2 c. à table**
250 ml	**biscuits Amaretti broyés (environ 20 biscuits ou 90 g (3 oz))**	**1 tasse**
125 ml	**Marsala sec ou jus d'orange**	**1/2 tasse**
125 ml	**eau**	**1 1/2 tasse**

1. Étrogner les pommes en commençant par le haut, mais en évitant de les perforer à la base. Percer la peau en plusieurs points.
2. Mélanger le miel et les biscuits broyés et farcir les pommes de ce mélange. Les disposer sur une plaque à pâtisserie, l'extrémité ouverte orientée vers le haut.
3. Mélanger le vin avec l'eau et verser sur les pommes.
4. Cuire dans un four préchauffé à 200 °C (400 °F) de 40 à 45 minutes ou jusqu'à ce que les pommes soient tendres et bien cuites. Les servir entières ou coupées en quartiers.

LA CUISINE AU VIN ET AUX LIQUEURS

Le vin et les liqueurs peuvent grandement enrichir le goût d'un plat. J'aime bien mettre du cognac ou du brandy ; du rhum brun ou de la liqueur d'orange lorsque la recette exige une liqueur de fruit quelconque ; un vin rouge ou blanc à prix abordable produit également un effet intéressant.

Le brandy, le cognac, le rhum et les liqueurs n'ont pas besoin d'être réfrigérés après l'ouverture, mais les vins s'oxyderont et passeront rapidement une fois ouverts. Conservez les bouteilles entamées au réfrigérateur et utilisez-les dans les deux jours ; autrement, si vous prévoyez utiliser le vin uniquement pour la cuisson, versez une cuillerée ou deux d'huile d'olive dans la bouteille. L'huile, qui flottera à la surface du vin, empêchera l'air d'y pénétrer (le vin ainsi traité peut se conserver un mois ou deux).

APPORT NUTRITIONNEL PAR PORTION

180	calories
38 g	glucides
4 g	fibres
4 g	matières grasses
2 g	gras saturés
1 g	protéines
0 mg	cholestérol
7 mg	sodium
227 mg	potassium

BANANES FLAMBÉES

Il existe plusieurs variations de ce dessert, mais la cannelle, la muscade et le piment de la Jamaïque en font ma version ma préférée. Je la sers souvent lorsque des gens arrivent à l'improviste, car j'ai toujours les ingrédients requis à portée de la main.

Si le cœur vous en dit, servez ce dessert sur du yogourt à la vanille congelé ou avec du fromage de yogourt crémeux sucré (p. 228) ou du yogourt épais. Si vous pouvez trouver des bananes naines, laissez-les entières; elles produiront un effet très esthétique.

Donne de 6 à 8 portions

125 ml	**cassonade**	**1/2 tasse**
75 ml	**jus d'ananas**	**1/3 tasse**
2 ml	**cannelle**	**1/2 c. à thé**
1 ml	**muscade**	**1/4 c. à thé**
1 ml	**piment de la Jamaïque**	**1/4 c. à thé**
8	**bananes**	**8**
50 ml	**rhum brun**	**1/4 tasse**

1. Dans une poêle, mettre la cassonade, le jus d'ananas, la cannelle, la muscade et le piment de la Jamaïque. Bien mélanger et chauffer jusqu'à ce que le mélange bouille et soit homogène.
2. Peler les bananes et les couper en deux ou en quatre dans le sens de la longueur. Les mettre dans la poêle contenant le mélange de sucre. Cuire environ 3 minutes jusqu'à ce que les bananes soient bien chaudes.
3. Verser le rhum. Lorsque le mélange commence à grésiller le flamber (p. 262-263). Si le mélange ne s'enflamme pas, ne pas s'inquiéter; la saveur n'en sera pas altérée.

FLAMBER LES PLATS

On fait flamber les plats pour trois raisons. D'abord, ce traitement fait évaporer la majeure partie de l'alcool contenu dans un mets, ce qui le rend plus doux. (Si la flamme ne prend pas, l'alcool s'évaporera de toute façon au moment où le mélange atteindra le point d'ébullition.)

On fait flamber les aliments pour faire brûler légèrement le dessus de la nourriture afin d'emprisonner la saveur et de créer une croûte.

La troisième raison, c'est tout simplement pour épater la galerie. Si la flamme ne prend pas, l'effet tombe à plat (ne tentez pas de verser de l'alcool à plus de deux reprises dans le plat, car le mets deviendrait alors trop alcoolisé).

CONSEILS POUR FAIRE FLAMBER

- Désactivez votre avertisseur de fumée.
- Attachez vos cheveux.
- Ne versez pas l'alcool directement de la bouteille. Versez d'abord la quantité désirée dans un verre et éloignez la bouteille de la source de chaleur.
- L'alcool ne s'enflamme pas toujours du premier coup; tenez-vous donc éloignée du plat lorsque vous exécutez cette opération.
- Assurez-vous qu'il n'y a pas de déversement d'alcool.

APPORT NUTRITIONNEL PAR PORTION

234	calories
56 g	glucides
3 g	fibres
1 g	matières grasses
trace	gras saturés
2 g	protéines

Excellente source de :
vitamine B_6

7 mg	cholestérol
0 mg	sodium
689 mg	potassium

Voir photo à la page 257.

TREMPETTE DE YOGOURT POUR FRUITS ET COULIS DE PÊCHES

J'adore servir une assiette de fruits pour le dessert, mais je suis toujours à la recherche de quelque chose qui pourrait la rendre un peu spéciale. Servez une série de fruits frais avec une ou deux sauces à trempette, l'une faite à partir de fromage de yogourt et l'autre à base de fruits. Assurez-vous d'employer des fruits bien mûrs pour obtenir un maximum de saveur. Cette trempette de yogourt constitue une bonne garniture pour d'autres types de desserts.

Pour raffiner la présentation, vous pouvez tremper des biscottes (p. 282) dans ces sauces avec les fruits.

Donne 250 ml (1 tasse) de trempette ; 500 ml (2 tasses) de coulis

Trempette de yogourt pour fruits :

250 ml	**fromage de yogourt crémeux (p. 228) ou yogourt épais**	**1 tasse**
25 ml	**cassonade**	**2 c. à table**
15 ml	**rhum ou liqueur d'orange (facultatif)**	**1 c. à table**
5 ml	**vanille**	**1 c. à thé**

Coulis de pêches :

2	**grosses pêches, prunes ou mangues bien mûres pelées et coupées en dés**	**2**
6	**fraises parées et coupées en dés ou 125 ml (1/2 tasse) de framboises**	**6**
25 ml	**marmelade d'orange**	**2 c. à table**
15 ml	**rhum ou liqueur d'orange (facultatif)**	**1 c. à table**
15 ml	**menthe fraîche hachée (facultatif)**	**1 c. à table**
pincée	**cannelle, piment de la Jamaïque, gingembre et muscade moulus**	**pincée**

1. Pour préparer la trempette, mélanger le fromage de yogourt, la cassonade, le rhum et la vanille ; battre au fouet. (Une réduction en purée risque de rendre la préparation liquide.)

2. Pour préparer le coulis de pêches, mélanger les pêches, les fraises, la marmelade, le rhum, la menthe et les épices. Réduire légèrement en purée à l'aide d'un pilon jusqu'à ce que la préparation soit ferme.

L'ART DE FLAMBER

1re méthode : Chauffer l'alcool dans une petite casserole. En se tenant éloigné, frotter une longue allumette et la maintenir au-dessus de la casserole jusqu'à ce que les vapeurs qui s'en dégagent prennent feu. Verser l'alcool en flammes sur le plat.

2e méthode : Si le plat à flamber est en train de cuire, le dégraisser complètement. Verser l'alcool dans le plat chaud et, en se tenant éloigné, l'allumer à l'aide d'une longue allumette. L'alcool chaud devrait flamber de 2 à 12 secondes.

APPORT NUTRITIONNEL (15 ml) (Trempette pour fruits)

22	calories
3 g	glucides
0 g	fibres
trace	matières grasses
trace	gras saturés
2 g	protéines
2 mg	cholestérol
14 mg	sodium
52 mg	potassium

APPORT NUTRITIONNEL (15 ml) (Coulis de pêches)

8	calories
2 g	glucides
trace	fibres
0 g	matières grasses
0 g	gras saturés
trace	protéines
0 mg	cholestérol
0 mg	sodium
24 mg	potassium

CARI DE FRUITS

On n'a peut-être pas l'habitude d'associer cari et dessert ; cependant, la poudre de cari n'est en fait qu'un mélange d'épices, et, dans le plat présent, ce sont les épices douces qui ont été retenues. Si les pêches ne sont pas de saison, prenez une pomme, une poire et un kiwi ou d'autres fruits (cuire les pommes et les poires dans le mélange de cassonade environ 5 minutes avant d'y verser le rhum). Je ne pèle pas les pêches ni les prunes, mais je pèle les pommes et les poires.

Servez ce dessert tel quel ou avec un sorbet à la framboise, du fromage de yogourt crémeux sucré (p. 228) ou sur du gâteau des anges (p. 274). S'il me reste du cari de fruits, je lui ajoute parfois une garniture croustillante (p. 270) et je le mets au four pendant 30 minutes.

Donne de 6 à 8 portions

75 ml	**cassonade**	**1/3 tasse**
5 ml	**cannelle**	**1 c. à thé**
5 ml	**gingembre moulu**	**1 c. à thé**
1 ml	**muscade**	**1/4 c. à thé**
1 ml	**cardamome moulue**	**1/4 c. à thé**
1 ml	**coriandre moulue**	**1/4 c. à thé**
50 ml	**jus d'orange**	**1/4 tasse**
50 ml	**liqueur d'orange ou rhum (facultatif)**	**1/4 tasse**
25 ml	**jus de citron**	**2 c. à table**
2	**pêches dénoyautées et tranchées**	**2**
1	**ananas pelé, étrogné et coupé en morceaux**	**1**
3	**prunes dénoyautées et coupées en quatre**	**3**
250 ml	**baies diverses**	**1 tasse**
1	**banane coupée en tranches épaisses en diagonale**	**1**

1. Dans une grande poêle, mélanger le sucre, la cannelle, le gingembre, la muscade, la cardamome, la coriandre et le jus d'orange. Cuire quelques minutes jusqu'à ce que le sucre fonde et devienne sirupeux. Verser la liqueur d'orange et le jus de citron ; porter à ébullition.
2. Mettre les pêches, l'ananas et les prunes dans le sirop et laisser cuire quelques minutes.
3. Ajouter les baies et la banane et cuire encore 1 minute afin de réchauffer.

LES SUBSTITUTS DU VIN

Dans une recette, il est toujours possible de remplacer un produit alcoolisé par un autre qui ne l'est pas. Rappelez-vous toutefois que ces substituts diffèrent d'une recette à l'autre et qu'ils ne permettront jamais d'obtenir exactement la même saveur que les produits originaux.

- Vin blanc : remplacez-le par du bouillon de poulet ou du jus de légumes dans les plats salés et par des jus de fruits pâles (pommes, oranges, ananas) dans les desserts.
- Vin rouge : prenez du bouillon de bœuf ou du jus de tomate dans les plats salés et des jus de fruits rouges dans les desserts.
- Marsala, madère ou porto : remplacez-les par du bouillon ou du jus de légumes dans les plats salés et par des concentrés de jus de fruits dans les desserts.
- Liqueurs de fruits : concentrés de jus de fruit, zeste d'agrume ou arôme artificiel de vanille.
- Cognac, brandy ou rhum : concentrés de jus de fruits ou bouillons concentrés dans les plats salés et purées de fruits ou concentrés de jus dans les desserts.

APPORT NUTRITIONNEL PAR PORTION

151	calories
38 g	glucides
3 g	fibres
1 g	matières grasses
1 g	gras saturés
1 g	protéines

Bonne source de : vitamine C

0 mg	cholestérol
7 mg	sodium
370 mg	potassium

POUDING CRÉMEUX AU RIZ

Je ne me serais jamais imaginé à quel point la recette de pouding de riz serait populaire. Après la première publication de cette recette, on m'a écrit pour me raconter qu'elle avait sauvé des couples ! J'estime malgré tout que c'est la fonction des bonnes recettes.

Prenez une grande casserole lourde pour ce plat et ne vous inquiétez pas : même en mettant tout le liquide prescrit, le dessert finira bien par épaissir ! Bien qu'on puisse réussir ce pouding avec toutes les sortes de riz, le riz blanc à grains courts permet d'obtenir la texture la plus crémeuse, et c'est la variété que j'utilise toujours (p. 221).

Si vous aimez bien la crème brûlée, mettez du pouding de riz refroidi dans un plat peu profond allant au four et saupoudrez-le de cassonade tamisée. Mettez le dessert sous l'élément de grillage du four jusqu'à ce que la cassonade fonde (en surveillant l'opération de près).

Donne 8 portions

125 ml	**riz (de préférence à grains courts)**	**1/2 tasse**
250 ml	**eau bouillante**	**1 tasse**
75 ml	**sucre granulé**	**1/3 tasse**
5 ml	**fécule de maïs**	**1 c. à thé**
pincée	**sel**	**pincée**
1,25 ml	**lait**	**5 tasses**
pincée	**muscade**	**pincée**
50 ml	**raisins secs**	**1/4 tasse**
5 ml	**vanille**	**1 c. à thé**
15 ml	**cannelle**	**1 c. à table**

1. Mélanger le riz et l'eau bouillante dans une grande casserole. Couvrir. Porter à ébullition, réduire le feu et laisser mijoter 15 minutes ou jusqu'à ce que l'eau ait été absorbée.
2. Mélanger le sucre, la fécule de maïs et le sel. Y incorporer en fouettant 250 ml (1 tasse) de lait. Remuer jusqu'à homogénéité.
3. Ajouter le mélange de sucre et le reste du lait au riz. Bien mélanger. Ajouter la muscade et les raisins secs. Porter à ébullition en remuant.
4. Couvrir, réduire le feu au minimum et laisser mijoter de 1 à 1 1/2 heure ou jusqu'à ce que la préparation soit très crémeuse. Remuer de temps en temps.
5. Incorporer la vanille. Transférer le pouding dans un bol de service et saupoudrer de cannelle. Servir chaud ou froid.

APPORT NUTRITIONNEL PAR PORTION

173	calories
31 g	glucides
1 g	fibres
3 g	matières grasses
2 g	gras saturés
6 g	protéines

Bonne source de : riboflavine et calcium

11 mg	cholestérol
77 mg	sodium
288 mg	potassium

ÎLE FLOTTANTE

Ce dessert classique est aussi léger et aéré qu'un nuage ! Je le fais cuire comme un gâteau des anges dans un moule à cheminée, mais des moules à muffins ou à pain feront tout aussi bien l'affaire. Si vous prenez un moule à fond mobile, prenez soin de l'entourer de papier d'aluminium afin d'empêcher l'eau de pénétrer dans la pâte.

Cette meringue se cuit dans une caisse à bain-marie de sorte que sa texture est spongieuse et moelleuse plutôt que sèche et croustillante. Une caisse à bain-marie fonctionne selon le principe du bain-marie, sauf qu'elle va au four. Pour en bricoler une, mettez un grand plat allant au four et versez-y suffisamment d'eau pour qu'elle puisse baigner la moitié du moule à meringue. Laissez l'eau réchauffer au four. Lorsque vous êtes prêt à passer à la cuisson, déposez le moule à meringue délicatement dans la caisse à bain-marie.

Au lieu d'employer une crème pâtissière, vous pourriez servir ce dessert sur un coulis de framboises (voir la note explicative en marge), une sauce au chocolat (p. 276) ou une crème pâtissière au citron (p. 268).

Donne de 6 à 8 portions

8	**blancs d'œufs**	**8**
2 ml	**crème de tartre**	**1/2 c. à thé**
175 ml	**sucre granulé ou de fruits (p. 268)**	**3/4 tasse**
5 ml	**vanille**	**1 c. à thé**

Crème pâtissière :

2	**œufs**	**2**
50 ml	**sucre granulé**	**1/4 tasse**
15 ml	**farine tout usage**	**1 c. à table**
500 ml	**lait très chaud**	**2 tasses**
5 ml	**vanille**	**1 c. à thé**

Sauce caramel :

125 ml	**sucre granulé**	**1/2 tasse**
25 ml	**eau froide**	**2 c. à table**
125 ml	**eau bouillante**	**1/2 tasse**

COULIS DE FRAMBOISES

Ce coulis s'emploie avec les desserts aux fruits, au chocolat et avec à peu près n'importe quoi.

Décongeler deux paquets de 300 g (10 oz) de framboises surgelées. Les laisser égoutter en récupérant le jus. Réduire les fruits en purée avec 25 ml (2 c. à table) de sucre granulé. Enlever les graines en passant la purée si on le désire. Incorporer 25 ml (2 c. à table) de liqueur d'orange ou de framboise (ou 15 ml (1 c. à table) de concentré de jus d'orange) et une quantité suffisante du jus réservé pour obtenir une sauce. (Si l'on prend des framboises sucrées, omettre le sucre ou ajouter du jus de citron.)

Donne environ 500 ml (2 tasses).

LA DÉCORATION DES ASSIETTES
Voici une façon originale et facile de décorer. La méthode la plus facile consiste à mettre le yogourt ou la sauce dans un flacon en plastique souple. Si l'on ne dispose pas d'un tel flacon, mettre la sauce dans une petit sac de plastique robuste dont on aura coupé au ciseau une petite portion du coin. S'en servir ensuite comme d'un sac de pâtissier. Décorer le plat en exécutant des va-et-vient avec le flacon ou le sac.

GARNITURE EN FORME DE TOILE D'ARAIGNÉE
Pour créer un motif évoquant une toile d'araignée, dessiner des cercles concentriques avec une sauce de couleur contrastante (du yogourt ou un coulis de fruits). À la pointe du couteau, tracer des lignes à partir du cercle extérieur vers le centre à des angles correspondant à 12, 3, 6 et 9 heures sur la montre. En partant ensuite du centre vers l'extérieur, dessiner des lignes correspondant à 1 h 30, 4 h 30, 7 h 30 et 10 h 30.
Ou encore, dessiner tout simplement des volutes à la pointe du couteau.

APPORT NUTRITIONNEL PAR PORTION

288	calories
56 g	glucides
0 g	fibres
3 g	matières grasses
2 g	gras saturés
10 g	protéines

Bonne source de : riboflavine et vitamine B_{12}

78 mg	cholestérol
135 mg	sodium
211 mg	potassium

1. Huiler un moule à gâteau des anges d'une capacité de 2 à 2,5 litres (8 à 10 tasses) de préférence à fond mobile et le saupoudrer légèrement de sucre. Préchauffer le four à 180 °C (350 °F). Mettre la caisse à bains-marie au four (voir l'introduction).
2. Battre les blancs d'œufs avec la crème de tartre pendant environ 10 secondes. À vitesse moyenne, battre les blancs d'œufs jusqu'à ce qu'ils deviennent opaques. Ajouter le sucre progressivement et continuer de battre jusqu'à ce que la préparation devienne ferme. Ajouter la vanille.
3. Déposer à la cuillère la meringue dans le moule préparé et aplanir la surface. Cuire 30 minutes dans le bain-marie. Laisser refroidir. Passer un couteau le long de la paroi du moule et renverser la meringue sur une plaque. Laisser refroidir, sans recouvrir.
4. Pour préparer la crème pâtissière, battre les œufs avec le sucre et la farine. Incorporer en battant le lait chaud et porter à ébullition. Réduire le feu et cuire en remuant sans arrêt pendant environ 1 minute. Retirer du feu et incorporer la vanille. Laisser refroidir.
5. Pour préparer la sauce caramel, mélanger le sucre avec l'eau froide dans une casserole à fond épais de taille moyenne. Porter à ébullition en remuant. À l'aide d'un pinceau à dorure trempé dans l'eau froide, ramener tout le sucre qui ne serait pas dissous dans la solution. Sans remuer, cuire la préparation jusqu'à ce qu'elle ait la couleur dorée du caramel. En se tenant éloigné du plat, verser l'eau bouillante. Bien remuer et laisser refroidir.
6. Pour le service, déposer à la cuillère environ 75 ml (1/3 tasse) de crème pâtissière dans un plat de service. Mettre une tranche de meringue dans la sauce. Arroser l'« île » d'environ 25 ml (2 c. à table) de sauce caramel.

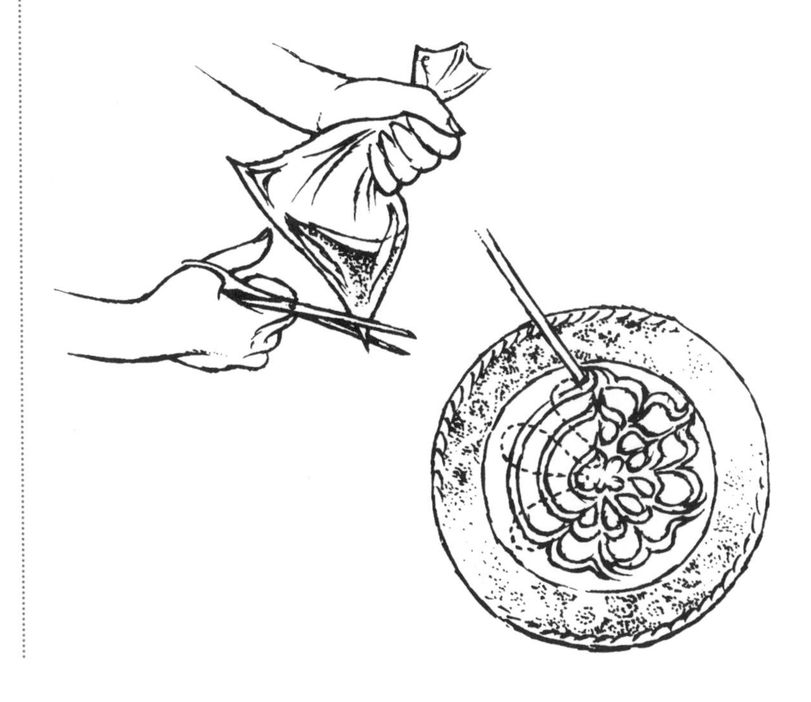

MERINGUES RENVERSÉES AU CITRON

Dans ce plat, une meringue minceur remplace la croûte riche en beurre, ce qui vous donne un dessert joli et délicieux que vous pourrez consommer sans remords. Si vous aimez les meringues bien croustillantes, servez-les immédiatement au sortir du four.

Donne 8 portions

Meringues :

2	**blancs d'œufs**	**2**
pincée	**crème de tartre**	**pincée**
125 ml	**sucre granulé ou de fruits (voir la note explicative en marge)**	**1/2 tasse**
1 ml	**vanille**	**1/4 c. à thé**

Crème pâtissière au citron :

45 ml	**fécule de maïs**	**3 c. à table**
175 ml	**sucre granulé**	**3/4 tasse**
1	**œuf**	**1**
125 ml	**jus de citron**	**1/2 tasse**
75 ml	**jus d'orange**	**1/3 tasse**
15 ml	**zeste de citron râpé**	**1 c. à table**
250 ml	**fromage de yogourt crémeux (p. 228) ou yogourt épais**	**1 tasse**
500 ml	**fraises**	**2 tasses**
8	**brins de menthe fraîche**	**8**

1. Pour préparer les meringues, battre les blancs d'œufs avec la crème de tartre jusqu'à l'obtention d'une mousse légère. Incorporer progressivement en battant 125 ml (1/2 tasse) de sucre jusqu'à la formation de pics fermes. Toujours en battant, incorporer la vanille.
2. Tracer 8 cercles de 7,5 cm (3 po) de diamètre sur une plaque à pâtisserie doublée de papier sulfurisé. Étendre les blancs d'œufs dans les cercles. Cuire dans un four préchauffé à 150 °C (300 °F) de 30 à 40 minutes ou jusqu'à ce que les meringues soient parfaitement sèches. Les congeler si on ne les consomme pas immédiatement.
3. Pour préparer la crème pâtissière au citron, mélanger dans une petite casserole la fécule de maïs et 175 ml (3/4 tasse) de sucre. Incorporer en battant l'œuf, le jus de citron, le jus d'orange et le zeste de citron. Porter à ébullition et cuire 1 minute. Laisser refroidir.
4. Pour le service, incorporer le fromage de yogourt dans la crème pâtissière. Déposer une meringue dans chaque assiette et y verser la crème. Disposer les fraises autour des meringues et garnir de menthe.

LE SUCRE DE FRUITS

Le sucre de fruits est plus fin que le sucre ordinaire et se dissout très facilement dans les boissons froides, les meringues, les caramels et les sirops. On peut l'acheter dans le commerce ou le fabriquer soi-même en battant du sucre ordinaire dans le robot culinaire pendant environ 30 secondes.

APPORT NUTRITIONNEL PAR PORTION

195	calories
42 g	glucides
1 g	fibres
2 g	matières grasses
1 g	gras saturés
5 g	protéines

Excellente source de : vitamine C

Bonne source de : vitamine B_{12}

30 mg	cholestérol
49 mg	sodium
214 mg	potassium

GÂTEAU AUX BLEUETS

Ce dessert classique est délicieux. Son goût rappelle celui de boulettes de pâtes sucrées dans un coulis de bleuets. Si les bleuets ne sont pas de saison, prenez-en des surgelés.

Servez ce dessert avec un peu de yogourt à la vanille congelé ou du fromage de yogourt crémeux sucré (p. 228).

Donne 4 ou 5 portions

1 l	**bleuets frais ou surgelés**	**4 tasses**
75 ml	**sucre granulé**	**1/3 tasse**
2 ml	**cannelle**	**1/2 c. à thé**
pincée	**piment de la Jamaïque**	**pincée**
125 ml	**jus d'orange ou de raisin**	**1/2 tasse**

Garniture :

175 ml	**farine tout usage**	**3/4 tasse**
50 ml	**sucre granulé**	**1/4 tasse**
7 ml	**levure chimique**	**1 1/2 c. à thé**
pincée	**sel**	**pincée**
15 ml	**margarine molle ou beurre non salé froid, coupée en petits morceaux**	**1 c. à table**
1	**blanc d'œuf**	**1**
50 ml	**lait**	**1/4 tasse**
2 ml	**vanille**	**1/2 c. à thé**

1. Mettre les bleuets, 75 ml (1/3 tasse) de sucre, la cannelle, le piment de la Jamaïque et le jus dans une poêle profonde de 25 cm (10 po) de diamètre et cuire environ 5 minutes ou jusqu'à ce que les bleuets aient ramolli. Retirer du feu.
2. Dans un bol, mélanger la farine avec 50 ml (1/4 tasse) de sucre, la levure et le sel. Ajouter la margarine ou le beurre et l'incorporer avec les doigts.
3. Mélanger le blanc d'œuf avec le lait et la vanille. L'incorporer dans la farine.
4. Déposer à la cuillère la pâte sur les bleuets sans toucher les bords du moule. Couvrir et cuire à feu moyen pendant environ 15 minutes ou jusqu'à ce que le gâteau soit cuit.

APPORT NUTRITIONNEL PAR PORTION

333	calories
72 g	glucides
5 g	fibres
4 g	matières grasses
1 g	gras saturés
5 g	protéines

Bonne source de : vitamine C

1 mg	cholestérol
166 mg	sodium
253 mg	potassium

CROQUANT AUX PRUNES

Si j'aime tant les croquants aux pommes, c'est qu'ils me rappellent mon enfance, la chaleur, le confort... Mais j'adore les croquants aux prunes parce qu'il s'agit d'un plat nouveau, excitant et délicieux ! On peut faire un croquant avec presque tous les fruits : pommes, poires, pêches, baies et rhubarbe. Ce croquant est d'un goût légèrement acidulé (il n'est pas sans rappeler la rhubarbe) ; ajoutez-y un peu de sucre si vous avez le bec sucré ou servez-le accompagné de fromage de yogourt crémeux sucré *(p. 228)**.*

J'aime prendre un mélange de prunes pourpres, rouges et jaunes, mais ce dessert est tout de même fabuleux avec une seule variété. Servez-le chaud ou froid.

Donne 10 portions

1 kg	**prunes (7 ou 8 grosses prunes)**	**2 lb**
125 ml	**farine tout usage**	**1/2 tasse**
125 ml	**cassonade**	**1/2 tasse**
2 ml	**cannelle**	**1/2 c. à thé**
pincée	**muscade**	**pincée**
50 ml	**margarine molle ou beurre non salé fondu**	**1/4 tasse**
125 ml	**flocons d'avoine**	**1/2 tasse**

1. Couper les prunes en deux, les dénoyauter et les couper en quatre si elles sont grosses. Les mettre au fond d'un plat carré allant au four d'une capacité de 2,5 litres (9 po).
2. Mélanger la farine, le sucre, la cannelle et la muscade. Déposer la margarine ou les morceaux de beurre et mélanger. Incorporer les flocons d'avoine.
3. Étendre cette préparation uniformément sur les prunes. Cuire dans un four préchauffé à 180 °C (350 °F) de 45 à 50 minutes ou jusqu'à ce que les prunes soient très tendres et que la garniture soit croustillante.

GUIDE D'ACHAT DES FRUITS FRAIS

- Recherchez les fruits dont l'arôme est agréable et qui sont fermes sans être durs. Évitez d'acheter des fruits emballés qu'on ne peut inspecter un à un.
- En achetant des melons, recherchez ceux qui semblent lourds par rapport à leur taille (en les comparant à ceux de taille égale) et ceux dont l'odeur au niveau de la tige est agréable.
- Les bananes et les poires continuent de mûrir après la cueillette ; toutefois, la plupart des fruits, comme les baies et les raisins, ne font que se détériorer. La plupart des fruits non mûrs, cueillis encore verts, ne mûriront jamais ni ne deviendront sucrés ; évitez donc de confondre pourrissement et maturation.

LA CONSERVATION DES FRUITS

- Si un fruit doit mûrir, gardez-le à la température ambiante mais hors de la lumière directe du soleil (susceptible de causer un mûrissement inégal).
- Pour accélérer la maturation, conservez le fruit dans un sac de papier perforé.
- Gardez les fruits mûrs au réfrigérateur afin d'empêcher la putréfaction.

APPORT NUTRITIONNEL PAR PORTION

167	calories
29 g	glucides
2 g	fibres
5 g	matières grasses
1 g	gras saturés
2 g	protéines
0 mg	cholestérol
64 mg	sodium
193 mg	potassium

TOURTE À LA RHUBARBE ET AUX FRAISES

La garniture utilisée sur ces fruits, qui rappelle le gâteau, est un peu différente de la pâte à biscuits de la plupart des tourtes aux fruits. J'emploie différents fruits au gré des saisons ; cependant, le mélange que je propose ici est mon préféré. Servir la tourte chaude ou tiède avec du sorbet ou du fromage de yogourt crémeux sucré (page 228).

Donne 10 portions

2 l	**fraises et rhubarbe coupée en morceaux**	**8 tasses**
125 ml	**sucre granulé**	**1/2 tasse**
45 ml	**farine tout usage**	**3 c. à table**
pincée	**cannelle ou muscade**	**pincée**

Garniture :

75 ml	**margarine molle ou beurre non salé**	**1/3 tasse**
175 ml	**sucre granulé**	**3/4 tasse**
1	**œuf**	**1**
375 ml	**farine tout usage**	**1 1/2 tasse**
5 ml	**levure chimique**	**1 c. à thé**
2 ml	**bicarbonate de sodium**	**1/2 c. à thé**
1 ml	**sel**	**1/4 c. à thé**
150 ml	**babeurre**	**2/3 tasse**

1. Retourner les fraises et la rhubarbe dans 125 ml (1/2 tasse) de sucre, 45 ml (3 c. à table) de farine et la cannelle. Mettre au fond d'un plat allant au four d'une capacité de 3,5 litres (13 po × 9 po). Tasser légèrement les fruits.
2. Pour préparer la garniture, réduire en crème la margarine ou le beurre dans un grand bol avec 175 ml (3/4 tasse) de sucre jusqu'à ce que le mélange soit très léger. Incorporer l'œuf en battant.
3. Dans un autre bol, passer dans le même tamis 375 ml (1 1/2 tasse) de farine, la levure, le bicarbonate et le sel. Bien mélanger. Mettre ce mélange dans le beurre avec le babeurre en trois ou quatre ajouts.
4. Étendre cette pâte sur les fruits, en laissant libre une marge de 2,5 cm (1 po) au bord du plat. Cuire dans un four préchauffé à 190 °C (375 °F) de 45 à 50 minutes ou jusqu'à ce que la garniture reprenne sa forme lorsqu'on la touche au centre (le centre met en général davantage de temps à cuire).

APPORT NUTRITIONNEL PAR PORTION

269	calories
48 g	glucides
3 g	fibres
7 g	matières grasses
1 g	gras saturés
4 g	protéines

Bonne source de : vitamine C et vitamine B_6

22 mg	cholestérol
249 mg	sodium
273 mg	potassium

STRUDEL AUX POMMES EN PÂTE FILO

Cette tarte, à belle allure et au goût fantastique, est parfaite pour quiconque craint les pâtisseries classiques. La pâte filo, en vente dans la plupart des supermarchés, se travaille très bien.

Donne de 10 à 12 portions

6	**pommes (environ 1,5 kg (3 lb)) pelées, étrognées et tranchées**	**6**
125 ml	**cassonade**	**1/2 tasse**
2 ml	**cannelle**	**1/2 c. à thé**
50 ml	**farine tout usage**	**1/4 tasse**
pincée	**muscade**	**pincée**
50 ml	**chapelure sèche**	**1/4 tasse**
25 ml	**sucre granulé**	**2 c. à table**
10	**feuilles de pâte filo**	**10**
75 ml	**margarine molle ou beurre non salé fondu**	**1/3 tasse**
25 ml	**sucre à glacer**	**2 c. à table**

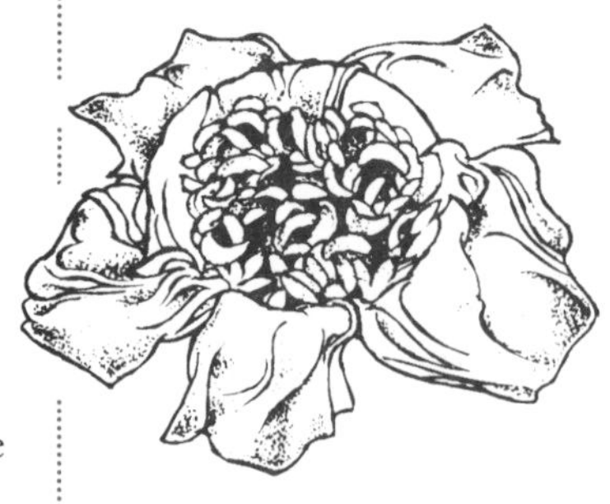

1. Mélanger les pommes, la cassonade, la cannelle, la farine et la muscade. Réserver.
2. Avoir à portée de la main un moule à charnière d'une capacité de 3 litres (10 po de diamètre). Dans un petit bol, mélanger la chapelure et le sucre granulé.
3. En prenant une feuille de pâte filo à la fois (recouvrir les autres d'un linge humide entre-temps), badigeonner légèrement la pâte de margarine fondue ou de beurre ; y saupoudrer le mélange de chapelure. Plier la feuille en deux dans le sens de la longueur et badigeonner encore. Mettre la feuille dans une plaque à pâtisserie, un des côtés étroits au centre du plat et l'autre dépassant des bords du moule. Saupoudrer de chapelure.
4. Reprendre ces opérations avec le reste des feuilles, et les faire se chevaucher légèrement dans le moule. Laisser dépasser une bonne quantité de pâte autour du moule. Le fond devrait être recouvert.
5. Déposer la garniture sur la pâte. Replier les feuilles de façon à recouvrir la garniture complètement. Le dessus devrait avoir un aspect irrégulier. Badigeonner le dessus de la tarte de margarine ou de beurre.
6. Cuire 15 minutes dans un four préchauffé à 200 °C (400 °F). Réduire la température à 180 °C (350 °F) et cuire encore de 50 à 55 minutes ou jusqu'à ce que les pommes soient molles sous la pointe du couteau. Laisser refroidir au moins 15 minutes avant de démouler. Saupoudrer de sucre à glacer avant de servir.

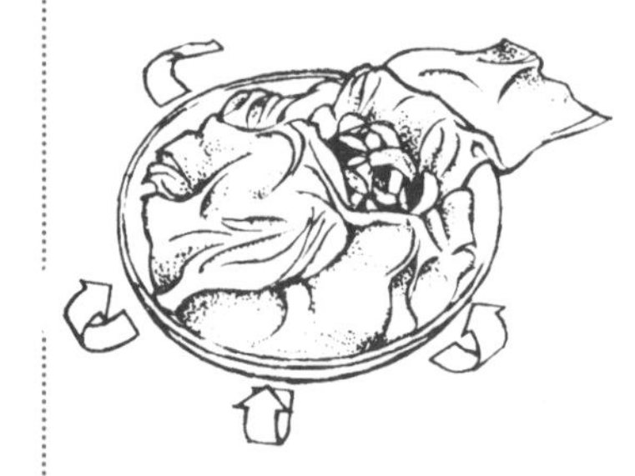

APPORT NUTRITIONNEL PAR PORTION

257	calories
47 g	glucides
3 g	fibres
7 g	matières grasses
1 g	gras saturés
3 g	protéines
0 mg	cholestérol
267 mg	sodium
186 mg	potassium

GÂTEAU AUX POMMES EXPRESS

Même si la préparation des gâteaux exige beaucoup de temps, celui-ci s'exécute assez rapidement pour être fait à la dernière minute. Faites-le en premier ; dès que vous aurez préparé le reste du repas et mangé, le gâteau sera prêt à servir.

Cette recette vous donnera un gâteau dense au goût fantastique.

Donne 12 morceaux

1	**œuf**	**1**
125 ml	**sucre granulé**	**1/2 tasse**
75 ml	**huile végétale**	**1/3 tasse**
45 ml	**jus d'orange ou de pomme**	**3 c. à table**
5 ml	**vanille**	**1 c. à thé**
175 ml	**farine tout usage**	**3/4 tasse**
5 ml	**levure chimique**	**1 c. à thé**
pincée	**sel**	**pincée**
75 ml	**cassonade**	**1/3 tasse**
5 ml	**cannelle**	**1 c. à thé**
3	**pommes pelées et tranchées**	**3**

1. Battre l'œuf avec le sucre jusqu'à ce que le mélange soit épais et léger. Incorporer en battant l'huile, le jus de fruits et la vanille.
2. Dans un autre bol, mélanger la farine, la levure et le sel. Incorporer dans le mélange précédent et mélanger jusqu'à un début d'homogénéité.
3. Mélanger la cassonade et la cannelle.
4. Disposer les pommes au fond d'un moule d'une capacité de 2 litres (8 po de diamètre). Les saupoudrer de la moitié du mélange de cassonade. Étendre la pâte uniformément sur le dessus. Saupoudrer du reste de cassonade.
5. Cuire dans un four préchauffé à 180 °C (350 °F) de 35 à 40 minutes ou jusqu'à ce que le gâteau se détache légèrement des parois du moule. Laisser refroidir 10 minutes avant de servir.

LES POMMES

Certaines variétés de pommes sont croquantes et acidulées alors que d'autres sont plus tendres et leur goût plus prononcé. Les pommes bonnes à manger telles quelles ne sont pas forcément celles qui se prêtent bien à la cuisson. Ainsi, j'aime bien manger les McIntosh, mais elles ne conservent pas leur forme à la cuisson. Pour la cuisson, je préfère les Spy, Ida Red, Royal Gala, délicieuse rouge et Empire.

APPORT NUTRITIONNEL PAR PORTION

165	calories
26 g	glucides
1 g	fibres
7 g	matières grasses
1 g	gras saturés
1 g	protéines
18 mg	cholestérol
29 mg	sodium
76 mg	potassium

GÂTEAU DES ANGES AU COULIS DE BAIES

Voir photo à la page 256.

Voici le gâteau préféré de ma fille ; elle adore tout aussi bien le préparer que le déguster.

Le gâteau des anges est une vieille recette éprouvée ; il est quand même bon de savoir qu'il ne contient presqu'aucun gras. De plus, il se congèle bien et peut être servi avec le coulis de baies ou avec des fruits frais tout simples, du fromage de yogourt crémeux sucré (p. 228) ou du sorbet. Pour sa cuisson, servez-vous d'un moule à cheminée et rappelez-vous que pour obtenir un gâteau des anges élevé et léger, il suffit de battre les blancs d'œufs comme il se doit (voir la note explicative en marge).

Le coulis de baies donne un dessert fabuleux et sert également de sauce ; il suffit alors de mettre davantage de fruits. On peut le servir avec des meringues (p. 268) ou dans des bols avec un peu de fromage de yogourt sucré sur le dessus. Pour la purée, je prends souvent des framboises surgelées car les framboises fraîches sont tellement délicieuses que je préfère les manger nature. Un moulin (un appareil classique relativement peu coûteux) permettra de réduire les framboises en purée et d'en éliminer les graines en même temps. Si vous vous servez d'un mélangeur ou d'un robot culinaire, vous devrez ensuite passer la purée au tamis si vous désirez vous débarrasser des graines.

Si vous prenez des baies surgelées non sucrées, vous devrez peut-être ajouter au coulis 15 ml (1 c. à table) de sucre.

Donne de 12 à 16 portions

375 ml	**sucre granulé divisé en 2 portions**	**1 1/2 tasse**
250 ml	**farine à gâteau ou à pâtisserie**	**1 tasse**
500 ml	**blancs d'œufs (12 à 16)**	**2 tasses**
5 ml	**crème de tartre**	**1 c. à thé**
15ml	**jus de citron ou concentré de jus d'orange congelé**	**1 c. à table**
5 ml	**vanille**	**1 c. à thé**
5 ml	**zeste de citron ou d'orange râpé**	**1 c. à thé**

L'ART DE BATTRE LES BLANCS D'ŒUFS

Pour battre des blancs d'œufs selon les règles de l'art, le bol et le fouet utilisés doivent être absolument exempts de toute matière grasse. Lorsque vous séparez les blancs des jaunes, assurez-vous qu'aucune partie du jaune ne se mêle aux blancs. Si un peu de jaune passait malgré tout dans les blancs, essayez de l'enlever à l'aide d'une moitié de coquille d'œuf ; celle-ci attirera le jaune à la manière d'un aimant.

Il est préférable de séparer chaque œuf à part, dans un bol propre, pour ensuite verser le jaune aux jaunes et le blanc aux blancs. Ajoutez de 5 ml (1 c. à thé) de jus de citron ou de 1 ml (1/4 c. à thé) de crème de tartre par 4 blancs d'œufs. Si vous désirez ajouter du sucre, incorporez-le lentement aux blancs tout en battant, dès que ceux-ci sont devenus opaques.

Coulis de baies :

1	**paquet de 300 g (10 oz)) de framboises surgelées**	**1**
25 ml	**liqueur d'orange ou de framboise (facultatif)**	**2 c. à table**
500 ml	**fraises fraîches parées et coupées en quatre**	**2 tasses**
250 ml	**framboises fraîches**	**1 tasse**
250 ml	**bleuets frais**	**1 tasse**

1. Tamiser deux fois 175 ml (3/4 tasse) de sucre et la farine. Réserver.
2. À l'aide du mélangeur électrique, battre les blancs d'œufs avec la crème de tartre et le jus de citron à vitesse moyenne jusqu'à ce qu'ils soient défaits. Continuer à battre à vitesse moyenne jusqu'à ce que les blancs soient aérés. En battant sans arrêt, ajouter lentement 175 ml (3/4 tasse) de sucre. Les blancs d'œufs devraient être très légers et durs. Toujours en battant, incorporer la vanille et le zeste de citron ou d'orange râpé.
3. Incorporer délicatement le mélange de farine et de sucre en trois ajouts. Ne pas trop mélanger la préparation afin de ne pas faire s'affaisser les blancs d'œufs.
4. Déposer la pâte très délicatement (à la cuillère ou en versant) dans un moule à cheminée d'une capacité de 4 litres (10 po de diamètre). Cuire le gâteau dans un four préchauffé à 190 °C (375 °F) de 35 à 45 minutes ou jusqu'à ce que la sonde à gâteau en ressorte sèche et propre et que la surface du gâteau reprenne sa forme lorsqu'on la presse légèrement.
5. Pour préparer la sauce, décongeler les framboises. Si elles sont dans leur sirop, les laisser égoutter en réservant le liquide. Réduire les baies en purée dans le moulin, le mélangeur ou le robot culinaire. Ajouter assez de sirop réservé pour obtenir un coulis mi-épais. Verser la liqueur et incorporer délicatement les baies fraîches.
6. Laisser refroidir le gâteau à l'envers dans son moule (si le moule n'est pas équipé d'un petit pied susceptible de servir de support, reverser le gâteau et le moule sur une grille de manière que l'air puisse circuler).
7. Pour démouler le gâteau, se servir d'un long couteau à lame mince afin de le détacher des parois. Si le moule est équipé d'un fond mobile, retirer les côtés et détacher ensuite le fond à l'aide d'un couteau. Si l'on se sert d'un moule en une seule pièce, se servir d'une spatule ou d'un couteau pour détacher le fond. Ne pas s'inquiéter si le gâteau semble affaissé – il reprendra fort probablement sa forme. Servir accompagné de coulis de baies.

Gâteau des anges cappuccino : Ajouter 20 ml (1 1/2 c. à table) de poudre de café instantané et 1 ml (1/4 c. à thé) de cannelle au mélange de farine. Avec la vanille, ajouter 1 ml (1/4 c. à thé) d'arôme artificiel d'amande.

APPORT NUTRITIONNEL PAR PORTION

185	calories
41 g	glucides
1 g	fibres
trace	matières grasses
0 g	gras saturés
6 g	protéines

Bonne source de : vitamine C

6 g	cholestérol
68 mg	sodium
154 mg	potassium

GÂTEAU DES ANGES AU CHOCOLAT AVEC SAUCE

Ce gâteau a un goût de chocolat à la fois léger mais bien présent. Servez-le avec ou sans sauce. Il peut également être servi avec un coulis de framboises (p. 266), une crème pâtissière (p. 266) ou une crème pâtissière au citron (p. 268). Pour obtenir un gâteau au goût de moka, ajouter au mélange de farine 15 ml (1 c. à table) de poudre de café instantané.

Donne 12 à 16 portions

425 ml	**sucre granulé en deux portions**	**1¾ tasse**
250 ml	**farine à gâteau et à pâtisserie**	**1 tasse**
75 ml	**cacao**	**⅓ tasse**
500 ml	**blancs d'œufs (12 à 16 blancs)**	**2 tasses**
5 ml	**crème de tartre**	**1 c. à thé**
pincée	**sel**	**pincée**
5 ml	**vanille**	**1 c. à thé**

Sauce au chocolat :

175 g	**chocolat doux-amer ou mi-sucré haché**	**6 oz**
25 ml	**cacao**	**2 c. à table**
45 ml	**sirop de maïs**	**3 c. à table**
125 ml	**eau**	**½ tasse**
5 ml	**vanille**	**1 c. à thé**

LE CACAO

Le cacao est du chocolat non sucré, réduit en poudre, dont on a retiré la majeure partie du beurre de cacao. Bien qu'il ne puisse remplacer le chocolat ordinaire dans bien des recettes, il est en mesure de conférer aux desserts un goût de chocolat marqué et riche, tout en n'apportant qu'une quantité minime de gras.

1. Tamiser trois fois 175 ml (3/4 tasse) de sucre avec la farine et le cacao. Bien mélanger. Réserver.

2. Dans un grand bol, battre les blancs d'œufs avec la crème de tartre et le sel jusqu'à l'obtention d'un mélange léger et opaque. Incorporer en battant lentement les 250 ml (1 tasse) de sucre restants. Battre jusqu'à ce que le mélange soit ferme. Incorporer en battant la vanille.

3. Incorporer le mélange de farine réservé dans les blancs d'œufs en trois ajouts. Éviter de trop mélanger, mais s'assurer que la pâte est exempte de grumeaux de farine.

4. Mettre délicatement la pâte dans un moule à cheminée d'une capacité de 4 litres (10 po de diamètre). Cuire de 45 à 50 minutes dans un four préchauffé à 160 °C (325 °F).

5. Pour préparer la sauce au chocolat, mélanger le chocolat, le cacao, le sirop de maïs et l'eau dans une casserole et cuire à feu doux jusqu'à homogénéité. Retirer du feu et incorporer la vanille. Laisser refroidir.

6. Renverser le moule à gâteau sur une grille et laisser refroidir pendant 1 heure. Démouler le gâteau délicatement en passant un couteau le long des parois et de la cheminée du moule. Trancher le gâteau et servir arrosé de sauce.

Gâteau des anges au chocolat avec tunnel de framboises : Une fois le gâteau refroidi et démoulé, enlever de la partie supérieure du gâteau une tranche épaisse de 1 cm (1/2 po). Pratiquer un tunnel dans la mie du gâteau en en évidant délicatement la partie centrale, en prévoyant une marge de 1 cm (1/2 po) sur les côtés et au fond du gâteau. Couper la mie récupérée en morceaux de 1 cm (1/2 po) et les incorporer dans 1 litre (4 tasses) de sorbet à la framboise ramolli (on pourrait prendre d'autres saveurs de sorbet ou du yogourt congelé). Remplir le tunnel de ce mélange. Remettre en place la tranche découpée et congeler le gâteau. Servir avec ou sans sauce au chocolat.

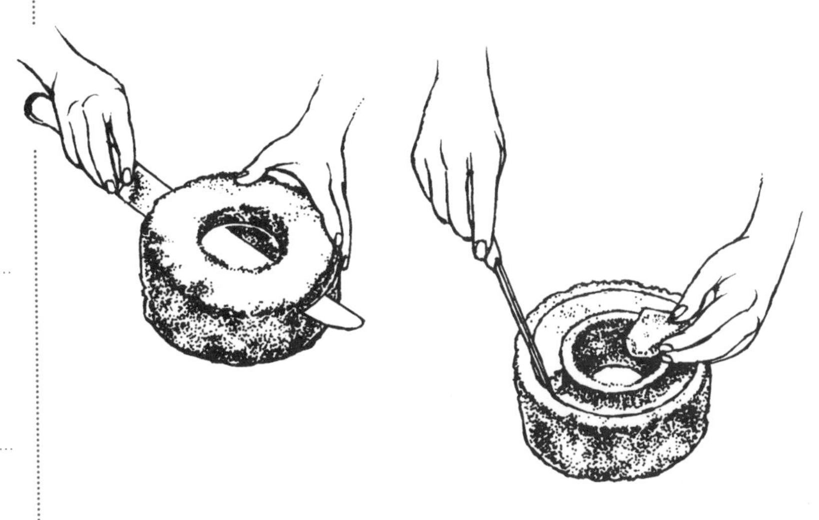

APPORT NUTRITIONNEL PAR PORTION

260	calories
49 g	glucides
2 g	fibres
7 g	matières grasses
4 g	gras saturés
7 g	protéines
0 mg	cholestérol
97 mg	sodium
179 mg	potassium

GÂTEAU AU FROMAGE À L'ANCIENNE

Au cours des dix dernières années, les gens se sont habitués aux riches gâteaux au fromage bien crémeux ; cependant, la présente version correspond au gâteau au fromage que faisait ma mère lorsque j'étais petite. Son goût est pur, ni trop sucré ni trop dense, et c'est ainsi que je l'adore.

Je suis d'avis que tous les gâteaux au fromage sont trop lourds pour être servis après un repas, mais comme collation je l'adore. Je peux même me convaincre qu'il est bon au petit déjeuner ! Si vous le voulez, faites-le cuire dans un moule à charnière d'une capacité de 2,5 litres (9 po de diamètre) et découpez-le en fines pointes. Pour pouvoir couper le gâteau aisément, tremper un couteau dans de l'eau très chaude et essuyez-le avant de trancher.

Donne environ 35 carrés

Croûte :

300 ml	**biscuits Graham émiettés**	**1 1/4 tasse**
1 ml	**cannelle (facultatif)**	**1/4 c. à thé**
45 ml	**margarine molle ou beurre non salé fondu**	**3 c. à table**

Garniture :

750 g	**fromage cottage à pâte pressée maigre**	**1 1/2 lb**
250 ml	**sucre granulé**	**1 tasse**
3	**œufs**	**3**
5 ml	**vanille**	**1 c. à thé**
125 ml	**fromage de yogourt crémeux (p. 228) ou yogourt épais**	**1/2 tasse**
25 ml	**farine tout usage**	**2 c. à table**

Dessus :

250 ml	**fromage de yogourt crémeux ou yogourt épais**	**1 tasse**
25 ml	**sucre granulé**	**2 c. à table**
5 ml	**vanille**	**1 c. à thé**
20	**fraises coupées en deux**	**20**

1. Mélanger les biscuits Graham émiettés avec la cannelle et la margarine ou le beurre fondu. En pressant bien, étendre le mélange au fond d'un plat allant au four d'une capacité de 3 litres (12 po × 8 po).
2. Pour préparer la garniture, laisser égoutter le fromage cottage, s'il semble liquide, pendant 1 heure dans un tamis au-dessus d'un bol. Jeter le liquide récupéré.
3. Battre le fromage cottage avec 250 ml (1 tasse) de sucre. Incorporer au fouet les œufs, un à la fois, en prenant soin de bien battre après chacun. Incorporer 5 ml (1 c. à thé) de vanille, 125 ml (1/2 tasse) de fromage de yogourt et la farine. Verser la préparation sur la croûte.
4. Cuire dans un four préchauffé à 180 °C (350 °F) de 45 à 50 minutes ou jusqu'à ce que la préparation commence à figer (ce que l'on constate en secouant délicatement le plat).
5. Pour le dessus, mélanger 250 ml (1 tasse) de fromage de yogourt avec 25 ml (2 c. à table) de sucre et 5 ml (1 c. à thé) de vanille. Étendre cette préparation sur le gâteau encore chaud. Faire cuire encore 5 minutes. Laisser refroidir complètement.
6. Pour le trancher, décoller les côtés du gâteau et couper ce dernier en carrés. Servir avec des fraises.

Gâteau au fromage au citron : Ajouter à la garniture 15 ml (1 c. à table) de zeste de citron râpé.

Gâteau au fromage au gingembre : Prendre des biscuits au gingembre au lieu des biscuits Graham. Ajouter à la garniture 125 ml (1/2 tasse) de gingembre confit haché.

Gâteau au fromage aux bananes : Dans la garniture, remplacer le fromage de yogourt par 1 banane mûre réduite en purée.

APPORT NUTRITIONNEL PAR CARRÉ

86	calories
12 g	glucides
trace	fibres
2 g	matières grasses
1 g	gras saturés
5 g	protéines
Bonne source de : vitamine B_{12}	
21 mg	cholestérol
56 mg	sodium
74 mg	potassium

MERINGUES AUX FRAISES

Même dans les meilleures circonstances, la préparation des meringues peut comporter des difficultés. Une meringue parfaite doit être croustillante et croquante. Ce dessert se prépare de préférence avec des meringues légèrement élastiques.

Donne 6 portions

Meringues :

3	**blancs d'œufs**	**3**
1 ml	**crème de tartre**	**1/4 c. à thé**
125 ml	**sucre granulé ou de fruits (p. 268)**	**1/2 tasse**
2 ml	**vanille**	**1/2 c. à thé**

Garniture :

500 ml	**fraises tranchées**	**2 tasses**
45 ml	**sucre granulé en deux portions**	**3 c. à table**
375 ml	**fromage de yogourt crémeux (p. 228), yogourt épais ou sorbet à la framboise**	**1 1/2 tasse**
15 ml	**liqueur d'orange ou de rhum (facultatif)**	**1 c. à table**
25 ml	**sucre à glacer tamisé**	**2 c. à table**

Décoration :

6	**fraises entières**	**6**
6	**brins de menthe fraîche**	**6**

1. Préchauffer le four à 190 °C (375 °F). Pour préparer les meringues, battre les blancs d'œufs avec la crème de tartre jusqu'à l'obtention d'un mélange léger. Incorporer en remuant 125 ml (1/2 tasse) de sucre jusqu'à la formation de pics fermes. Incorporer la vanille.
2. Tracer 12 cercles de 7,5 cm (3 po) de diamètre sur une plaque à pâtisserie doublée de papier sulfurisé. Étendre le mélange à meringues à l'intérieur des cercles.
3. Mettre les meringues au four et l'éteindre immédiatement. Laisser reposer au four 6 heures ou pendant toute une nuit. Congeler les meringues si elles ne sont pas utilisées sur-le-champ.
4. Pour préparer la garniture, mélanger les fraises tranchées avec 15 ml (1 c. à table) de sucre et laisser mariner de 30 à 60 minutes.
5. Tout juste avant de servir, mélanger le fromage de yogourt avec 25 ml (2 c. à table) de sucre et la liqueur.
6. Mettre une meringue dans chacune des 6 assiettes de service. Garnir de fraises. Mettre le yogourt à la cuillère sur le dessus. Déposer l'autre meringue sur le dessus et saupoudrer de sucre à glacer. Garnir de fraises entières et de menthe fraîche. Servir immédiatement.

APPORT NUTRITIONNEL PAR CARRÉ

185	calories
35 g	glucides
1 g	fibres
2 g	matières grasses
1 g	gras saturés
8 g	protéines

Excellente source de : vitamine C et vitamine B_{12}
Bonne source de : riboflavine et calcium

6 mg	cholestérol
80 mg	sodium
318 mg	potassium

MERINGUES AU MOKA

Pour obtenir des meringues légèrement élastiques, suivez cette technique : préchauffer le four à 190 °C (375 °F). Mettre les meringues dans le four préchauffé et fermer ce dernier immédiatement. Laisser reposer dans le four fermé pendant 6 heures ou toute la nuit.

Cette méthode donne de très bons résultats avec les meringues au citron renversées (p. 268), les meringues aux fraises (p. 280) ainsi qu'avec ces biscuits.

Donne environ 60 biscuits

3	**blancs d'œufs**	**3**
1 ml	**crème de tartre**	**1/4 c. à thé**
150 ml	**sucre granulé ou de fruits divisé en deux portions**	**2/3 tasse**
2 ml	**vanille**	**1/2 c. à thé**
10 ml	**fécule de maïs**	**2 c. à thé**
15 ml	**poudre de café instantané broyée**	**1 c. à table**
50 ml	**noisettes ou amandes grillées finement hachées**	**1/4 tasse**

1. Battre les blancs d'œufs avec la crème de tartre jusqu'à l'obtention d'un mélange mousseux. Ajouter progressivement 75 ml (1/3 tasse) de sucre et battre jusqu'à l'obtention d'un mélange ferme. Incorporer la vanille.
2. Mélanger les 75 ml (1/3 tasse) de sucre restants avec la fécule de maïs, la poudre de café et les noisettes. Incorporer dans les blancs d'œufs battus.
3. Doubler deux plaques à pâtisserie de papier sulfurisé. Déposer le mélange à meringues sur les plaques ou mettre le mélange dans un grand sac de pâtissier équipé d'un embout en forme d'étoile et déposer la préparation en boules de 4 cm (1 1/2 po).
4. Cuire dans un four préchauffé à 150 °C (300 °F) jusqu'à ce que les meringues soient sèches, soit de 25 à 30 minutes. Éteindre le four et laisser les biscuits refroidir au four. Le dessus devrait être sec et tout juste légèrement doré.

LES BOLS EN CUIVRE

Bien qu'un bol en cuivre ne soit pas indispensable (je l'utilise moi-même rarement), il donne de bons résultats avec les blancs d'œufs car il réagit avec le batteur et stabilise les blancs. Prenez soin de nettoyer l'intérieur du bol avec un peu de vinaigre ou de jus de citron et de sel avant de vous en servir. Si vous ne disposez pas d'un bol en cuivre, prenez un bol de verre ou d'acier inoxydable de préférence au plastique car celui-ci a tendance à emprisonner la graisse. Pour simuler l'effet produit par le cuivre, vous pouvez ajouter 1 ml (1/4 c. à thé) de crème de tartre ou 5 ml (1 c. à thé) de jus de citron pour 4 blancs d'œufs non battus.

APPORT NUTRITIONNEL PAR BISCUIT

13	calories
2 g	glucides
0 g	fibres
trace	matières grasses
0 g	gras saturés
trace	protéines
0 mg	cholestérol
3 mg	sodium
8 mg	potassium

BISCOTTES AU MIEL ET AUX AMANDES

Voir photo à la page 257.

Les biscottes sont des biscuits « cuits deux fois », passablement secs et durs, mais au goût très typé. Elles sont faciles à réaliser, très à la mode, absolument délicieuses et remarquablement faibles en matières grasses ! On les trempe dans le thé, le café ou le traditionnel vin santo, un vin doux italien.

Donne environ 60 biscuits

500 ml	**farine tout usage**	**2 tasses**
175 ml	**sucre granulé**	**3/4 tasse**
175 ml	**amandes moulues finement**	**3/4 tasse**
2 ml	**levure chimique**	**1/2 c. à thé**
2 ml	**bicarbonate de sodium**	**1/2 c. à thé**
2 ml	**cannelle**	**1/2 c. à thé**
175 ml	**amandes entières non blanchies**	**3/4 tasse**
75 ml	**miel**	**1/3 tasse**
75 ml	**eau**	**1/3 tasse**

1. Mélanger la farine, le sucre, les amandes moulues, la levure, le bicarbonate, la cannelle et les amandes entières. Bien remuer.
2. Ajouter le miel et l'eau. Mélanger jusqu'à l'obtention d'une pâte résistante.
3. Diviser la pâte en deux parties qu'on roulera en deux « bûches » d'environ 38 cm (15 po) de long.
4. Doubler une plaque à pâtisserie de papier sulfurisé (afin d'empêcher les biscottes de brûler, se servir si possible de deux plaques). Mettre les bûches à bonne distance l'une de l'autre sur le papier. Cuire dans un four préchauffé à 180 °C (350 °F) pendant environ 30 minutes jusqu'à ce qu'elles aient bien levé et qu'elles soient fermes et dorées. S'assurer que la cuisson est complète.
5. Laisser refroidir légèrement les bûches et les mettre sur une planche à découper. Les découper en diagonale en tranches épaisses de 1 cm (1/2 po). Remettre les biscuits à plat sur la plaque et les faire cuire encore 15 minutes jusqu'à ce qu'ils soient secs et légèrement dorés.

APPORT NUTRITIONNEL PAR BISCOTTE

47	calories
8 g	glucides
trace	fibres
2 g	matières grasses
trace	gras saturés
1 g	protéines
0 g	cholestérol
12 mg	sodium
27 mg	potassium

CARRÉS AUX DATTES

Les bons vieux desserts comme celui-ci effectuent un retour en force. Ces carrés se congèlent facilement ; vous n'avez donc pas à les manger tous à la fois !

La façon la plus simple de hacher les dattes est de le faire au ciseau de cuisine.

Donne 25 carrés

Garniture :

500 g	**dattes hachées (environ 750 ml/3 tasses)**	**1 lb**
50 ml	**sucre granulé**	**1/4 tasse**
375 ml	**eau**	**1 1/2 tasse**
15 ml	**jus de citron**	**1 c. à table**

Fond et dessus :

125 ml	**margarine molle ou beurre non salé**	**1/2 tasse**
175 ml	**cassonade**	**3/4 tasse**
45 ml	**sucre granulé**	**3 c. à table**
250 ml	**farine tout usage**	**1 tasse**
1 ml	**bicarbonate de sodium**	**1/4 c. à thé**
250 ml	**flocons d'avoine**	**1 tasse**

1. Pour préparer la garniture, mélanger dans une casserole les dattes, 50 ml (1/4 tasse) de sucre granulé, l'eau et le jus de citron. Porter à ébullition. Réduire le feu et laisser mijoter en remuant fréquemment jusqu'à épaississement de la préparation, de 10 à 15 minutes. Laisser refroidir.
2. Pour préparer le fond et le dessus, réduire la margarine ou le beurre en crème. Ajouter la cassonade et 45 ml (3 c. à table) de sucre granulé. Bien battre.
3. Mélanger la farine, le bicarbonate et les flocons d'avoine. Bien remuer. Incorporer le mélange de farine dans la margarine ou le beurre. Le mélange devrait être quelque peu friable.
4. En pressant, mettre les deux tiers du mélange à base de farine au fond d'un plat allant au four d'une capacité de 2,5 litres (9 po de diamètre) préalablement huilé ou doublé de papier sulfurisé. Étendre le mélange de dattes sur le dessus. Saupoudrer du reste de mélange de farine.
5. Cuire dans un four préchauffé à 180 °C (350 °F) de 25 à 30 minutes ou jusqu'à ce que le dessus du plat soit légèrement doré. Laisser refroidir et découper en carrés.

APPORT NUTRITIONNEL PAR CARRÉ

151	calories
29 g	glucides
2 g	fibres
4 g	matières grasses
1 g	gras saturés
1 g	protéines
0 mg	cholestérol
63 mg	sodium
160 mg	potassium

CARRÉS ÉPICÉS À L'AVOINE ET AUX RAISINS SECS

On peut faire cette pâte de biscuits qu'on cuira de 10 à 12 minutes seulement, mais j'estime qu'il est plus simple de la cuire dans un grand plat et de la découper en carrés par la suite. Au lieu des raisins, pourquoi ne pas essayer des cerises, des canneberges, des abricots séchés ou un mélange des trois ?

Donne environ 30 biscuits

125 ml	**margarine molle ou beurre non salé**	**1/2 tasse**
125 ml	**cassonade**	**1/2 tasse**
75 ml	**sucre granulé**	**1/3 tasse**
1	**œuf**	**1**
2 ml	**vanille**	**1/2 c. à thé**
175 ml	**farine tout usage**	**3/4 tasse**
1 ml	**levure chimique**	**1/4 c. à thé**
2 ml	**cannelle**	**1/2 c. à thé**
1 ml	**piment de la Jamaïque**	**1/4 c. à thé**
1 ml	**gingembre moulu**	**1/4 c. à thé**
375 ml	**flocons d'avoine**	**1 1/2 tasse**
175 ml	**raisins secs**	**3/4 tasse**

1. Badigeonner d'huile un plat allant au four d'une capacité de 3,5 litres (13 po × 9 po) et le doubler de papier sulfurisé ou d'aluminium, en pressant bien sur le papier afin qu'il demeure en place.
2. Dans un grand bol, réduire la margarine ou le beurre en crème fluide. Incorporer progressivement le sucre et la cassonade jusqu'à homogénéité. Ajouter l'œuf et la vanille et bien mélanger.
3. Dans un autre bol, mélanger la farine, la levure, la cannelle, le piment de la Jamaïque et le gingembre. Bien mélanger. Verser dans la première préparation et bien mélanger. Incorporer les flocons d'avoine et les raisins secs.
4. Enfoncer la pâte uniformément dans le plat. Aplatir délicatement. Cuire dans un four préchauffé à 180 °C (350 °F) de 15 à 18 minutes ou jusqu'à ce que le dessus du dessert soit doré. (Cuire moins longtemps pour une texture plus élastique et davantage pour un résultat croustillant.) Laisser reposer 2 ou 3 minutes et démouler le gâteau sur un papier sulfurisé. Laisser refroidir un peu et découper en carrés.

APPORT NUTRITIONNEL PAR CARRÉ

91	calories
14 g	glucides
1 g	fibres
4 g	matières grasses
1 g	gras saturés
1 g	protéines
7 mg	cholestérol
46 mg	sodium
65 mg	potassium

ANNEXES

Les recettes données dans le présent ouvrage ont été conçues pour une personne en santé, désireuse de réduire les risques de maladies du cœur et d'autres affections liées à l'alimentation et d'adopter des habitudes alimentaires saines.

Le sel ou sodium

Les sources de sodium dans l'alimentation sont nombreuses, la principale étant le sel de table. Le sel est un composé chimique constitué de 40 % de sodium et de 60 % de chlorure. Dans un quart de cuillerée à thé de sel, on trouve environ 575 mg de sodium. Les autres sources de sodium sont la levure chimique, le bicarbonate de sodium et certains autres composés utilisés dans le traitement des aliments.

COMMENT RÉDUIRE SA CONSOMMATION DE SODIUM

- L'emploi de la salière à table devrait être abandonné et la quantité de sel utilisée dans la préparation des aliments limitée.
- De nombreux aliments préparés contiennent du sodium. Lisez les étiquettes et comparez : certains produits sont plus riches en sodium que d'autres.
- Évitez les aliments à forte teneur en sodium tels les charcuteries (jambon, bacon, saucisses), le poisson en conserve ou fumé, les soupes en conserve ou en sachet, les marinades, le ketchup, la moutarde préparée, la sauce soja*, plusieurs friandises (croustilles, bretzels, craquelins salés, maïs éclaté et arachides salés) et les préparations à base de fromage fondu. Bon nombre de ces aliments préparés riches en sodium le sont également en matières grasses.
- Les aliments de restauration rapide sont habituellement riches en sodium et en matières grasses et devraient être consommés avec modération.
- Rincez bien les haricots ou lentilles en conserve à l'eau froide et laissez-les égoutter avant usage.
- N'ajoutez pas de sel à l'eau de cuisson des légumes, des pâtes ou du riz.
- Préparez à l'avance vos propres bouillons que vous congèlerez en petites portions. Essayez les recettes des pages 53, 59 et 62.
- Plutôt que de prendre des tomates ou des légumes en conserve, servez-vous de légumes que vous aurez congelés vous-même. Les légumes surgelés vendus dans le commerce sont également plus faibles en sodium.
- Servez-vous d'épices et de fines herbes pour relever la saveur de vos plats. Faites preuve d'imagination : le poivre n'est pas la seule épice sur terre. Consultez les suggestions de substitut du sel à la page 218.

* Certaines recettes données ici prévoient l'emploi de sauce soja. Pour réduire la quantité de sodium en provenance de cette source, employez deux fois moins de sauce soja que ne l'exige la recette et remplacez l'autre moitié par de l'eau. Ou encore, prenez une sauce soja à faible teneur en sel (hyposodée).

LÉGUMINEUSES EN CONSERVE ET LÉGUMINEUSES SÈCHES, QUELLE EST LA DIFFÉRENCE ?

Les haricots, les pois et les lentilles, qu'ils soient en conserve ou cuits à partir de préparations déshydratées, sont une excellente source de fibres alimentaires. Les légumineuses en conserve sont une solution de rechange pratique en l'absence de légumineuses sèches. Il convient cependant d'user de prudence quant à la teneur en sodium. Les légumineuses en conserve doivent être rincées et égouttées.

Une boîte de 540 ml (19 oz) de haricots rouges égouttés contient environ 1236 mg de sodium. Une quantité équivalente de haricots rouges cuits (2 tasses), préparés à partir de légumineuses sèches, sans ajout de sel, ne contient que 7 mg de sodium. Dans les deux cas, cette quantité de haricots apporte 33 g de fibres alimentaires.

TENEUR EN SODIUM DE DIFFÉRENTS PRODUITS DE BOULANGERIE

Produit	Teneur en sodium (mg)
pain blanc, 1 tranche (30 g)	152
pain de blé entier, 1 tranche (30 g)	159
pain de seigle léger, 1 tranche (30 g)	167
pain de seigle pumpernickel, 1 tranche (30 g)	170
foccacia/pain plat (30 g)	222
pain italien, 1 tranche (30 g)	175
bagel (85 g)	707
tortilla de farine de 8 po de diamètre	162
pita (60 g)	204
chapelure sèche râpée (250 ml/1 tasse)	801

COMMENT RÉDUIRE SA CONSOMMATION DE MATIÈRES GRASSES

- Choisissez les produits laitiers dont le pourcentage de matières grasses est le plus faible.
- En préparant les recettes de ce livre (sauf les pains et les pâtisseries), essayez de diviser par deux les quantités de margarine, d'huile ou de beurre indiquées.
- On peut aussi diviser par deux les quantités d'aliments riches en matières grasses comme les fromages, les noix et la mayonnaise. On peut remplacer la mayonnaise par du yogourt allégé.
- Souvent, on peut remplacer l'huile utilisée en cuisine par de l'eau, du bouillon maison ou du jus de pomme. Utilisez-en la même quantité en prenant soin de réduire la température de cuisson.
- Dans les recettes, employez :
  - du lait écrémé (partiellement ou totalement) ;
  - des fromages légers (teneur en matières grasses inférieure à 15 %) ;
  - du yogourt léger au lieu de la crème sure ou de la mayonnaise ;
  - de la viande hachée très maigre ou de la poitrine de poulet hachée ;
  - des blancs d'œufs au lieu d'œufs entiers (2 blancs = 1 œuf entier).

TENEUR EN MATIÈRES GRASSES DU LAIT

	matières grasses (g) *(250 ml / 1 tasse)*
Lait entier	8
Lait à 2 %	5
Lait à 1 %	2
Lait écrémé	trace

Combien de matières grasses épargne-t-on en choisissant un lait plus maigre ?
Si vous passez du lait à 2 % au lait à 1 %, vous épargnerez 3 g de gras par tasse. Si vous passez du lait à 2 % au lait écrémé, vous éviterez 5 g de matières grasses.

- Servez-vous de plats et casseroles antiadhésifs et d'ustensiles spéciaux, comme un filtre à graisse. Recourez à des méthodes de cuisson exigeant peu de matières grasses comme la cuisson à la vapeur, le grillage et le pochage.
- Employez des coupes de viande maigres. Dans la mesure du possible, éliminez au couteau tout le gras visible, aussi bien à l'intérieur de la viande qu'en périphérie. Enlevez la peau du poulet avant de le cuire.

Le cholestérol

Le cholestérol est une substance grasse de consistance cireuse produite par l'organisme et qu'on trouve dans les aliments d'origine animale. Cette matière est essentielle à l'élaboration des membranes cellulaires et à la production de différentes hormones.

OÙ TROUVE-T-ON LE CHOLESTÉROL ?

On distingue deux types de cholestérol : le cholestérol d'origine alimentaire et le cholestérol sanguin. Le cholestérol d'origine alimentaire est celui contenu dans les aliments que nous ingérons. Les sources de ce cholestérol sont les produits animaux, comme les œufs, les produits laitiers, la viande, le poisson et la volaille. Les plantes ne produisent pas de cholestérol ; ainsi, les fruits, les légumes, les huiles végétales et les grains en sont exempts. Bien que l'huile de noix de coco et l'huile de palmiste ne renferment pas de cholestérol, elles sont riches en matières grasses saturées (voir la section sur les matières grasses dans l'alimentation). Ces huiles et les aliments qui en contiennent doivent être consommés avec modération.

Le cholestérol sanguin est celui qui circule dans le sang. Des concentrations élevées de cholestérol sanguin sont un facteur de risque de maladies du cœur. Ce cholestérol est susceptible de se déposer sur les parois internes des artères, causant le rétrécissement de leur lumière et leur obstruction. On sait maintenant que le cholestérol d'origine alimentaire n'est pas seul responsable des concentrations élevées de cholestérol. Une consommation importante de matières grasses, notamment de gras saturés, semble être associée de près à des taux de cholestérol sanguin élevés.

Il existe deux types de cholestérol sanguin : le cholestérol de densité élevée, ou cholestérol HDL, et le cholestérol de basse densité, ou cholestérol LDL.

- Le cholestérol HDL est souvent appelé « bon » cholestérol car il contribue à ramener l'excédent de cholestérol vers le foie, d'où il sera ensuite excrété par l'organisme, ce qui empêche une accumulation dans les artères. Les concentrations de cholestérol HDL sont fonction de l'exercice physique, du poids corporel, du tabagisme et de facteurs génétiques.
- Le cholestérol LDL est considéré comme le « mauvais » cholestérol car il transporte le cholestérol du sang en direction des tissus de l'organisme, ce qui provoque des accumulations indésirables. Les concentrations de cholestérol LDL peuvent être influencées par l'apport de gras alimentaire.

Les matières grasses alimentaires et la santé du cœur

Le plus souvent, le gras trouvé dans les aliments est un mélange des différents types de matières grasses suivants :

GRAS SATURÉS

Les gras saturés élèvent en général les concentrations sanguines de cholestérol LDL. Ce cholestérol est une forme nuisible de cholestérol sanguin, étroitement associé aux maladies cardiaques.
Principales sources : viande et volaille, tous les produits laitiers (à l'exception du lait écrémé), beurre, saindoux, huiles tropicales.

GRAS MONOINSATURÉS

Ce type de gras semble abaisser les concentrations de cholestérol LDL et peut également élever celles du cholestérol HDL. Ce dernier protège l'organisme contre les maladies cardiaques.
Principales sources : huiles d'olive et de canola ainsi que les margarines molles dérivées de ces huiles ; avocat ; noix comme les avelines, les amandes, les pistaches, les pacanes et les noix de cajou.

GRAS POLYINSATURÉS

Les gras polyinsaturés contribuent à abaisser les concentrations du cholestérol LDL, dommageable pour l'organisme.
Principales sources : huiles de carthame, de tournesol, de maïs, de soja, de sésame et la plupart des huiles tirées des noix, les margarines molles tirées de ces huiles ; les noix de Grenoble, les pignons, les noix du Brésil et les châtaignes ; les graines comme le sésame ou le tournesol.

GRAS OMÉGA-3

Il s'agit d'un type de gras polyinsaturé trouvé notamment dans les poissons gras comme le saumon et la truite. Il est salutaire pour le cœur car il réduit la viscosité du sang et la tendance à former des caillots.

GRAS TRANS

Les gras trans sont une forme de gras insaturé élaborée par l'organisme humain. Bien qu'ils soient insaturés sur le plan technique, ils agissent plutôt à la façon des gras saturés en élevant les concentrations sanguines de cholestérol LDL.
Principales sources : shortening végétal et aliments fabriqués à partir de cette matière grasse ; certaines variétés de beurre d'arachide ; bon nombre de margarines (il y a des exceptions).

Les fibres alimentaires

Les fibres alimentaires proviennent des parties des plantes qui ne peuvent être dégradées par l'appareil digestif humain. Il s'agit d'un mélange de cellulose, d'hémicellulose, de pectine, de lignine et de gommes. Les fibres se subdivisent en deux groupes, selon qu'elles sont solubles dans l'eau ou non ; on parle alors de fibres solubles ou insolubles.

LES FIBRES SOLUBLES

Les fibres solubles ont la faculté d'abaisser les concentrations sanguines de cholestérol et de régulariser la glycémie.

Sources de fibres solubles : son d'avoine, farine d'avoine, légumineuses (haricots, lentilles et pois séchés), fruits riches en pectine (pommes, fraises et agrumes).

LES FIBRES INSOLUBLES

Les fibres insolubles ayant la capacité de retenir l'eau accroissent le volume des selles et contribuent à prévenir les troubles intestinaux. Elles pourraient jouer un rôle important dans la prévention de certains cancers.

Sources de fibres insolubles : son de blé, céréales contenant du son de blé, aliments contenant des grains complets comme le pain de blé entier, fruits et légumes y compris la peau et les graines.

Guide d'interprétation des étiquettes

Libellé de l'étiquette :	*Signification :*
Sans matières grasses	• presque sans gras
Faible en matières grasses	• contient moins de 3 g de matières grasses par portion (moins de 1 c. à thé de gras)
Réduit en matières grasses	• doit contenir au moins 25 % moins de gras et au moins 1,5 g moins de gras par portion que le produit ordinaire
Allégé (light ou lite)	• peut contenir moins de gras et de calories • peut contenir moins de sel : sauce soja hyposodée • peut contenir moins d'alcool : bière dite lite • cette épithète peut ne pas s'appliquer à la valeur nutritive : de couleur ou de goût allégé
Sans cholestérol	• pas plus de 3 mg de cholestérol par 100 g • peu de gras saturés (pas plus de 2 g par portion et pas plus de 15 % du nombre total de calories)
Faible en cholestérol	• quantités minimes de cholestérol (pas plus de 20 mg par 100 g et par portion) • peu de gras saturés (pas plus de 2 g par portion et pas plus de 15 % du nombre total de calories)

Adapté de : Label Smart, un programme d'information sur l'étiquetage des aliments conçu par l'Institut national de la nutrition, janvier 1994.

LES VITAMINES ANTIOXYDANTES

Sources alimentaires des vitamines antioxydantes

Vitamine C (acide ascorbique) :

- légumes comme le brocoli, les choux de Bruxelles, le chou-fleur, le chou, les poivrons verts, le chou frisé, les pois mange-tout et les patates douces
- fruits comme les cantaloups, les pamplemousses, le melon de miel, les oranges, les mandarines et les fraises

Bêta-carotène (forme végétale de la vitamine A) :

- légumes feuillus vert foncé comme le chou vert, le chou frisé, les feuilles de la moutarde, les poivrons, les épinards, les feuilles de navet et la bette à carde
- les légumes de couleur orangée comme les carottes, la citrouille, les patates douces et les courges d'hiver
- les fruits de couleur orangée comme les abricots, les cantaloups, les mangues, les papayes et les pêches

Vitamine E (tocophérol et tocotriénols) :

- les amandes, les noisettes
- le beurre d'arachide
- les huiles végétales
- les graines de tournesol
- le germe de blé

Système d'équivalents de l'Association canadienne du diabète

Ce système d'équivalents de l'Association canadienne du diabète a été appliqué aux recettes données dans le livre conformément au *Guide alimentaire canadien pour manger sainement* (1994) utilisé pour la planification des repas des personnes diabétiques. Le système d'équivalents appliqué à une portion donnée a été calculé pour chaque recette afin de faciliter l'adaptation au régime suivi par l'individu. Les portions doivent être mesurées soigneusement, car un écart des quantités indiquées peut augmenter ou réduire les équivalents calculés. Pour les recettes, il est recommandé de réduire les portions présentant un excédent afin de permettre leur inclusion dans l'alimentation.

Le *Guide* a subi récemment une révision dans le but de l'harmoniser avec les positions de l'Association canadienne du diabète en ce qui a trait à l'apport de sucre chez les personnes diabétiques. Les recherches actuelles ne soutiennent pas la recommandation classique voulant que les personnes diabétiques doivent éviter à tout prix les sucres simples. Ceux-ci peuvent donc être inclus dans un régime alimentaire, conformément aux données du *Guide alimentaire canadien pour manger sainement*, et ce, après consultation avec une nutritionniste ou une diététiste.

Le système d'équivalents auquel se réfère le *Guide alimentaire canadien pour manger sainement* s'appuie sur le *Vive la santé, vive la bonne alimentation.* Pour obtenir davantage de renseignements sur le diabète et sur le *Guide alimentaire canadien pour manger sainement*, écrire au bureau de l'Association canadienne du diabète,5635, rue Sherbrooke est, Montréal, Québec H1N 1A3.

PAGE	RECETTE (TAILLE DE LA PORTION)	ÉQUIVALENTS PAR PORTION						
		FÉCULENTS	FRUITS ET LÉGUMES	LAIT À 2 %	PROTÉINES	MATIÈRES GRASSES ET HUILES	DIVERS	SUCRES
34	Tartinade d'aubergine au tahini (15 ml/ 1 c. à table)						1	
35	Trempette de haricots noirs rissolés (15 ml/ 1 c. à table)						1	
36	Tartinade de haricots blancs aux légumes verts (15 ml/ 1 c. à table)						1	
37	Hoummos aux graines de sésame (15 ml/ 1 c. à table)		1/2					
38	Guacamole (15 ml/ 1 c. à table)						1	
39	Tzatziki (15 ml/ 1 c. à table)						1	
40	Caponata (15 ml/ 1 c. à table)						1	
41	Trempette de fromage de chèvre aux pommes de terre (1/32 de la recette)		1/2		1/2			
42	Bruschetta à la ricotta (1/24 de la recette)	1/2			1			
43	Pain grillé à la salsa de tomate, de poivron et de basilic (1/16 de la recette)	1/2				1/2		
44	Pains aux fines herbes et à l'oignon à la provençale (1/8 de la recette)	1 1/2				1/2	1	
45	Pizza au pistou (1/32 de la recette)		1/2					
46	Roulés de tortilla au saumon fumé (1/32 de la recette)		1/2		1/2			
47	Bouchées de polenta (1/32 de la recette)		1/2					
48	Boulettes au poulet à la sauce aigre-douce (1/32 de la recette)				1/2		1	
50	Crevettes « grillées » de la Louisiane (1/8 de la recette)		1/2		1			
52	Soupe de fruits de mer au bouillon de gingembre (1/8 de la recette)		1/2		1			
53	Soupe aigre et piquante (1/6 de la recette)		1 1/2		2			
54	Soupe à la pomme et à la courge (1/6 de la recette)		2		1/2			

PAGE	RECETTE (TAILLE DE LA PORTION)	FÉCULENTS	FRUITS ET LÉGUMES	LAIT À 2 %	PROTÉINES	MATIÈRES GRASSES ET HUILES	DIVERS	SUCRES
55	Bortsch au chou (1/12 de la recette)		1		1			
56	Minestrone vert aux croûtons de fromage (1/8 de la recette)		1½		1½	½		
57	Potage parmentier à l'ail garni d'un filet de pistou (1/8 de la recette)	1	½		½	½		
58	Potage de poireaux et de pommes de terre (1/8 de la recette) *Aucune équivalence n'est donnée pour les variations*	1			½			
59	Gombo au poulet et aux fruits de mer (1/8 de la recette)	1	1		1			
60	Potage de fenouil aux poireaux et aux carottes (1/8 de la recette)	1			½	½	1	
61	Soupe aux pois chiches et aux épinards (1/6 de la recette)	2			1		1	
62	Potage de haricots blancs avec salsa à la verdure (1/8 de la recette)	1½	½		1			
64	Potage de lentilles aux légumes (1/6 de la recette)	1½			1½			
65	Soupe de champignons aux haricots et à l'orge (1/8 de la recette)	1	½		1			
66	Soupe marocaine aux lentilles et aux pâtes (1/8 de la recette)	2	½		2		1	
68	Soupe de haricots noirs au yogourt et à la salsa épicée (1/12 de la recette)	2			2		1	
70	Soupe aux pois cassés à l'aneth (1/8 de la recette)	2	1		1½			
72	Taboulé (1/8 de la recette)	1	½		½	½		
73	Salade de céréales variées (1/8 de la recette) (sans pois chiches)	2½				1½		
74	Salade de haricots noirs, de maïs et de riz (1/8 de la recette)	2½			½	1	1	
75	Salade sushi (1/6 de la recette)	2½	½			½		
76	Salade de tomates et de concombre (1/6 de la recette)		½					½
77	Salade de chou à l'orientale (1/6 de la recette)		1			½		1
78	Salade niçoise (1/6 de la recette)	1½	½		2			
79	Salade de betteraves (1/4 de la recette)		1					
80	Salade de pommes de terre (1/6 de la recette)	1½	½			1		
81	Salade de pain grillé et de tomates cerises (1/6 de la recette)	1	½			1		
82	Spaghettini aux légumes verts (1/8 de la recette)	2½	½		½	½		
83	Salade de spaghetti au thon (1/6 de la recette)	2½	½		2½			
84	Salade thaïe au poulet et aux nouilles (1/8 de la recette)	2½			2½			½
86	Salade de poulet grillé sauce à l'arachide (1/6 de la recette)	½	1		4½			1
88	Salade de poulet grillé haché (1/6 de la recette)	½	2		3			
90	Salade de nouilles de Letty (1/6 de la recette)	4	½		2	½		
91	Vinaigrette Spa au vinaigre balsamique (15 ml/ 1 c. à table) (sans miel)						1	
92	Vinaigrette à la moutarde et au poivre (15 ml/ 1 c. à table)					½	1	
93	Vinaigrette à l'ail (15 ml/ 1 c. à table)		½			½		
94	Vinaigrette aux agrumes (15 ml/ 1 c. à table)					½		
95	Vinaigrette au sésame et au gingembre (15 ml/ 1 c. à table)							½
96	Vinaigrette au poivron rouge rôti (15 ml/ 1 c. à table)						1	
98	Pâtes au poivron rouge et à l'aubergine (1/6 de la recette)	3	2½		1	1		
99	Penne arrabbiata (1/6 de la recette)	3½	½		1	1		
100	Penne aux pommes de terre et au rappini (1/6 de la recette)	4			½	1½		
101	Spaghetti puttanesca (1/6 de la recette)	3½	½		½	½		
102	Spaghetti de fiston (avec sauce tomate nature) (1/6 de la recette)	3½	½		1	½		

PAGE	RECETTE (TAILLE DE LA PORTION)	FÉCULENTS	FRUITS ET LÉGUMES	LAIT À 2 %	PROTÉINES	MATIÈRES GRASSES ET HUILES	DIVERS	SUCRES
103	Spaghettini au maïs (1/6 de la recette)	5	1/2		1			
104	Pâtes aux tomates et aux haricots (1/6 de la recette)	4	1		1 1/2			
105	Nouilles au tofu et au cumin (1/6 de la recette)	4	1/2		1 1/2			
106	Pâtes à la sauce tomate et à la ricotta (1/6 de la recette) (sans pancetta ou bacon)	3 1/2	1		1 1/2	1/2		
107	Nouilles aux légumes, sauce aux arachides (1/8 de la recette)	3	1/2		1	1		
108	Linguine aux tomates et aux pétoncles (1/6 de la recette)	3 1/2	1		2			
109	Spaghettini aux palourdes (1/6 de la recette)	4			1			
110	Pâtes au saumon grillé et légumes sautés (1/6 de la recette)	3 1/2	1		2 1/2			1/2
112	Linguine aux fruits de mer grillés, sauce tomate au pistou (1/6 de la recette)	3 1/2	1		2 1/2			
113	Rigatoni avec sauce au thon (1/6 de la recette)	4	1/2		1 1/2		1	
114	Spaghetti aux boulettes de viande (1/6 de la recette)	3 1/2	1		2	1		
116	Paella aux légumes (1/8 de la recette)	2 1/2	1 1/2			1/2		
117	Muffuletta végétarienne (1/8 de la recette)	3 1/2	1		1			
118	Sauté de tofu aux légumes (1/4 de la recette)	1/2	1		2 1/2			
120	Quesadillas au fromage de chèvre et aux haricots noirs (1/6 de la recette)	2 1/2			2	1		
121	Chili de haricots variés (1/8 de la recette)	1 1/2	1/2		1			
122	Gratin de polenta (1/8 de la recette)	1 1/2	1/2		1	1/2		
124	Ragoût de légumes à l'aigre-douce (1/6 de la recette)	2 1/2	3		1/2	1/2		1
126	« Cassoulet » d'oignons (1/8 de la recette)	2	1 1/2		1 1/2			
128	Sauté de riz aux légumes printaniers (1/6 de la recette)	3	1			1/2		
129	Pizza à la pâte éclair (1/8 de la recette)	3		1/2	1	1 1/2		
130	Croquettes falafel aux légumes (1/8 de la recette)	2			1	1/2		
132	Frittata de blancs d'œufs aux pommes de terre et au brocoli (1/6 de la recette)	1			1			
134	Ribollita (1/8 de la recette)	2	1 1/2		1 1/2		1	
136	Brochettes de tofu grillé (1/4 de la recette)	1/2	1 1/2		2 1/2			1/2
138	Saumon en croûte aux graines de sésame (1/6 de la recette)		1/2		3 1/2		1	1/2
139	Saumon rôti aux lentilles (1/6 de la recette)	1 1/2	1/2		4			
140	Saumon vapeur à la sauce coréenne (1/4 de la recette)	1 1/2	1/2		3			
142	Flétan poché au four et vinaigrette aux fines herbes (1/6 de la recette)		1/2		3 1/2			
144	Bar ou saumon glacé à la sauce hoisin (1/4 de la recette)				3		1	
145	Fricadelles de thon ou d'espadon à l'orientale (1/6 de la recette)	2 1/2			3			
146	Thon grillé accompagné de salade de pâtes japonaises (1/6 de la recette)	1 1/2	1		3			
148	Vivaneau au four aux piments forts (1/8 de la recette)				3		1	
149	Poisson-frites au four (1/6 de la recette)	3 1/2			3			
150	Espadon à l'aigre-douce (1/8 de la recette)		1		3			
151	Espadon teriyaki (1/6 de la recette)				3			1
152	Poisson gefilte avec salade de raifort aux betteraves (1/6 de la recette)		1/2		2 1/2			
154	Bouillabaisse provençale à la rouille (1/8 de la recette) (sans mayonnaise)	1	1		3 1/2			

PAGE	RECETTE (TAILLE DE LA PORTION)	FÉCULENTS	FRUITS ET LÉGUMES	LAIT À 2 %	PROTÉINES	MATIÈRES GRASSES ET HUILES	DIVERS	SUCRES
156	Moules à la sauce de haricots noirs fermentés (1/6 de la recette)		1		1 1/2			
158	Risotto aux fruits de mer et aux poivrons (1/6 de la recette)	3			2	1/2	1	
160	Filets de poisson au romarin (1/4 de la recette)				3			
162	Poulet à la marocaine (1/6 de la recette)				4			1 1/2
163	Chili au poulet à l'orientale (1/8 de la recette)	1			3		1	
164	Timbale de poulet (1/8 de la recette)	1 1/2	1/2		4			
166	Fricadelles de poulet à la sauce teriyaki (1/6 de la recette)	2 1/2			3			1
	Sauce teriyaki au citron et au gingembre (15 ml/1 c. à soupe)							
167	Bâtonnets de poulet panés (1/4 de la recette)	2			4			
168	Cari de légumes et de poulet des Caraïbes (1/8 de la recette)	1 1/2	1 1/2		3			
170	Bâtonnets de poulet grillés (1/4 de la recette)				3 1/2			1/2
171	Fajitas au poulet (1/8 de la recette)	2	1		3			1/2
172	Poitrines de poulet avec sauce de haricots noirs fermentés (1/6 de la recette)				4		1	
173	Poulet grillé de Sainte-Lucie (1/8 de la recette)		1/2		4 1/2			1
174	Poulet et légumes sautés à l'orientale (1/4 de la recette)		1 1/2		4 1/2			
176	Brochettes de poulet (1/4 de la recette)	2			3 1/2			
177	Poulet aux quarante gousses d'ail (1/6 de la recette) (sans échalotes)		1/2		3 1/2			
178	Poulet au vinaigre de framboises (1/4 de la recette)		1		4			
179	Poulet rôti farci de boulghour (1/6 de la recette)	1	1	1/2	1/2			
	Poulet rôti farci avec la peau (1/6 de la recette)	1	1		4 1/2	1/2		
	Poulet rôti farci sans la peau (1/6 de la recette)	1	1		4			
180	Poulet à la coriandre avec nouilles pad thai (1/6 de la recette)	2	1/2		4 1/2			1/2
182	Poitrine de dinde rôtie au romarin et à l'ail (1/8 de la recette)				5			1/2
184	Boulettes de viande à la marocaine avec couscous et pois chiches (1/6 de la recette)	3	1/2		2	1/2		
186	Pain de viande avec purée de pommes de terre à l'irlandaise (1/8 de la recette)	2	1/2		3	1/2		
188	Bœuf grillé et nouilles sautés à l'orientale (1/8 de la recette)	1 1/2	1/2		2 1/2			
190	Fricadelles de viande avec sauce au yogourt et à la menthe (1/6 de la recette)	3			2 1/2	1/2		
191	Tsimmis de ma tante (1/12 de la recette)	1/2	2		1 1/2	1/2		1/2
192	Chili texan (1/12 de la recette)	1	1/2		4 1/2			
193	Bœuf sukiyaki (1/6 de la recette)	1	1		3			
194	Bifteck de flanc à la coréenne (1/4 de la recette)				4			1
195	Surlonge en croûte à la moutarde et au poivre (1/6 de la recette)				4			
196	Côtelettes de veau à la sauce tomate en cocotte (1/6 de la recette)	1	1		3			
198	Gigot d'agneau grillé à la cantonaise (1/8 de la recette)				4			1/2
199	Rôti d'agneau au romarin et aux pommes de terre (1/10 de la recette)	1 1/2			3 1/2			
200	Filet de porc glacé à l'abricot (1/6 de la recette)				3 1/2			1 1/2
201	Rôti de porc méridional (1/10 de la recette)				3 1/2			4

PAGE	RECETTE (TAILLE DE LA PORTION)	FÉCULENTS	FRUITS ET LÉGUMES	LAIT À 2 %	PROTÉINES	MATIÈRES GRASSES ET HUILES	DIVERS	SUCRES
202	Porc à l'orientale (1/4 de la recette)		1½		3			
204	Brocoli ou rappini aux raisins secs et aux pignons (1/4 de la recette)		1½		½			
205	Carottes glacées au cumin (1/4 de la recette)		1½		½	½		½
206	Asperges au gingembre (1/6 de la recette)		½					
207	Oignons rouges rôtis au vinaigre balsamique (1/8 de la recette)		2					
208	Betteraves et oignons caramélisés (1/4 de la recette)		1½					1
209	Maïs à l'ail et à la ciboulette (1/4 de la recette)	2				½		
210	Épis de maïs grillés aux fines herbes (1/6 de la recette)	2						
211	Macédoine de maïs piquante (1/8 de la recette)	2	½		½			
212	Courge à la sicilienne (1/4 de la recette)		2			1		½
213	Polenta crémeuse au maïs et à l'ail rôti (1/8 de la recette)	1½					1	
214	Purée de patates douces épicée (1/6 de la recette)	2½						½
215	Purée de pommes de terre à l'ail (1/6 de la recette)	1½				½		
216	Frites au romarin (1/6 de la recette)	1½				½		
217	Légumes racines rôtis (1/4 de la recette)	2	1			1	1	
218	Haricots blancs braisés (1/8 de la recette)	2			1½			
219	Purée de haricots blancs au cumin (1/6 de la recette)	2			2			
220	Couscous à l'orientale (1/6 de la recette)	1½	½					
221	Pilaf de céréales variées (1/4 de la recette)	3½	½		½	1		
222	Pilaf de riz navajo (1/6 de la recette)	2	½			½		
223	Riz aux pâtes et aux pois chiches (1/4 de la recette)	4½			1	½	1	
224	Risotto à la courge (1/6 de la recette)	2½	1			½		
226	Pamplemousse Calypso (1/6 de la recette)		1					1½
227	Boisson battue à la banane (1/2 de la recette)		3					
228	Fromage de yogourt (15 ml / 1 c. à soupe)						1	
229	Croquant aux fruits (1/8 de la recette)	½	3			1½		1½
230	Müesli helvète (1/6 de la recette)	1	½	½	½			1
231	Pain doré au four (1/6 de la recette)	2			1½	1		1
232	Crêpes à la ricotta et au citron (1/6 de la recette)	1			1	½		1
233	Crêpes aux flocons d'avoine et au babeurre (1/6 de la recette)	1		½	½	½		1
234	Crêpes multigrain (1/6 de la recette)	2½		½	½	1		
235	Crêpe levée à la poire caramélisée (1/6 de la recette)	½	1½		½	1½		1½
236	Soufflé de fromage de chèvre aux fines herbes (1/8 de la recette)	½		½	1	1		
238	Pizza du petit déjeuner (1/8 de la recette)	2			2	½		
240	Muffins aux canneberges (1/12 de la recette)	1	½			1		1½
241	Muffins au son de blé et d'avoine et aux abricots séchés (1/12 de la recette)	½	1			1		1
242	Muffins aux pommes et à la cannelle (1/12 de la recette)	1	½			1½		1
243	Bâtonnets de muffin gloire du matin (1/24 de la recette)	1				1		½
244	Roulés au miel et à l'avoine (1/16 de la recette)	1½				1		½
246	Pain de maïs aux piments verts doux (1/16 de la recette)	1				½	1	

PAGE	RECETTE (TAILLE DE LA PORTION)	FÉCULENTS	FRUITS ET LÉGUMES	LAIT À 2 %	PROTÉINES	MATIÈRES GRASSES ET HUILES	DIVERS	SUCRES
247	Biscuits au babeurre et au poivre noir (1/10 de la recette)	1 1/2				1		
248	Scones aux flocons d'avoine et au babeurre (1/12 de la recette)	1	1/2			1		1/2
249	Scones aux pommes de terre (1/8 de la recette)	1	1			1		1
250	Pain multigrain au yogourt (1/32 de la recette)	1						
252	Challah de blé entier au miel et aux raisins secs (1/16 de la recette)	1				1/2		1/2
254	Pain aux céréales Red River (1/32 de la recette)	1						
255	Pain au romarin (1/12 de la recette)	2				1		
256	Pain irlandais au carvi (1/16 de la recette)	1				1/2	1	
258	Fraises au vinaigre balsamique (1/6 de la recette)		1/2					1/2
259	Poires pochées dans du vin rouge épicé (1/8 de la recette)		2 1/2					1 1/2
260	Compote de fruits hivernaux caramélisée (1/8 de la recette) (sans cognac ni fromage de yogourt)		4					2 1/2
261	Pommes cuites au four aux biscuits Amaretti (1/6 de la recette)		2 1/2			1/2		1
262	Bananes flambées (1/6 de la recette)		3 1/2			1/2		2
263	Trempette de yogourt pour fruits et coulis de pêches (1/16 de la recette) (sans liqueur)			1/2				
264	Cari de fruits (1/6 de la recette) (sans liqueur)		2 1/2					1
265	Pouding crémeux au riz (1/8 de la recette)	1/2	1/2	1				1
266	Île flottante (1/6 de la recette)			1/2	1			5
268	Meringues renversées au citron (1/8 de la recette)		1	1/2				3
269	Gâteau aux bleuets (1/4 de la recette)	1	2 1/2			1		3
270	Croquant aux prunes (1/10 de la recette)	1/2	1			1		1
271	Tourte à la rhubarbe et aux fraises (1/10 de la recette)	1	1/2			1 1/2		2 1/2
272	Strudel aux pommes en pâte filo (1/10 de la recette)	1	1 1/2			1 1/2		1 1/2
273	Gâteau aux pommes express (1/12 de la recette)		1			1 1/2		1 1/2
274	Gâteau des anges au coulis de baies (1/12 de la recette, sans liqueur)	1/2	1/2		1/2			2 1/2
276	Gâteau des anges au chocolat avec sauce (1/12 de la recette)	1			1/2	1		3 1/2
278	Gâteau au fromage à l'ancienne (1/35 de la recette)				1		1	1
280	Meringues aux fraises (1/6 de la recette)		1/2	1	1/2			2 1/2
281	Meringues au moka (1/60 de la recette)						1	
282	Biscottes au miel et aux amandes (1/20 de la recette, soit 3 biscuits)	1				1		1
283	Carrés aux dattes (1/25 de la recette)	1/2	1			1		1
284	Carrés épicés à l'avoine et aux raisins secs (1/30 de la recette)	1/2				1		1/2

INDEX

D

E

F

M

N

O

P

Q

R

S

W

Y